ハヤカワ・ポピュラー・サイエンス

物質のすべては光

——現代物理学が明かす、力と質量の起源

THE LIGHTNESS OF BEING

フランク・ウィルチェック

吉田三知世訳

46判上製

「漸近的自由性」の発見者が案内するめくるめく物理世界

素粒子物理学の最先端では、常識を超えた考え方が往々にして現実化する。否定されたはずのエーテルに満たされ、物質と光の区別のない宇宙とはどんなものか？　二〇〇四年ノーベル賞受賞の天才物理学者が、いま注目の「質量の起源」も含め、物質世界の「見えない真の姿」を軽快な筆致で明かす一冊。

ハヤカワ・ノンフィクション

神父と頭蓋骨

――北京原人を発見した「異端者」と進化論の発展

THE JESUIT & THE SKULL

アミール・D・アクゼル

林大訳

46判上製

北京原人骨発見に携わった異色の聖職者の生涯！

古生物学者として北京原人の発見に関わったテイヤール・ド・シャルダン神父。敬虔なイエズス会士にして進化論の信奉者であった彼の信仰と科学の狭間での苦悩、バチカンから異端視された波乱と冒険の生涯を通し、人類学の発展を描く傑作評伝。解説／佐野眞一

スケール〔上〕
生命、都市、経済をめぐる普遍的法則

2020年10月20日　初版印刷
2020年10月25日　初版発行

＊

著　者　ジョフリー・ウェスト
訳　者　山形浩生（やまがたひろお）
　　　　森本正史（もりもとまさふみ）
発行者　早　川　浩

＊

印刷所　三松堂株式会社
製本所　大口製本印刷株式会社

＊

発行所　株式会社　早川書房
東京都千代田区神田多町2－2
電話　03-3252-3111
振替　00160-3-47799
https://www.hayakawa-online.co.jp
定価はカバーに表示してあります
ISBN978-4-15-209974-7　C0040
Printed and bound in Japan
乱丁・落丁本は小社制作部宛お送り下さい。
送料小社負担にてお取りかえいたします。

注

1．全体像

1. 500万から1兆とも言われているが、この推計が難しいことは悪名高い。最新の概算では870万という数が出されている。下記参照。Camilo Mora, et al., "How Many Species Are There on Earth and in the Ocean?" *PLOS Biology* 9（8）（Aug. 23, 2011）: e1001127.
2. 誰でもワット（W）という単位を知ってはいるが、その意味は混乱して理解されている。残念なことに、それはしばしばエネルギーの単位と考えられているが、実際はエネルギー使用率、あるいは単位時間あたりの発生率の単位である。エネルギーの単位はジュール（J）で、1ワットがちょうど1秒あたり1ジュールに相当する。1時間は3,600秒なので、100Wの電球は1時間に360,000Jを使用する。電気代請求書には通常、その前の月に使った電気エネルギーが時間あたりのキロワット数（1キロワットは1,000ワット）で記されている。100Wの電球を1時間つけたままにしておくと、0.1キロワット/時間のエネルギーを使ったことになる。
3. 代謝率のスケーリングは最初にマックス・クライバーが提案。M. Kleiber "Body Size and Metabolism.," *Hilgardia*（1932）; 6: 315–51. 図に示したグラフは下記データに基づく。F.G. Benedict *Vital Energetics: A Study in Comparative Basal Metabolism*. Washington, DC: Carnegie Institute of Washington, 1938.
4. H. J. Levine "Rest Heart Rate and Life Expectancy." *Journal of the American College of Cardiology* 30（4）（1997）: 1104–6.
5. L. M. A. Bettencourt, J. Lobo and D. Strumsky, "Invention in the City: Increasing Returns to Patenting as a Scaling Function of Metropolitan Size," *Research Policy* 36（2007）: 107–120.
6. ルイス・ベッテンコート、私、そしてスイス、チューリッヒのSwiss Federal Institute of Technology（ETH）のF. シュヴァイツァー教授提供のデータに基づく。各ポイントはおおむね同じサイズの多数の企業の平均を表している。このグラフの3万社近いアメリカの上場企業を含む詳細版を、第9章の図60-63に示した。
7. 第3章で論じるように、人間も比較的最近までこのおおよその一般原則に従っていた。先進国世界では私たちの寿命はここ150年間で2倍に延びたので、私たちの心臓の生涯脈拍数は30億回と予測できる。
8. 都市と都市化に関する詳細な統計の良質な情報源が、国際連合報告だ。例えば下記の公報を参照のこと。"World Urbanization Prospects," https://esa.

un.org/unpd/wup/Publications/Files/WUP2014-Highlights.pdf.

9. 加えて、幾つかのノーベル賞にも。

10. スティーブン・ホーキング、以下のインタビューの中での引用。“Unified Theory Is Getting Closer, Hawking Predicts,” San Jose *Mercury News*, Jan. 23, 2000; www.mercurycenter.com/resources/search.

11. 複雑系という新しい科学をテーマにした本はたくさんある。その中の数冊を挙げておく。M. Mitchell, *Complexity*: A Guided Tour (New York: Oxford University Press, 2008);〔邦訳 メラニー・ミッチェル『ガイドツアー 複雑系の世界: サンタフェ研究所講義ノートから』高橋洋訳, 紀伊国屋書店, 2011〕M. Waldrop, *Complexity: The Emerging Science at the Edge of Order and Chaos* (New York: Simon & Schuster, 1993).〔邦訳 M. ワールドロップ『複雑系—科学革命の震源地・サンタフェ研究所の天才たち』田中三彦, 遠山峻征訳, 新潮文庫, 2000〕J. Gleick, *Chaos: Making a New Science* (New York: Viking Penguin, 1987);〔邦訳 ジェイムズ・グリック『カオス：新しい科学をつくる』大貫昌子訳, 新潮文庫, 1991〕S. A. Kauffman, *At Home in the Universe: The Search for the Laws of Self-Organization and Complexity* (Oxford, UK: Oxford University Press, 1995).〔邦訳 スチュアート・カウフマン『自己組織化と進化の論理—宇宙を貫く複雑系の法則』米沢冨美子訳, ちくま学芸文庫, 2008〕J. H. Miller, *A Crude Look at the Whole: The Science of Complex Systems in Business, Life, and Society* (New York: Basic Books, 2016).

12. べき法則計算に馴染みがある人ならば、3/4べき乗スケーリングとは、サイズが倍になったときに厳密には代謝率が$2^{3/4}$倍、すなわち1.68倍、68パーセント増しになることを意味し、引用した75パーセント増しよりもわずかながら小さいことに気づくだろう。体裁を簡略化するために、本書を通じて私はこのような教育的な例を示す際にこの差を無視することにする。

13. 生物における様々な相対成長スケーリング則をまとめた秀逸なテキストは幾つかある。W. A. Calder, *Size, Function and Life History* (Cambridge, MA: Harvard University Press,1984); E. L. Charnov, *Life History Invariants* (Oxford, UK: Oxford University Press, 1993); T. A. McMahon and J. T. Bonner, *On Size and Life* (New York: Scientific American Library, 1983).〔邦訳 トーマス・A. マクマホン, ジョン・タイラー ボナー,『生物の大きさとかたち—サイズの生物学』木村武二, 小川多恵子, 八杉貞雄訳, 東京化学同人,2000〕; R. H. Peters, *The Ecological Implications of Body Size* (Cambridge, UK: Cambridge University Press, 1986); K. Schmidt-Nielsen, *Why Is Animal Size So Important?* (Cambridge, UK: Cambridge University Press, 1984)〔邦訳 K.シュミット＝ニールセン『スケーリング：動物設計論：動物の大きさは何で決まるのか』下澤楯夫監訳 大原昌宏, 浦野知訳, コロナ社, 1995.〕

14. これらの概念は G. B. West, J. H. Brown, and B. J. Enquist, “A General Model for the Origin of Allometric Scaling Laws in Biology,” *Science*276 (1997): 122–26. で最初に提案された。一般理論とその意味を非数学的視点からまとめたレビューとして、G. B. West and J. H. Brown, “The Origin of Allometric Scaling Laws in Biology from Genomes to Ecosystems: Towards a Quantitative Unifying Theory of Biological Structure and Organization,” *Journal of Experimental Biology* 208 (2005): 1575–92; と G. B. West and J. H. Brown, “Life's Universal Scaling Laws,” *Physics Today* 57 (2004): 36–42.がある。この枠組みに的を絞った説明とその分岐をテーマにした様々な専門論文については、後の章で適宜引いていくつもりだ。
15. これらの結果について詳述した重要な論文が、L. M. A. Bettencourt, et al., “Growth, Innovation, Scaling, and the Pace of Life in Cities,” *Proceedings of the National Academy of Science USA* 104 (2007): 7301–6. 特定の副論題を扱ったこれに続く論文については、後の章で適宜引用していく。概要については下記を参照。L.M.A. Bettencourt and G. B. West, “A Unified Theory of Urban Living,” *Nature*467 (2010): 912–13, そして “Bigger Cities Do More with Less,” *Scientific American* (September 2011): 52–53.
16. M.I.G. Daepp, et al., “The Mortality of Companies,” *Journal of the Royal Society Interface* 12 (2015): 20150120.

2. すべてを測る

1. この本のタイトルはたいてい*Dialogues Concerning Two New Sciences*と簡略化されている。代表的な英語版として Henry Crew とAlfonso de Salvioが1914年に訳したものがある。最初Macmillan から出版され (1914年)、1954年にDover Publications Inc., New Yorkから再版されている。
2. 科学の重要な宣言が強調されているがゆえに、アインシュタインの全引用は繰り返すに値する。“純粋に論理的手段によってもたらされた課題、現実に関してはまったく空虚だ。ガリレオはこれを理解しており、とりわけ彼がそれを科学界に叩き込んだがゆえに、彼は現代物理学――そして実のところすべての現代科学の父である” Einstein “On the Method of Theoretical Physics,” in *Essays in Science* (New York: Dover, 2009), 12–21.
3. J. Shuster and J. Siegel,*Superman*, Action Comics 1 (1938).
4. 数学に通じた者にはこれが分かる。なぜなら $(10^1)^{3/2} = 31.6$ であり $(10^2)^{3/2} = 1{,}000$だから。
5. M. H. Lietzke, “Relation Between Weightlifting Totals and Body Weight,” *Science*124 (1956): 486.

6. L. J. West, C. M. Pierce, and W. D. Thomas, “Lysergic Acid Diethylamide: Its Effects on a Male Asiatic Elephant,” *Science* 138 (1962): 1100–1102.
7. タイレノールの小児服用法は下記を参照。www.tylenol.com/children-infants/safety/dosage-charts (accessed September 25, 2016). 幼児については下記を。www.babycenter.com/0_acetaminophen-dosage-chart_11886.bc (2016年9月25日現在)
8. 例えば下記。Alex Pentland, Social Physics: *How Good Ideas Spread—The Lessons from a New Science* (New York: Penguin Press, 2014).〔邦訳 アレックス・ペントランド『ソーシャル物理学:「良いアイデアはいかに広がるか」の新しい科学』矢野和男, 小林啓倫訳, 草思社, 2015〕
9. ウェブ上には簡単にアクセスできるBMI計算サイトが多くあり、それを使って簡単に自分のBMIを判定可能だ。NIHのサイトを挙げておく。 www.nhlbi.nih.gov/health/educational/lose_wt/BMI/bmicalc.htm.
10. 例えば下記を。T. Samaras, *Human Body Size and the Laws of Scaling* (New York: Nova Science Publishers, 2007).
11. G. B. West, “The Importance of Quantitative Systemic Thinking in Medicine,” *Lancet* 379, no. 9825 (2012): 1551–59.
12. ブルネルの大きな影響力を含む、19世紀における蒸気船進歩の興味深い概観は以下を参照。Stephen Fox, *The Ocean Railway* (New York: Harper-Collins, 2004).
13. Barry Pickthall, *A History of Sailing in 100 Objects* (London: Bloomsburg Press, 2016).
14. 構想から悲惨な進水を経て奇跡的復元までのヴァーサ号の数奇な物語は、沈没した場所に近いストックホルム中心部に建てられた専用博物館に鮮やかに展示されている。ヴァーサ号は磨きあげられて建造時の堂々たる姿に復元され、いきいきとした良好な状態にある。それはとても素晴らしい博物館で、この都市を訪れる人は必見で、スウェーデンで一番の観光名所になっている。
15. ファインマンにはR. Feynman, R. B. Leighton, and M. Sands, *The Feynman Lectures on Physics* (Boston: Addison-Wesley, 1964).〔邦訳 ファインマン, レイトン, サンズ『ファインマン物理学〈1〜4〉』戸田盛和 他訳, 岩波書店, 2002〕という卓越した一連の著作があり、そこでナビエ＝ストークス方程式について専門的ではあるが秀逸な論考が行われている。
16. Lord Rayleigh, “The Principle of Similitude,” *Nature* 95 (1915): 66–68.

3. 生命の単純性、統合、複雑性

1. John Horgan, *The End of Science: Facing the Limits of Science in the Twilight of*

the Scientific Age (New York: Broadway Books, 1996).〔邦訳 ジョン・ホーガン『科学の終焉』筒井康隆監修, 竹内薫訳, 徳間書店, 1997〕
2. Erwin Schrödinger, *What Is Life?* (Cambridge, UK: Cambridge University Press, 1944).〔邦訳 シュレーディンガー『生命とは何か—物理的にみた生細胞』岩波文庫, 2008〕
3. 2005年6月12日、スタンフォード大学卒業式でのスティーブ・ジョブズによる祝辞。
4. 最もよく参照されるのは要約版D'A. W. Thompson, *On Growth and Form* (Cambridge, UK: Cambridge University Press, 1961).〔邦訳 ダーシー・トムソン『生物のかたち』柳田 友道 他訳, 東京大学出版会, 1973〕
5. M. Kleiber, "Body Size and Metabolism," *Hilgardia* 6 (1932): 315–51.
6. すでに言及したものに加えて下記を参照のこと。 G. B. West, J. H. Brown, and W. H. Woodruff, "Allometric Scaling of Metabolism from Molecules and Mitochondria to Cells and Mammal," *Proceedings of the National Academy of Science* 99 (2002): 2473; V. M. Savage, et al., "The Predominance of Quarter Power Scaling in Biology," *Functional Ecology* 18 (2004): 257–82.
7. 1932年に初版が出たハクスレーによる古典的名著は最近復刻された。Julian Huxley, *Problems of Relative Growth* (New York Dover, 1972). J・B・S・ホールデンは有名な小論 "On Being the Right Size," を*Harper's Magazine* 1926年3月に発表した。下記で読める。http://irl.cs.ucla.edu/papers/right-size.html.
8. 前述参照。
9. J. H. Brown, *Macroecology* (Chicago: University of Chicago Press, 1995).
10. S. Brenner, "Life's Code Script," *Nature* 482 (2012): 461.
11. 生物学と生態学へのより理論的アプローチの統合を促す、最近の二つの論考は下記を参照。 P. A. Marquet, et al., "On Theory in Ecology," *Bioscience* 64 (2014): 701; D. C. Krakauer, et al., "The Challenges and Scope of Theoretical Biology," *Journal of Theoretical Biology* 276 (2011): 269–76.
12. このアプローチを最初に詳述した論文がG. B. West, J. H. Brown, and B. J. Enquist, "A General Model for the Origin of Allometric Scaling Laws in Biology," *Science* 276 (1997): 122. 比較的非専門的概観としてはG. B. West and J. H. Brown, "The Origin of Allometric Scaling Laws in Biology from Genomes to Ecosystems: Towards a Quantitative Unifying Theory of Biological Structure and Organization," *Journal of Experimental Biology* 208 (2005): 1575–92; G. B. West and J. H. Brown, "Life's Universal Scaling Laws," *Physics Today* 57 (2004): 36–42; J. H. Brown, et al., "Toward a Metabolic Theory of Ecology," *Ecology* 85 (2004): 1771–89.
13. 生理学者たちは大動脈をいくつかのサブコンポーネント（上行大動脈、大動脈弓、胸部大動脈等）に分類する。

14. G. B. West, J. H. Brown, and B. J. Enquist, "A General Model for the Structure and Allometry of Plant Vascular Systems," *Nature* 400（1999）: 664–67.

15. 循環系生理学の従来からの専門的な概論としては、C. G. Caro, et al., *The Mechanics of Circulation*（Oxford, UK: Oxford University Press, 1978）; Y. C. Fung, *Biodynamics: Circulation*（New York: Springer-Verlag, 1984）.

16. しかし木のある部分は枯れ木であって枝の中の流量の流体力学には加担していないが、その生体力学では大きな役割を果たしているという微妙さがある。理論的にはこれによって、能動的ネットワークが木の全質量に対して線形的にスケールするという結果が変わることはない。

17. B. B. Mandelbrot,*The Fractal Geometry of Nature*（San Francisco: W. H. Freeman, 1982）.〔邦訳 B.マンデルブロ『フラクタル幾何学（上、下）』広中平祐監訳, ちくま学芸文庫, 2011〕

18. 適切な参照を含むリチャードソンの試みの秀逸な概論としてAnatol Rapaport, *Lewis F. Richardson's Mathematical Theory of War*, University of Michigan Library; 下記でダウンロード可。 https://deepblue.lib.umich.edu/bitstream/handle/2027.42/67679/10.1177_002200275700100301.pdf?sequence=2.

19. L. F. Richardson, *Statistics of Deadly Quarrels*, ed. Q. Wright and C. C. Lienau（Pittsburgh: Boxwood Press, 1960）.

20. 例えば A. Clauset, M. Young, and K. S. Cleditsch, "On the Frequency of Severe Terrorist Events," *Journal of Conflict Resolution* 51（1）（2007）: 58–87を参照。

21. L. F. Richardson, in *General Systems Yearbook* 6（1961）: 139.

22. Benoit Mandelbrot, "How Long Is the Coast of Britain? Statistical Self-Similarity and Fractional Dimension," *Science* 156（1967）: 636–38.

23. 例えば下記参照。 Rosario N. Mantegna and H. Eugene Stanley, *An Introduction to Econophysics: Correlations and Complexity in Finance*（Cambridge, UK: Cambridge University Press, 1999）.

24. 例えば下記参照。 J. B. Bassingthwaighte, L. S. Liebovitch, and B. J. West, *Fractal Physiology*（New York: Oxford University Press, 1994）.

25. Mandelbrot, *The Fractal Geometry of Nature*.

26. 例えば下記を参照。 Manfred Schroeder, *Fractals, Chaos, Power Laws: Minutes from an Infinite Paradise*（New York: W.H. Freeman, 1991）.〔邦訳 マンフレッド・シュレーダー『フラクタル・カオス・パワー則―はてなし世界からの覚え書』竹迫一雄訳, 森北出版,1996〕

4. 生命の第4次元

1. G. B. West, J. H. Brown, and B. J. Enquist, "The Fourth Dimension of Life: Fractal Geometry and Allometric Scaling of Organisms," *Science* 284 (1999): 1677–79.
2. M.A.F. Gomes, "Fractal Geometry in Crumpled Paper Balls," *American Journal of Physics* 55 (1987): 649–50.
3. G. B. West, W. H. Woodruff, and J. H. Brown, "Allometric Scaling of Metabolic Rate from Molecules and Mitochondria to Cells and Mammals," *Proceedings of the National Academy of Science* 99 (2002): 2473–78.
4. G. B. West, J. H. Brown, and B. J. Enquist, "A General Model for Ontogenetic Growth," *Nature* 413 (2001): 628–31.
5. G. B. West, J. H. Brown, and B. J. Enquist, "A General Quantitative Theory of Forest Structure and Dynamics," *Proceedings of the National Academy of Science* 106 (2009): 7040; B. J. Enquist, G. B. West, and J. H. Brown, "Extensions and Evaluations of a General Quantitative Theory of Forest Structure and Dynamics," *Proceedings of the National Academy of Science* 106 (2009): 7040.
6. C. Hou, et al., "Energetic Basis of Colonial Living in Social Insects," *Proceedings of the National Academy of Science* 107 (8) (2010): 3634–38.
7. A. B. Herman, V. M. Savage, and G. B. West, "A Quantitative Theory of Solid Tumor Growth, Metabolic Rate and Vascularization," *PLoS ONE 6* (2011): e22973.
8. Van M. Savage, Alexander B. Herman, Geoffrey B. West, and Kevin Leu, "Using Fractal Geometry and Universal Growth Curves as Diagnostics for Comparing Tumor Vasculature and Metabolic Rate with Healthy Tissue and for Predicting Responses to Drug Therapies, Discrete Continuous," *Dynamical Systems Series* B 18 (4) (2013).
9. G. B. West, J. H. Brown, and B. J. Enquist, "A General Model for the Structure and Allometry of Plant Vascular Systems," *Nature* 400 (1999): 664–67; B. J. Enquist, et al., "Allometric Scaling of Production and Life-History Variation in Vascular Plants," *Nature* 401 (1999): 907–11.
10. 下記引用より。Max Jammer, *Einstein and Religion* (Princeton, NJ: Princeton University Press, 1999).
11. J. F. Gillooly, et al., "Effects of Size and Temperature on Metabolic Rate," *Science* 293 (2001): 2248–51; J. F. Gillooly, et al., "Effects of Size and Temperature on Developmental Time," *Nature* 417 (2002): 70–73.
12. イングマール・ベルイマン『狼の時刻』（1968年）オープニングシーンより。
13. 例えば下記を。Claudia Dreifus, "A Conversation with Nir Barzilai: It's Not

the Yogurt; Looking for Longevity Genes," *New York Times*, February 24, 2004.
14. T. B. Kirkwood, "A Systematic Look at an Old Problem," *Nature* 451 (2008): 644–47; Geoffrey B. West and Aviv Bergman, "Toward a Systems Biology Framework for Understanding Aging and Health Span,"*Journal of Gerontology* 64 (2009): 2.
15. H. Bafitis and F. Sargent, "Human Physiological Adaptability Through the Life Sequence," *Journal of Gerontology* 32 (4) (1977): 210, 402.
16. H. J. Levine, "Rest Heart Rate and Life Expectancy," *Journal of American College of Cardiology* 30 (4) (Oct. 1997): 1104–6.　下記も。 M. Y. Azbel, "Universal Biological Scaling and Mortality," *Proceedings of the National Academy of science* 91 (1994): 12453–57.
17. A. T. Atanasov, "The Linear Allometric Relationship Between Total Metabolic Energy per Life Span and Body Mass of Mammals," *Bulgarian Journal of Veterinary Medicine* 9 (3) (2006): 159－74.
18. T. McMahon and J. T. Bonner, *On Size and Life* (New York: Scientific American Books—W. H. Freeman & Co., 1983).
19. J. F. Gillooly, et al., "Effects of Size and Temperature on Metabolic Rate," *Science* 293 (2001): 2248–51; J. F. Gillooly, et al., "Effects of Size and Temperature on Developmental Time," *Nature* 417 (2002): 70–73.
20. R. L. Walford, Maximum *Life Span* (New York: W. W. Norton, 1983).〔邦訳 ロイ・L. ウォルフォード『人間はどこまで長生きできるか―最新医学があかす寿命の科学』久保山盛雄訳, PHP研究所,1988〕; R. L. Walford, *The 120-Year Diet* (New York: Simon & Schuster, 1986).

5. 人新世から都市新世へ

1. E. Glaeser, *The Triumph of the City* (New York: Penguin Books, 2012).〔邦訳 エドワード・グレイザー『都市は人類最高の発明である』山形浩生訳, NTT出版, 2012〕
2. L.M.A. Bettencourt and G. B. West, "A Unified Theory of Urban Living," *Nature* 467 (2010): 21, 912.
3. 詳しい背景を教えてくれる秀逸な下記2冊。G. Clark, *A Farewell to Alms: A Brief Economic History of the World* (Princeton, NJ: Princeton University Press, 2008).〔邦訳 グレゴリー・クラーク『10万年の世界経済史（上、下）』久保恵美子訳, 日経BP ,2009〕I. Morris, *The Measure of Civilization: How Social Development Decides the Fate of Nations* (Princeton, NJ: Princeton University Press, 2013). 共に刺激的でかなり物議を醸した。

4. P. Ehrlich, *The Population Bomb* (New York: Ballantine Books, 1968).〔邦訳 ポール・R・エーリック『人口爆発』宮川毅訳, 河出書房新社, 1974〕
5. D. Meadows, et al., *The Limits to Growth* (New York: Universe Books, 1972).〔邦訳 ドネラ H.メドウズ『成長の限界―ローマ・クラブ「人類の危機」レポート』大来佐武郎監訳, ダイヤモンド社, 1972〕
6. J. Simon, *The Ultimate Resource* (Princeton, NJ: Princeton University Press, 1981).
7. P. M. Romer, "The Origins of Endogenous Growth," *Journal of Economic Perspectives* 8 (1) (1994): 3–22.

図版リスト

Page 49: Public.Resource.Org/CC BY 2.0
Page 101:（ミトコンドリア）: Blausen.com staff, "Blausen gallery 2014" from Wikiversity *Journal of Medicine*;（アリ）: Katja Schulz/CC BY 2.0;（アリの巣）: Natural History Museum: Hymenoptera Section/CC BY 2.0;（ドバイ）: Henrik Bach Nielsen/CC BY 2.0
Page 104:（脳の循環系）: OpenStax College/CC BY 4.0;（細胞ネットワーク）: NICHD/CC BY
2.0;（木）: Ales Kladnik/CC BY 2.0
Page 127:（ロマネスコ・カリフラワー）: Jon Sullivan/PDPhoto.org;（干上がった河床）: 提供Bernhard Edmaier/Science Source;（グランドキャニオン）Michael Rehfeldt/CC BY 2.0
Page 156:（アリ）: Larry Jacobsen/CC BY 2.0;（トガリネズミ）: Marie Hale/CC BY 2.0;（ゾウ）: Brian Snelson/CC BY 2.0;（パラセラテリウム）: Dmitry Bogdanov/Wikimedia Commons;（シロナガスクジラ）: Amila Tennakoon/CC BY 2.0
Page 164: 提供Alamy
Page 171:（腫瘍ネットワーク）: JACOPIN/BSIP/Alamy
Page 197:（高齢女性）: 提供 Image Source/Alamy;（マラソン走者）: 提供 Sportpoint/Alamy
Page 208:（アメリカGDPの長期実質成長）: 提供 Catherine Mulbrandon/VisualizingEconomics.com
Page 209:（地球、左）: NASA

スケール〔上〕

――生命、都市、経済をめぐる普遍的法則

SCALE

The Universal Laws of Growth, Innovation, Sustainability, and the Pace of Life in Organisms, Cities, Economies, and Companies

by

Geoffrey West

Translated by
Hiroo Yamagata and Masafumi Morimoto
First published 2020 in Japan by
Hayakawa Publishing, Inc.
This book is published in Japan by
direct arrangement with
Brockman, Inc.

ジャクリーン、ジョシュア、デボラ
そしてドラとアルフへ
感謝と愛をこめて

上巻目次

第4章 生命の第四次元：成長、老化、そして死

下巻目次

第1章　全体像

1．序論、概要、まとめ

生命はたぶん宇宙で最も複雑で多様な現象だ。驚異的なほど様々な形態、機能、行動がすさまじい範囲にわたる規模で見られる。例えば、地球には推定で八百万もの生物種がいて、[*1] その大きさは一兆分の一グラムにも満たない極小のバクテリアから、最大の動物で一億グラムにも達するシロナガスクジラまで実に広範だ。ブラジルの熱帯雨林に行けば、サッカー場ほどしかない広さの中に、百種以上の様々な樹木と、数千種の百万匹以上の昆虫が見つかる。そしてこうした生物種がそれぞれ生命を維持するやり方はすさまじく多様だ。発生、出産、生殖し、死ぬ方法はどれもまったくちがう。多くのバクテリアは寿命がわずか一時間で、生きるために一兆分の一〇ワットしか必要としないのに対し、クジラは一世紀以上生きて数百ワットを代謝している。[*2] この生物の途方もないタペストリーに加えて、私たち人間がこの惑星にもたらした、社会生活の驚くべき複雑さと多様さもある。これはとりわけ都市という形を取る。そこに含まれる驚異的な現象を考えてみてほしい。商業や建築から、文化多様性と各市民の無数の秘められた喜びと悲しみまで実に多種多様なのだ。

こうした複雑なまとまりのどれを取っても、太陽を巡る惑星のすさまじい単純さや秩序、あるいは腕時計やiPhoneの機械的な規則性と比べてみれば、これほどの複雑性と多様性のなかにも、惑星や腕時計に類する隠れた秩序が存在するのではと思ってしまう。すべての有機体、いや植物や動物から都市や企業に至るすべての複雑系が従う、少数の単純な規則性があるのでは？　それとも地球上の森やサバンナや都市で繰り広げられるドラマは、すべてデタラメで気まぐれなもので、散発的な出来事の羅列でしかないのか？　これほどの多様性を引き起こした進化過程の無作為性を考えると、規則性や系統的なふるまいが生じたなんて、あり得なさそうでピンとこない。なんといっても、生物圏を構成する無数の生命体のそれぞれ、その各下位組織、各器官、各細胞型、各ゲノムは、独自の環境ニッチのなかで、独自の歴史経路をたどり自然選択プロセスによって進化したのだから。

ではここで、図1から図4のグラフを見てほしい。生命体で重要な役割を果たす明確な量を大きさ順に並べたものだ。最初のグラフでは新陳代謝率――生きるために必要な一日あたりの食料――を各種の動物について、体重または重量に対して示した。二つめのグラフでは生涯心拍数を、これまた各種動物について体重または重量に対して示した。三つめは、都市別特許数をその人口に対して示した。そして最後に株式公開企業の総資産と純益を、その従業員数に対して示した。

数学者や科学者やこうした分野の専門家でなくてもすぐにわかることがあるはずだ。このどれも、私たちが人生で直面する、すさまじく複雑で多様なプロセスを表しているはずなのに、どれも驚くほど単純で、系統的で、規則的に見えるのだ。これら各グラフのデータは、ほとんど奇跡のようにほぼ直線上に並んでいる。各動物、都市、あるいは企業独自の歴史的、地理的偶然性から考えれば、デタ

スケーリング曲線の例。規模変化に伴って量がどのようにスケーリングするかを示している。（図1）動物の体重と新陳代謝率*3　（図2）動物の体重と生涯心拍数*4　（図3）都市の人口と特許数*5　（図4）企業の従業員数と資産や利益*6。これらのグラフが非常に大きなスケールの範囲をカバーしていることに留意してほしい。例えば、動物の体重と従業員数は100万倍の開きがある（ネズミからゾウまで、個人企業からウォルマートやエクソンまで）。これらのグラフに、すべての動物、企業、都市を収めるために、縦軸も横軸も対数目盛（10の乗数ごとで表示）になっている。

図1

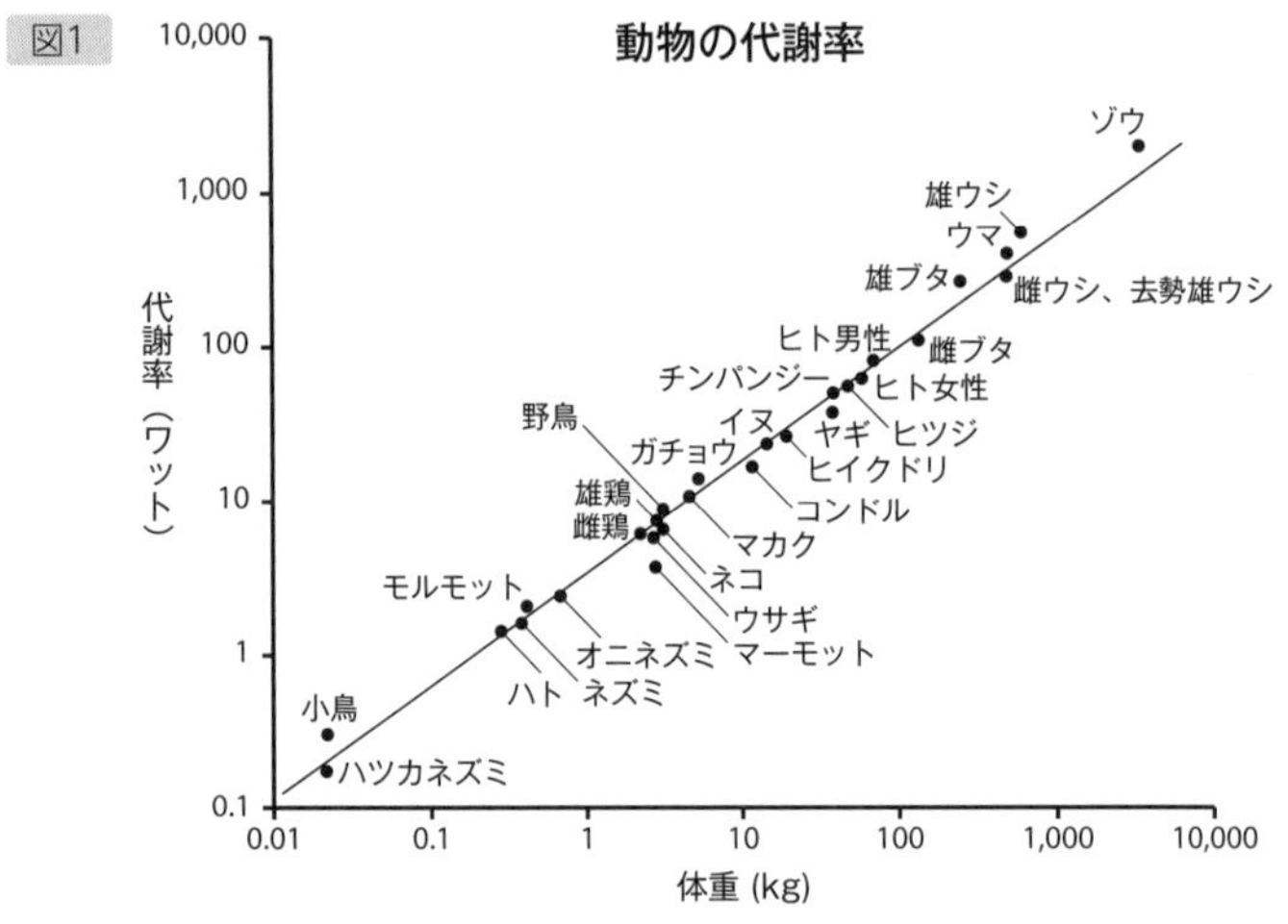

図2

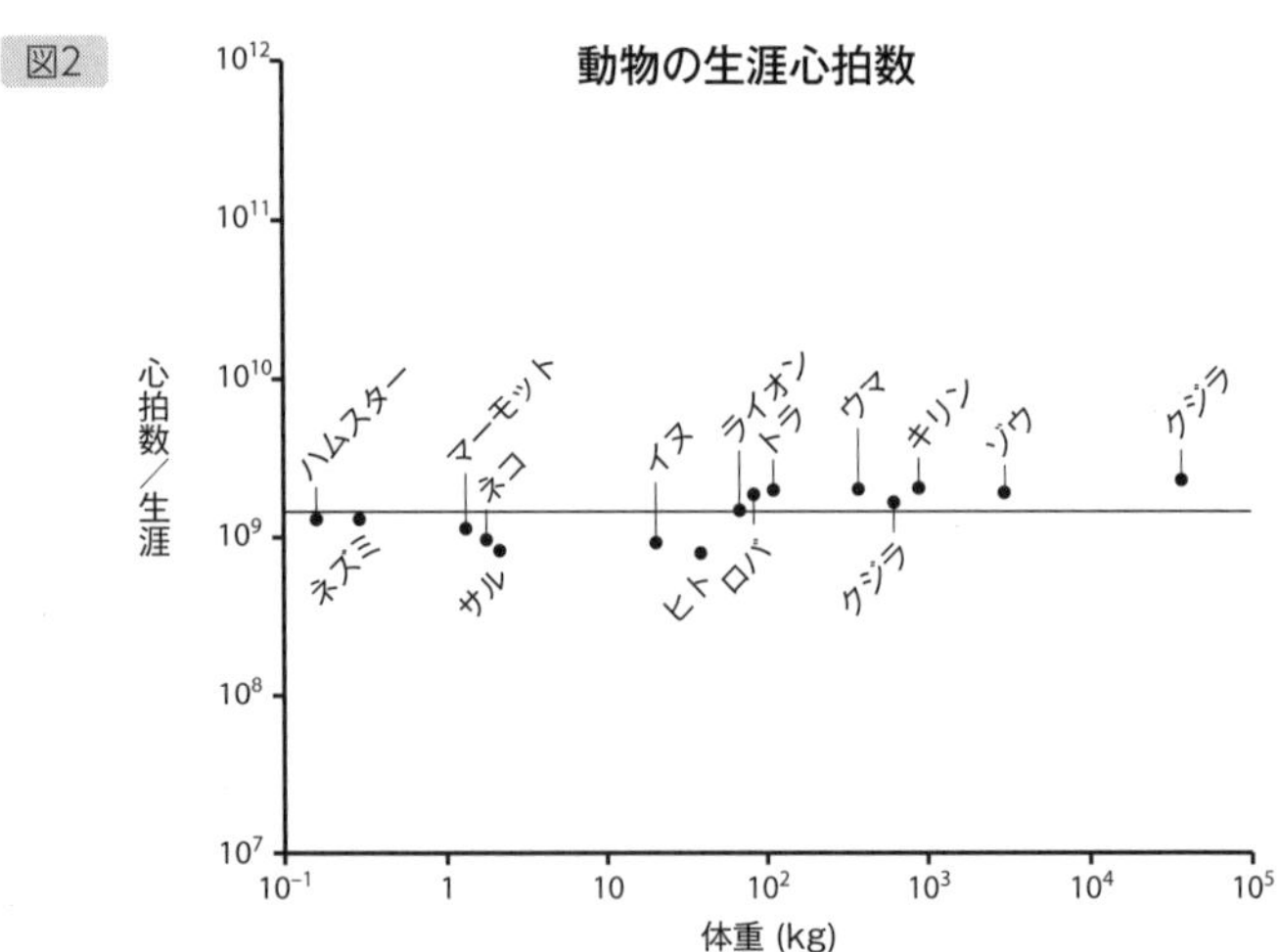

図3

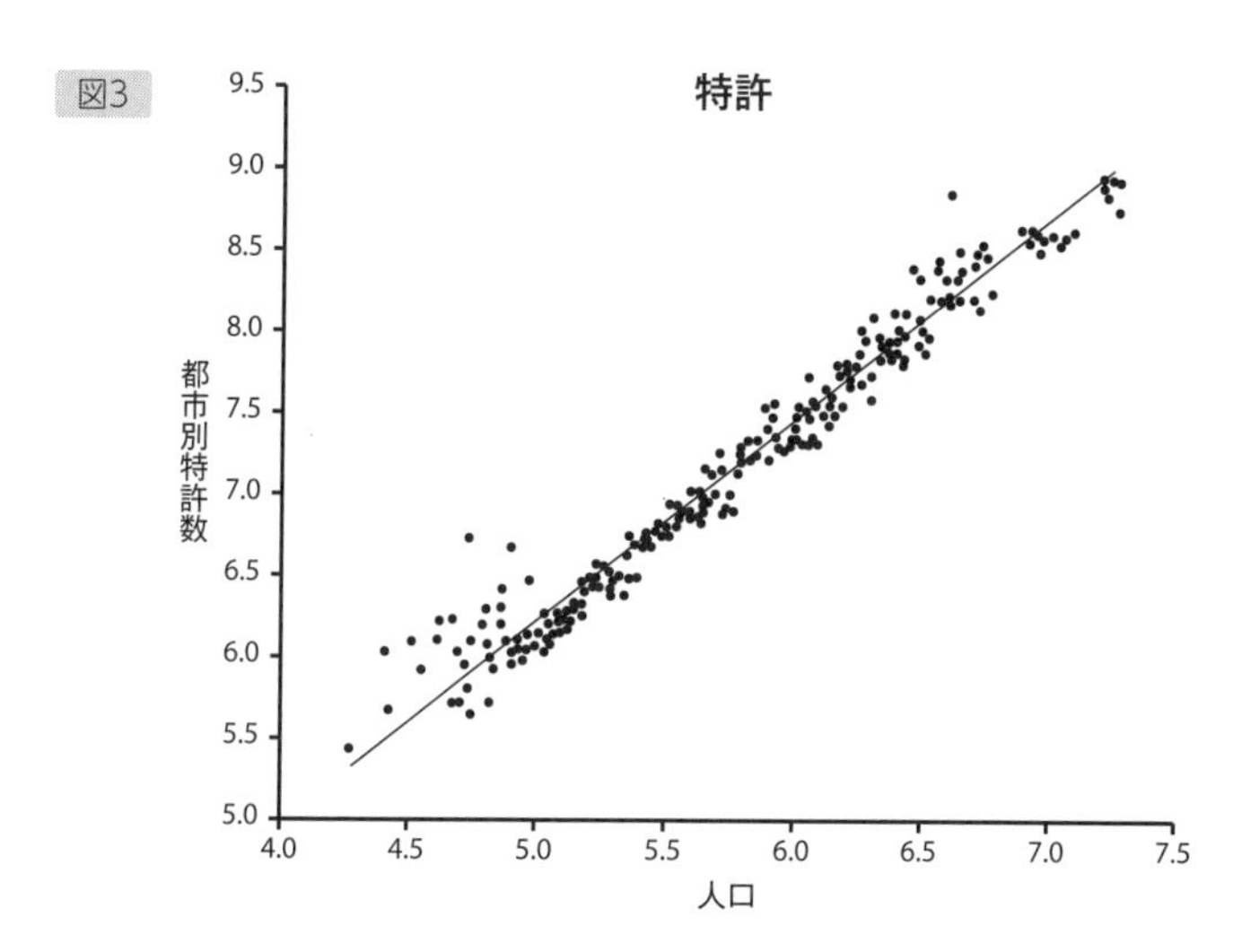
特許
都市別特許数
9.5
9.0
8.5
8.0
7.5
7.0
6.5
6.0
5.5
5.0
4.0
4.5
5.0
5.5
6.0
6.5
7.0
7.5
人口

図4

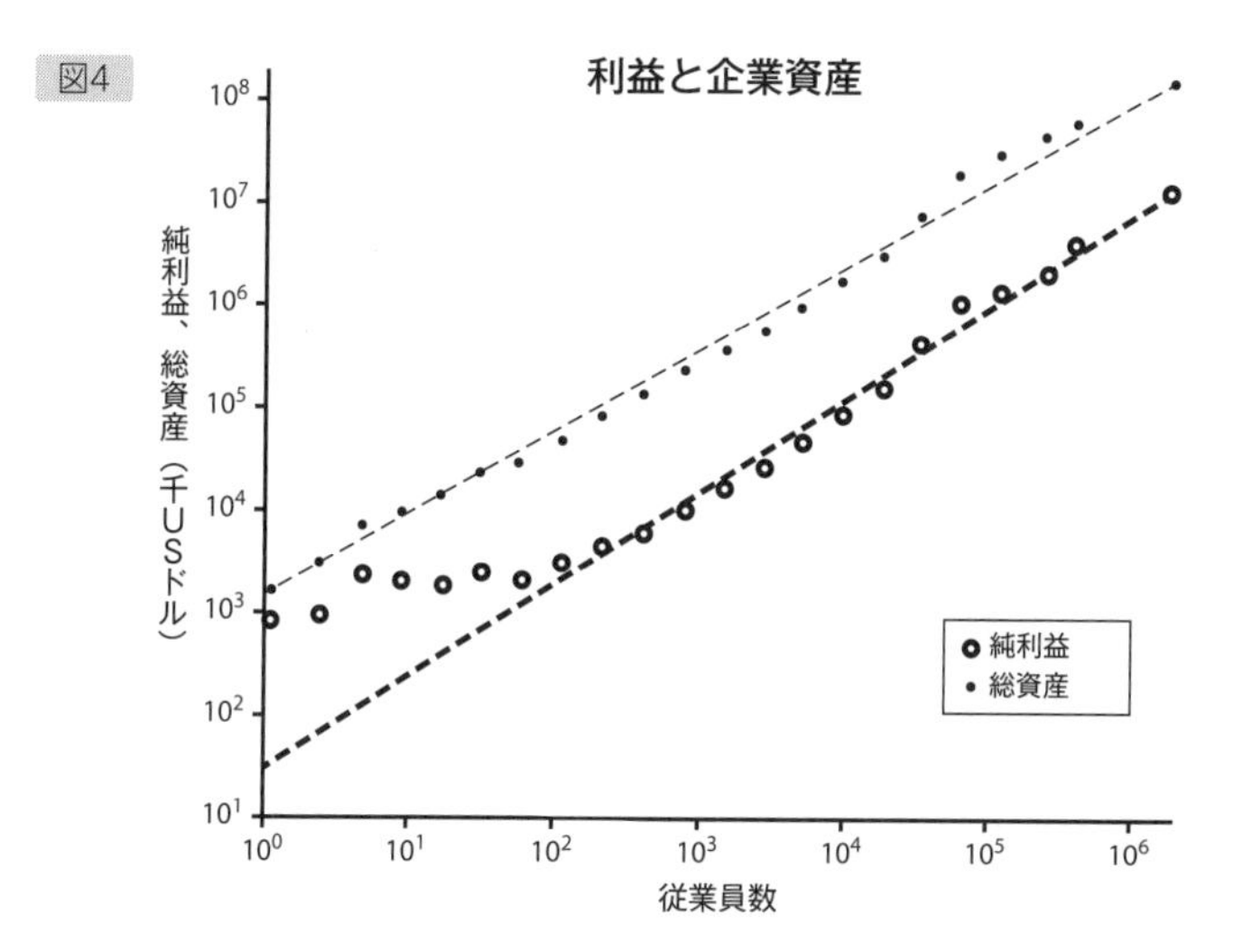
利益と企業資産
純利益、総資産（千USドル）
10^8
10^7
10^6
10^5
10^4
10^3
10^2
10^1
10^0
10^1
10^2
10^3
10^4
10^5
10^6
従業員数
純利益
総資産

ラメに分布しそうなものだ。なかでも最も意外なのが図2かもしれない。わずか数年しか生きないネズミのような小さな動物でも、クジラのように一〇〇年以上も生きる動物でも、哺乳類の平均生涯心拍数はだいたい同じなのだ。

動物、植物、生態系、都市、企業のほぼすべての測定可能な特徴は、大きさや規模と共に定量的にスケーリングする。図1から図4で示した例は、そのごく一部の見本でしかない。本書のいたるところで、もっと多くの例をお目にかけよう。この驚異的な規則性の存在は、これらのまったくちがう非常に複雑な現象すべての根底に共通の概念的枠組みがあること、そして動物、植物、人間の社会行動、都市、企業の動態、成長、まとまりが、実は似たような一般化した「法則」に従っていることを強く示唆している。

これが本書の主な論点だ。こうした系統的なスケーリング則の本質と起源、そしてそれらすべての相関について説明しよう。さらに、それが生命の多くの側面についての深くて広い理解をもたらし、究極的には地球の持続可能性という課題についても理解が深まることを述べる。まとめると、これらのスケーリング法則は、科学と社会全般の多くの重要な問題に取り組むための、定量的な予想のための枠組みを導き出せる、基本的な原則や概念へと通じる窓なのだ。

本書はある考え方を示し、大きな問題を問いかけ、そして大きな問題のいくつかに大きな答えを示唆する本だ。今私たちが格闘している大きな課題や問題、例えば急激な都市化、成長、地球の持続可能性から、癌、代謝、老化と死の原因の理解が、統一された総合的な概念的枠組みを使うことで可能になると述べる。都市、企業、腫瘍、私たちの身体の働きが驚くほど似ていること、そしてそれらが

ある一般テーマの変形となっていて、そのまとまり方、構造、動態の面で驚くべき系統的規則性と類似性を示していることも述べよう。それらすべてに共通しているのは、それがきわめて複雑であり、無数の個別構成要素でできあがっているということだ。その要素となる分子や細胞、人間は、ネットワーク構造を通じて複数の時空間スケールにまたがる形でつながり、相互作用し、そして進化する。これらのネットワークには、人体の循環系、あるいは都市道路網といった明白で非常に物理的なものもあれば、社会ネットワーク、生態系、インターネットといったもっと抽象的でバーチャルなものもある。

この大局的な枠組みを使えば、魅惑的なほど広範な各種の問題に取り組める。その一部は私自身の研究関心を刺激してきたし、またあるものは、今後の章でときに憶測を交えつつ取り組む。その幾つかをここで挙げておこう。

なぜ人間は一二〇年までは生きられても、一〇〇〇年、一〇〇〇万年は生きられないのか？　そもそも人はなぜ死ぬのだろうか、この寿命の限界をもたらしているものは何か？　寿命を、肉体を作る細胞と複雑な分子の特性から計算できるか？　それは変えられるのだろうか、それにより生存期間を延ばせるのか？

ヒトとほぼ同じ要素で構成されているネズミは、なぜ二、三年しか生きられないのか、そしてゾウはなぜ七五歳まで生きるのか？　そしてこの差にもかかわらず、なぜ生涯心拍数は、ゾウ、ネ

ズミなどあらゆる哺乳類で、一五億回とほぼ同じなのか？[*7]

細胞やクジラから森に至る様々な生命体と生態系は、なぜ非常に普遍的、系統的、予測可能なかたちで、サイズに応じてスケールするのか？　成長から死まで、それらの生理と生活史の大半を支配しているように見える魔法の数字4はどこからきているのだろうか？

なぜヒトの成長は止まるのか？　なぜヒトは毎日八時間寝なければいけないのか？　そしてなぜヒトはネズミに比べてはるかに腫瘍ができにくくて、なぜクジラにはほとんど腫瘍ができないのか？

なぜほとんどの企業は比較的短期間しか続かないのに、都市は成長を続け、最も強力で不死にみえる企業にさえ起こる破滅を回避できるのか？　企業のおおよその寿命を予測できたりするのか？

都市と企業の科学は作れるだろうか？　つまりその力学、成長、進化を、定量的に予測可能な枠組みのなかで理解するための概念的枠組みは開発できるのか？

都市の規模に上限はあるのか？　あるいは最適規模は？　動物や植物に大きさの上限はあるの

か？　巨大昆虫や巨大メガシティはあり得るのか？

なぜ人生はますます加速し、なぜ社会経済生活維持のためにイノベーション速度は加速し続けなければならないのか？

人間の作り出した、たった一万年で発達したシステムが、何十億年もかけて進化してきた自然生物界と今後も確実に共存し続けられるようにするにはどうしたらいいのか？　アイデアと富の創造による活気ある革新的な社会は維持できるのか？　それとも紛争と荒廃のスラム惑星になるしかないのか？


このような問いに取り組むにあたり、私は概念的論点を強調し、各科学分野からのアイデアを学際的に集め、生物学における基本的問題を社会経済学の問題と統合するが、その際には臆面も無く、理論物理学者の視点と目を通してそれを行う。物理学的視点がきわめて強いから、このスケーリングというまったく同じ枠組みが、素粒子と自然の基本的な力の統一理論を発展させる際にも決定的な役割を果たしたことについても述べ、それがビッグバンからの宇宙進化で持つ宇宙論的な意味合いも語ろう。この精神に基づいて、私は適切なところでは挑発的で憶測に基づく話もする。しかし提示するほぼすべては、おおむね確立された科学研究に基づいている。

本書で示した説明の多く、いやほとんどは、数学的用語による議論とその導出が起源ではある。だ

が本書の精神は断固として非専門的かつ教育的なもので、いわゆる「知的な素人」向けに書いたものだ。もちろんこれはかなりの課題を引き起こすし、当然そんな説明には多少勇み足な部分も登場するしかない。だから科学者仲間は私が数学的、専門的な言葉を一般用語に翻訳するときに、あまりに単純化しすぎているように見えても、過度に批判的になるのは控えてほしい。もっと数学的な指向を持つ人々のために、本書のあらゆる場面で参考文献に専門資料を挙げてある。

2. 私たちは指数関数的に拡大する、社会経済的な都市化世界に住んでいる

本書の中心となる主題は、都市とグローバルな都市化が地球の将来の決定に果たす大きな役割だ。都市は人間が社会化して以来、地球が直面してきた最大級の課題を生み出してきた。人類の未来と地球の長期的な持続可能性は、都市の運命と不可分に結びついている。都市は文明のるつぼ、イノベーションの拠点、富の創造の原動力であり、権力の中心、創造的な人々を惹きつける磁石、そしてアイデア、成長、イノベーションを刺激するものだ。だが暗い負の側面もある。都市は犯罪、公害、貧困、疾病、そしてエネルギーと資源浪費の温床だ。急激な都市化と加速する社会経済発展は、気候変動とその環境への影響から、食料、エネルギー、水供給、公衆衛生、金融市場、グローバル経済などの危機の可能性まで、多くのグローバルな課題を生み出した。

一方で多くの重要課題の原因でありながら、もう一方で創造性、アイデアの宝庫であり、そしてそれによる解決法の源でもあるという都市の二面性を考えると、「都市科学」、そしてその延長にある

「企業科学」、つまりその動態、成長、進化を量的に予測可能な枠組みのなかで理解する概念的枠組みの可能性を考えることが、緊急を要する問題となる。これは、とりわけ今世紀後半には人類の圧倒的多数が都市、それもその多くがこれまで前例のない規模の巨大都市の住人となっていることを踏まえると、長期持続可能性に対する真剣な対策として重要だ。

私たちが直面している問題、課題、脅威のほとんどは、別に目新しいものではない。どれも少なくとも産業革命開始以来存在していたものだ。それらが私たちを圧倒しかねない、迫りくる津波のように感じられ始めたのは、指数関数的な都市化のせいでしかない。まさに指数関数的拡大の性質として、目先の未来がますます急速に迫ってくる。そしてその未来は、予想外の課題をいきなりもたらしかねず、私たちがその脅威を認識する頃には手遅れになっているかもしれないのだ。だからこそ、人々は最近になってやっと、地球温暖化、長期的な環境変化、エネルギー、水などの資源の限界、健康、公害問題、金融市場の安定などを意識するようになった。しかも心配はしていても、これらの問題は一時的な異常事態で、そのうち解決して消えると何となく思い込んでいる。当然のことながら、ほとんどの政治家、経済学者、為政者は、これまで同様私たちのイノベーションと創意工夫が勝利をおさめるという、きわめて楽観的な長期展望を持ち続けてきた。後で詳述するが、私にはそうは思えない。

人類の存在期間のほとんどを通じて、ほとんどの人間が非都市的な環境に居住してきた。わずか二〇〇年前まで、アメリカは圧倒的に農業国で、都市住民は人口のうちのわずか四パーセントだったが、それが今では八〇パーセントを超えている。これはフランス、オーストラリア、ノルウェーなどほぼすべての先進国でも同様だし、アルゼンチン、レバノン、リビアといった「発展途上」とされる多く

の国にも当てはまる。今では、都市化が四パーセントにとどまる国など地球上に一つもない。おそらく最も貧しい低開発国のブルンジでさえ、一〇パーセントが都市化している。二〇〇六年、地球は世界人口の半分以上が都市部に住むという、注目すべき歴史的ハードルを超えた。都市人口比率は一〇〇年前にはわずか一五パーセント、一九五〇年になってもまだ三〇パーセントだった。今や中国、インド、東南アジア、アフリカを中心に二〇億人以上の人々が都市へと移住して、二〇五〇年には都市人口比率は七五パーセント超まで上昇するはずだ。*8

　これは途方もない数だ。この数字を今後三五年間で均（なら）してみると、毎週平均約一五〇万人が都市移住するということだ。この意味合いの感覚をつかみたければ、次のように考えてみよう。今が八月二二日だとすると、一〇月二二日にはニューヨーク大都市圏と同じ規模の都市が地球にもう一つ生まれ、クリスマスになるともう一つ、そして二月二二日にもう一つ……。不可避的に、今から今世紀半ばまでずっと、ニューヨーク大都市圏が二ヵ月に一つ新たに追加される。そしてここで言っているのは、人口わずか八〇〇万人のニューヨーク市ではなく、一五〇〇万人のニューヨーク大都市圏なのだ。

　おそらく、地球上で最も驚異的で野心的な都市化プログラムを実行しているのが中国だ。中国政府は、人口一〇〇万人超の新都市を、今後二〇年から二五年間で三〇〇も築くつもりだ。歴史的に中国の都市化と工業化は遅れていたが、追いつきつつある。一九五〇年、中国の都市化は一〇パーセントにすぎなかったが、今年中に五〇パーセントを超えそうだ。現在の増加率だと、今後二〇年から二五年間で、全アメリカ人口（三億五〇〇〇万人以上）と同数の人々が都市へと移住する。そしてインドとアフリカもそれに肉薄している。これは地球史上でまちがいなく最大の移住であり、将来同じ規模

の移動はほぼ起きないだろう。その結果、起こるエネルギーと資源の安定供給という課題、そして地球規模での社会構造への非常に大きな圧力は気の遠くなるほどだ……。そしてそれらへの対処のための時間は非常に短い。誰もが影響を受ける。逃げ場はどこにもない。

3. 生死の問題

都市の果てしない指数関数的成長は、生物界で見られるものとは好対照だ。ほとんどの生命体は、ヒトと同じで若いうちは急激に成長するが、その後成長は鈍って止まり、やがて死ぬ。ほとんどの企業が似たようなパターンをたどって、そのほぼすべてが最終的に消えるが、ほとんどの都市はそうはならない。それなのに企業や都市についての話では、必ず生物学的な比喩が持ち出される。典型的な言いまわしとして、「企業のＤＮＡ」、「都市の新陳代謝」「市場のエコロジー」などがある。これらは単なる比喩なのか、それとも何かの真の科学的な中身があるのか？　都市と企業は多少なりとも、非常に大きな生命体と言えるのか？　だってどちらも生物を元に発達したものだし、その結果多くの特徴を共有しているのだから。

都市には明らかに生物的ではない特質もある。それについては後ほど詳述する。しかし、都市が本当にある意味で超生命体ならば、なぜほとんどの都市は死なないのだろう？　もちろん滅んだ都市、特に滅亡した古代都市の古典的な例はあるが、たいていは紛争と周辺の環境破壊から生じた特殊例だ。しかもそれはこれまで存在した都市のうちのごく一部でしかない。都市には驚くべき持続力があり、

大半はいつまで経っても死なない。七〇年前には、二つの都市に原子爆弾を投下するという恐ろしい試みがあったのに、わずか三〇年後にはその二都市は繁栄を取り戻した。都市の抹殺はひどく難しい！　一方、動物や企業を殺すのは比較的簡単だ――それらの圧倒的多数は、実に強力で不死身に見えるものでさえ最終的に死ぬ。ここ二〇〇年で人間の平均寿命は伸び続けてきたが、最高寿命は変わらない。これまで一二三歳以上生きた人間はいないし、企業もごく少数を除けば長続きしない――多くが一〇年も経てば消える。ではなぜほとんどの都市は生き抜いて、企業や生命体の大部分は死んでしまうのか？

死はすべての生物的、社会経済的生命と切り離せない。ほとんどすべての命あるものは生まれ、生きて、最終的に死ぬ。それなのに本格的な研究と熟考の対象としての死は、誕生や生に比べて社会的にも科学的にも隠蔽（いんぺい）、無視される傾向にある。かく言う私も、五〇代になるまで老化や死について真剣に考えたことはなかった。私は二〇代、三〇代、四〇代を経て五〇代半ばまで、無意識のうちに自分は死んだりしないという「若者」に共通する神話を信じ続け、自分自身の不可避な死を懸念したりしなかった。しかし私は男が短命の家系なので、五〇代のどこかで五年から一〇年後には死ぬかもしれないと認識し始め、当然ながらその意味をしっかり考え始めようと思ったわけだ。

すべての宗教や哲学的思索の起源は、避けがたい死の運命を、日々の生活とどう折り合わせるかということなのだろう。だから私は老化や死について考え、文献を読み始めるとき、まずは個人的、心理学的、宗教的、哲学的な方向から入った。だがそれらは実におもしろいとはいえ、疑問がつのるばかりでまともな答えは得られなかった。そして次に本書で後に述べるその他の出来事によって、私は

老いや死を科学的に考えるようになり、思いがけないことに、それが私の個人と専門家としての両方の生き方を変える方向へと導いた。

物理学者として老化と死を考えるなら、当然ながら老いや死について考えられるメカニズムを問うだけでなく、人間の寿命の規模／スケールがなぜ生じるかも考える。なぜこれまで一二三歳以上生きた人がいないのか？　七〇歳を人間の寿命とみなした、謎めいた旧約聖書の言葉の起源は何か？　人間は神話のメトセラのように一〇〇〇年生きられないのか？　これに対して、ほとんどの企業は数年しか続かない。アメリカの上場企業の半数が、上場後一〇年以内に消え去る。ごく少数の企業はかなり長く続くが、ほとんどの企業はモンゴメリーワード、ＴＷＡ、スチュードベーカー、リーマン・ブラザーズの後に続く運命にあるようだ。なぜだろうか？　自分自身の死のみならず、企業の寿命も解明できる、純粋な機械的理論は作れないのだろうか？　企業の老化と死のプロセスを定量的に理解し、企業のおおよその寿命を「予測」できたりするだろうか？　そしてこの不可避に見える死の運命を、都市が巧みに避けている要因は何なのか？

4．エネルギー、代謝、エントロピー

これらの問題に取り組めば、その他のすべての生のスケールが生じる理由も自然に考えるようになる。例えば、ヒトは一晩におよそ八時間眠るのに、ネズミは一五時間眠って、ゾウはわずか四時間しか眠らないのはなぜか？　なぜいちばん高い木の高さは一〇〇メートル前後で、一六〇〇メートルで

はないのか？　なぜ最大の企業でも、資産総額が五〇〇〇億ドルに達すると成長が止まるのか？　そして、なぜヒトの細胞にはそれぞれミトコンドリアが約五〇〇個ずつあるのか？

こういった問いに答え、老化や死などのプロセスを定量的かつ機械的に理解するには、それが人間についてだろうと、ゾウや都市や企業についてだろうと、まずはその系がどのように発展し、生き延びるか把握する必要がある。生物では、これらは新陳代謝プロセスによって制御、維持されている。これは定量的には、生命維持に必要な一秒あたりのエネルギーである代謝率で表される。人間の場合それは一日約二〇〇〇キロカロリー、驚いたことに標準的な白熱電球と同じ、わずか九〇ワットほどに相当する。図1でわかるように、人間の代謝率は、このサイズの哺乳動物として「適正」な値だ。これは自然に進化した動物として生きる、人間の生物的代謝率だ。都市に生きる社会的動物として見た人間も、生存のために電球一つ分の食料はやはり必要だが、加えて今や家、暖房、照明、自動車、道路、飛行機、コンピュータなどが必要となる。結果として、平均的なアメリカ住人を支えるエネルギー総量は、何と一万一〇〇〇ワットにもなる。つまり社会代謝率は、ゾウ約一二頭分に匹敵する。さらに生物存在から社会存在へと移行する過程で、総人口は数百万から七〇億以上に増えた。エネルギーと資源の危機が迫っているのも無理はない。

「自然」だろうと人工的だろうと、これらのシステムには、「有益」なものに変えるためのエネルギーと資源の持続的な供給が不可欠だ。生物学の概念を拝借して、そのようなエネルギー変換プロセスをすべて代謝と呼ぼう。システムの精巧さに応じて、これら有益なエネルギーの産物は物理作業の実施と、維持、成長、生殖の促進とに振り分けられる。人間は社会的なので、その他あらゆる生物と著

しく対照的に、代謝エネルギーの大部分は都市、村落、企業、共同体といった地域社会と制度の形成、膨大な人工物の製造、そして飛行機、携帯電話、大聖堂から交響曲、数学、文学など実に多くのものを含む無数のアイデア創造に充てられてきた。

しかし、エネルギーと資源の持続的供給がなければ、これらのいずれも製造できないことはあまり認識されていない。それどころか、たぶんもっと重要なことだが、エネルギーや資源なしにはアイデア、イノベーション、成長、進化もあり得ない。何はともあれ、まずはエネルギーだ。それは人間の活動や、そのまわりで起こるすべての基本だ。だから、本書を貫くもう一つのテーマは、あらゆる問題におけるエネルギーの役割だ。これは自明に思えるかもしれないが、一般化されたエネルギーの概念は、経済学者や社会科学者の概念的思考のなかで驚くほど軽視されているか、ヘタをすると無視されているのだ。

エネルギーの処理には必ず代償がつきまとう。タダで手に入るものなどない。エネルギーは事実上すべての変換と運用の基本だから、どんなシステムでも何かしらの影響は引き起こしてしまう。実際、逃れられない自然の基本法則がある。「熱力学第二法則」と呼ばれるもので、これはエネルギーが利用可能な形に変換されるときには、必ず「利用不可能」なエネルギーも質の低い副産物として生じるというものだ。使えない無秩序な熱や利用できない産物など「意図せざる結果」だ。永久機関は存在しない。生き続け、高度に組織化された心身機能を維持し保守するには、食べなければならない。しかし食べたあとには、いずれトイレに行かなければならない。これはヒトのエントロピー生成が物理的に現れたものだ。

万物のエネルギーと資源の交換による相互作用から生じる、この基本的かつ普遍的な特質をドイツの物理学者ルドルフ・クラウジウスは、一八五五年に「エントロピー」と名づけた。閉鎖系のなかで、秩序形成、維持のためにエネルギーが使用、処理されるとき、ある程度の無秩序が必ず生じる――エントロピーは常に増大するのだ。なお「エントロピー」という用語は、「変換」あるいは「進化」のギリシャ語の直訳だ。この法則に抜け穴があるのではと考えたりしないように、アインシュタインが述べたことを引用しておく。「これが覆されることは決してない、普遍的意味を持つ唯一の物理理論だと確信している」。これは彼自身の相対性理論も含めての話なのだ。

死、税金、ダモクレスの剣のように、熱力学第二法則はヒトとそれを取り巻くすべてを支配する。摩擦による無秩序な熱の産出に似て、この消散的な力は絶えずつきまとい、すべての系の劣化をもたらす。きわめて優秀な設計の機械、きわめて独創的に組織化された企業、きわめて見事な進化を遂げた生命体であっても、この容赦ない死神からは逃れられない。進化する系のなかで秩序と構造を維持するには、エネルギーの持続的供給と利用が必要だが、その副産物が無秩序だ。よって私たちは生き続けるために絶えず食べる必要があり、その結果エントロピー生成という避けられない破壊的な力と戦うことになる。エントロピーは死をもたらす。結局のところ、私たちはみな多様な形の「摩滅」にさらされる。エントロピーとの戦いでは、成長、イノベーション、維持、修復のために絶えずエネルギー供給を増やすしかないが、系が古くなるにつれてこれはますます困難になる。生命体、企業、社会のいずれについてであろうと、老化、死の必然性、回復力、持続可能性についてのあらゆる真剣な議論の根底には、このエントロピーとの戦いがあるのだ。

5．サイズは本当に重要——スケーリングと非線形的挙動

こうした多様で無関係に見える各種の問題に取り組むにあたって、私が使うレンズの大部分はスケールと、科学という概念的枠組みになる。スケーリングとスケーラビリティ、つまりものがサイズに応じてどう変化するか、そしてそのときの基本法則と原理は、本書全体の中心テーマであり、本書のほぼすべての議論の出発点だ。このレンズを通して見ると、都市、企業、植物、動物、人体、果ては腫瘍でさえ、その構成と機能は驚くほど似ている。このいずれも、その組織、構造、動態において、驚くほど整然とした数学的規則性と類似が見られている。そのすべては、ある普遍的テーマの現れであって、それが実に魅力的なほど多様な形をとって現れているわけだ。これらは、まったくちがったシステムを統合的に一体化して理解するための、広汎で大局的な概念の枠組みの帰結として示され、それによって多くの大きな問題に対処し、分析、理解することが可能になる。

「スケーリング」というのは、最も基本的な話で言うなら、サイズが変化したときにその系がどう反応するかという話でしかない。都市や企業のサイズが倍になると、何が起こるか？　あるいは建造物、飛行機、経済、動物のサイズが半分になるとどうなるか？　もしもある都市の人口が二倍になると、その結果その都市の道路が二倍ほどになり、犯罪も二倍、特許も二倍になるのか？　企業の売上が二倍になると利益も二倍になり、動物は体重が半分になると必要な食料も半分になるのか？

システムのサイズが変わると何が起こるかという、一見当たり障りのない問いへの取り組みは、科

学、工学、技術の全領域にわたり驚くほど深遠な影響をもたらし、人生のほぼあらゆる面に影響が出ている。スケーリングの議論は、ティッピングポイントや相転移（例えば液体が凍って固体になったり、気化して気体になったりする方法）、カオス現象（ブラジルの蝶の羽ばたきが、フロリダでハリケーンをもたらすとかいう「バタフライ・エフェクト」のおとぎ話）、（物質の構成要素である）クォークの発見、自然の基本的な力の統一理論、ビッグバン以来の宇宙の進化といった力学への深い理解をもたらした。これらは、スケーリング理論が重要な普遍原理や構造を明らかにする役に立ってきた、目を見張るような例のごく一部でしかない。*9

もっと現実的な状況で、スケーリングは建物、橋、船、飛行機、コンピュータなど、大きくなる一方の人工物や機械の設計に重要な役割を果たしている。こうした分野では、小さなものを拡大して大きなものを効率的で費用をかけずに構想できるかどうかが常に課題だ。もっと困難で、たぶん緊急性も高いのが、ますます大きく複雑になる企業、自治体、都市、政府といった社会組織の組織構造をどう拡大するかという問題だ。これらの組織は通常、持続的に発展する複雑な適応システムなので、根本的な原理がしっかり理解されていないのだ。

例えば重要ながらあまり理解されていない例として、スケーリングが医薬品で果たす隠れた役割がある。病気、新薬、治療手段の研究開発の大半は、ネズミを「モデル」システムとして使う。するとネズミでの実験や発見を、どうやって人間にスケールアップするのかという重大な問題がすぐに持ち上がる。例えば毎年莫大な資源がネズミの癌に投資されている。だがネズミは一般に身体組織重量あたりで人間よりも毎年はるかに多くの腫瘍を起こす。だがクジラはほとんど腫瘍にならない。だから

ネズミの癌なんか研究しても、人間にとって意味があるのか、という問題がどうしても浮かぶ。別の言い方をすれば、ネズミの腫瘍研究を元に人間の癌という問題を深く理解し、解決しようとするなら、ネズミから人間への信頼できるスケールアップ、あるいはその逆でクジラからのスケールダウンのやり方を知る必要がある。このようなジレンマについては第4章で、生態臨床医学と医療でのスケーリング問題で論じる。

本書を通じて使用する用語のいくつかを紹介し、この冒険出発時点でみんなの理解を揃えるため、多くの人に馴染みはあっても——口語的に使われるが故に——しばしば誤解されている、頻出概念と用語のいくつかをおさらいしよう。

まず、さっき出した簡単な問いに戻ろう。動物は体重が半分になると、必要な食料も半分になるだろうか？　なると思うかもしれない。体重が半分になれば、喰わせるべき細胞の数も半分になるからだ。これは「大きさが半分になれば必要なものも半分になる」ということであり、逆は「大きさが二倍になれば必要なものも二倍になる」ということだ。これは古典的な線形思考の一例だ。意外なことに線形思考は、一見すると単純なのに、なかなか気づかれないことも多い。それは、この考え方が明示的ではなく暗黙のものになっているからだ。

例えば、国、都市、企業、経済の評価とランキングで、一人あたりの指標がやたらに使われるのは、線形思考の表れなのに、みんなそれにあまり気がついていない。単純な例を挙げてみよう。二〇一三年アメリカの一人あたり国内総生産（ＧＤＰ）は約五万ドルとされているが、これは経済全体の平均として、各国民が実質的に五万ドル相当の「財」を産出したということだ。人口一二〇万人の州都オ

クラホマシティのGDPは約六〇〇億ドルで、一人あたり国内総生産（六〇〇億を一二〇万で割る）はアメリカの平均値、すなわち五万ドルに確かに近い。人口が一〇倍の一二〇〇万人の都市なら、GDPはオクラホマシティの一〇倍の六〇〇〇億ドル（一人あたりの五万ドルかける一二〇〇万人）と推定される。しかし、実際に人口一二〇〇万人でオクラホマシティの一〇倍の、州都ロサンゼルスのGDPは七〇〇〇億ドル以上で、一人あたりという基準で暗黙に使われている線形推計からの「推定」値よりも一五パーセント以上も大きい。

もちろんこれは一例だし、例外だと思うかもしれない――単にロサンゼルスはオクラホマシティよりも豊かというだけの話なのかもしれない。確かにその通りだが、オクラホマシティとロサンゼルスを比べたときの過小推計は例外どころか、世界中のあらゆる都市に当てはまる一般的な系統的傾向だ。つまり一人あたりの数字で暗黙の前提となる単純な線形比例は、ほぼ絶対に当てはまらないということだ。GDPは、都市などほぼあらゆる複雑系の定量化可能な指標と同様に、概して非線形的にスケーリングする。この意味合いや影響については後で詳しく厳密に述べるが、とりあえず非線形的ふるまいというのは単純に、ある系の測定可能な特質が、サイズが倍になっても単に倍増するわけではないという意味だと思ってほしい。ここでの例では、一人あたりGDPは、平均賃金、犯罪率など多くの都市指標と同じく、都市の規模が大きくなると、系統的に増大する。これはすべての都市の本質的な特性を反映している。すなわち、社会活動と経済生産性は、人口数の増大で系統的に拡大するという特性だ。規模拡大による系統的な「付加価値」ボーナスは、経済学者と社会科学者からは「規模に対する収穫逓増」と呼ばれているが、物理学者は「超線形スケール化」というもっとセクシーな用語

のほうを好む。

非線形スケーリングの重要な例は生物の世界にも登場する。（人間を含む）動物が生命維持のために毎日消費している食料とエネルギーの総量に着目すればいい。意外なことに、大きさが二倍で、二倍の細胞によって構成されている動物が毎日必要とする食料とエネルギーは、単純に線形に伸ばして推計されるような一〇〇パーセント増にはならず、七五パーセント増にしかならない。例えば体重五四キログラムの女性は、何の活動も仕事もせず生命を維持するだけで、一日一三〇〇キロカロリーほどを必要とする。これを生物学者と医師は「基礎代謝率」と呼んで、日常生活における活動を加えた「活動代謝率」と区別する。一方、彼女が飼っているイヌで、体重が約半分の二七キログラムで、細胞数も約半分のイングリッシュシープドッグは、生命維持のために毎日彼女の約半分の食物エネルギー、つまり六五〇キロカロリーを必要としそうなものだ。でも実際には、このイヌは毎日八八〇キロカロリーが必要だ。

イヌは女性を小さくしただけの存在ではないが、この例は代謝率がサイズにつれてどう増減するかという一般的なスケーリング則の特別な例だ。これは体重わずか数グラムの小さなトガリネズミから、体重がその一億倍以上の巨大なシロナガスクジラまで、すべての哺乳類に当てはまる。この規則の重要な帰結として、グラムあたりで見た場合、動物（この例における女性）は大きければ大きいほど、身体を維持するために必要な単位重量あたりのエネルギーが（約二五パーセント）小さくなるので、小さな動物（その女性のイヌ）よりも代謝効率が良いことになる。ついでにウマは、彼女より効率が良い。このサイズ増大による系統的な省力化は「規模の経済（スケールメリット）」として知られて

いる。簡潔に言うなら、大きければ大きいほど、一人あたり（動物の場合なら細胞あたり、あるいは組織一グラムあたり）の生命維持に必要なコストは小さくなるということだ。これは都市のＧＤＰに表れる、規模による収穫逓増、あるいは超線形スケール化の場合と逆だ。あちらの場合、大きくなればそれだけ単位あたりの値は増えたが、規模の経済だと、大きくなれば単位あたりの値はそれだけ小さくなる。このようなスケーリングは、「線形未満のスケーリング」と呼ばれる。

サイズとスケールは、高度に複雑な進化システムの大まかなふるまいの主要決定因子だ。本書の大半は、こうした非線形のふるまいの起源とそれを使った広範な問題への取り組みについて、科学、技術、経済、ビジネス全般から、日常生活、ＳＦ、スポーツまであらゆるところから集めた例を使って説明し、理解していただくのに費やされる。

6．スケーリングと複雑性——発生、自己組織化、そして回復力

まだほんの数ページきただけなのに、すでに「複雑性」という言葉を何度も使い、まるでこの用語がよく理解されしっかり定義されているとでも言わんばかりに、ある系が「複雑」だと気軽に述べてきた。でも実際には、きちんとした理解も定義も根付いていない。ここでは少し回り道をして、この使われ過ぎの概念について語ろう。というのも、これから語る系のほぼすべてが、通常は「複雑」とみなされているからだ。

この言葉とその多くの派生語を、定義なしで不用意に使うのは私だけではない。ここ四半世紀を通

じて、複雑適応系、複雑性の科学、創発的行動、自己組織化、回復力、そして非線形適応力学といった用語は科学文献のみならず、ビジネス誌や企業世界、果ては通俗メディアですらやたらにお目にかかる。

地ならしとして、まず二人の著名な思想家、科学者と法曹家を引用しよう。最初は優れた物理学者スティーヴン・ホーキングで、彼は世紀の変わり目のインタビューで次のような質問を受けた。*10

二〇世紀は物理学の世紀で、これからは生物学の世紀だと言う人がいますが、これについてどう思いますか?

これに彼は次のように答えている。

私が思うに、次の世紀は複雑性の世紀になるでしょう。

これには心から同意したい。すでにこれまでの記述ではっきりさせたと思いたいが、いま人類が直面している多くの非常に困難な社会問題に対処するには、複雑適応系の技術が至急必要だ。

二つめはアメリカ連邦最高裁判所の判事として著名なポッター・スチュアートからの有名な引用だ。彼は一九六四年の画期的な判決で、ポルノ概念と言論の自由との関係について論じた際に、次のような素晴らしいコメントをしている。

ここであの簡潔な呼び方「ハードコア・ポルノグラフィー」に含まれる表現がどんなものかについて、これ以上の定義を試みるつもりはない。おそらくそれをまともに定義するのは無理かもしれない。が、見ればわかる。

「ハードコア・ポルノグラフィー」を「複雑性」に置き換えるだけで、多くの人がまさにこう言うだろう。定義はできないが、見ればわかる！

残念ながら、「見ればわかる」はアメリカの連邦最高裁判所では通用しても、科学では不十分だ。科学が大きな発展を遂げたのは、その研究対象と提起する概念について、簡潔で厳密だったおかげだ。通常、科学の対象と概念は厳密で、あいまいな部分がなく、操作的に測定可能であることが求められる。運動量、エネルギー、温度は、物理学で厳密に定義された量の古典的な例だが、日常用語としては口語的で比喩的な形で使われている。とはいえ、厳密な定義がいまだに大論争となっている、本当に大きな概念もかなりある。生命、イノベーション、意識、愛、持続可能性、都市などがそうだし、複雑性もまちがいなくそこに含まれている。だから複雑性を科学的に定義しようとするのはやめて、中間の立場を取ることにしよう。複雑系の本質的特徴の代表例を説明することで、見れば複雑系だとわかるようにしよう。そして単純、あるいは複雑ではなく「単に」非常に込み入っているだけの系と区別できるようにするのだ。この論考は決して完全ではないが、ある系を複雑と呼ぶときの意味合いのなかでも、際立った特徴を明らかにしようとするものだ。[*11]

典型的な複雑系は、無数の個別構成要素やエージェントでできている。それらがまとまると、集合的な特性が生じるけれど、その特性は個別の構成要素の特性には普通は登場しないし、また個別の特性から簡単に予測できるものでもない。例えば人間はその細胞の寄せ集め以上の存在であり、同様にその細胞自体もそれを構成する分子の寄せ集め以上の存在だ。人が「自分」だと考えているもの——その意識、人格、性格——は、脳内のニューロンとシナプスの複合的相互作用の集合的な表出だ。そのニューロンやシナプスもまた、身体の他の細胞と絶えずやりとりしている。その細胞の多くは心臓、あるいは肝臓といった、半自律的器官を構成する。加えてこれらは、程度の差こそあれ外部環境とも絶えずやりとりしている。さらにいささか逆説的ながら、肉体を構成する一〇〇兆個ほどの細胞のうちで、これぞ「自分」だとその人が断言し見分けられるような特性を持つものは一つもないし、また個別細胞のほうも、その人の一部だという意識や自覚があるものは一つたりともない。それぞれの細胞には独自の特徴があり、ふるまいや相互作用は局所的な独自の規則に従う。でもそうすることで、ほとんど奇跡のように、肉体のその他すべての細胞と一体化して「その人」となる。微視的な分子レベルから、百年にもなる日常生活を送るときのマクロな規模まで、体内で作用するすさまじい幅を持つスケールにもかかわらず、それが成立しているのだ。人間はまさに複雑系のお手本のような存在だ。

同様に都市はビル、道路、そして住民の総和以上の存在だし、企業はその従業員や製品の総和以上、生態系はそこに生息する植物、動物の総和以上の存在だ。都市や企業の経済産出、活気、創造性と文化はすべて、その居住者、インフラ、環境の相互作用に内包された、多様なフィードバック・メカニズムの非線形的特質に由来している。

この素晴らしい例として、お馴染みのアリの巣がある。アリは土を一粒ずつ地上に運び出して、ほんの数日で自分たちの都市を文字通り更地から築く。この驚くべき大建造物はトンネルと部屋、換気システム、食糧庫と孵化装置の多層ネットワークによって構成されており、そのすべてが複雑な輸送経路によって供給されている。それらの効率性、回復力、機能性は、最高のエンジニア、建築家、都市計画者が設計建築した、各種の賞をもらえる成果物にも引けを取らない。だが才気あふれる（それをいうなら凡庸なものですら）小さなアリのエンジニア、建築家、都市計画者など、今も昔もいない。取り仕切っている者などいない。

アリのコロニーは事前の計画や、単一の判断、集団協議や相談なしで築かれている。設計図や基本計画なんかない。ただ単に何千匹ものアリが、真っ暗な中で何も考えずに無数の土と砂の粒を運ぶだけで、この素晴らしい構造体ができる。この妙技は個々のアリが、化学的刺激やその他の信号が仲介するいくつかの単純なルールに従うことで実現され、それが驚くほど一貫した集合的な成果を生み出すのだ。まるで巨大なコンピュータ・アルゴリズムのなかで微視的作業を行うようプログラムされているようにさえ思える。

アルゴリズムと言えば、こうしたプロセスのコンピュータ・シミュレーションでこのような結果がうまくモデル化されている。複雑なふるまいが、個々の主体間で作用する非常に単純な規則の繰り返しで生じるのだ。これらのシミュレーションは、非常に複雑なシステムの面食らうような動きやまとまりが、個々の構成要素の相互作用を司る非常に単純な規則から生じるという考えを裏付けてきた。この発見が実現したのは、約三〇年前にコンピュータがそんな大量計算をこなせるほど強力になった

おかげだ。今やこんな計算は、普通のノートパソコンでも手軽にできる。こうしたコンピュータによる研究は、多くの系に見られる複雑性の根底には実は単純性があるのではという考えを裏付ける上で、非常に重要だった。だからそれが科学的に分析できそうだと認識されてきたのも、コンピュータによる研究のおかげだ。このせいで、本格的な定量化された「複雑性科学」を開発できそうだという可能性が着想された。この複雑性科学については、また後で触れよう。

つまり一般に複雑系が持つ普遍的特質は、全体はその構成要素の単純な線形和よりも大きく、しかも大幅にちがっていることが多いというものだ。多くの場合、全体は独自の動きを示し、その動きは構成要素それぞれが持つ特質とはほぼ関係がない。さらに、細胞、アリ、ヒトなど、個々の構成要素が行う相互作用を理解できても、結果として生じる全体的な系のふるまいを予測するのは、通常は不可能だ。システムが、個々の構成要素のすべての寄与を寄せ集めただけのものとは大きく異なる特徴を示すという、この集合的な結果は「創発行動」と呼ばれている。これは経済、金融、市場、都市コミュニティ、企業、生命体ですぐに見つけられる特徴だ。

これらの研究で得られる重要な教訓は、こうした多くのシステムには、中央の管理が存在しないということだ。例えばアリが巣を作るとき、どのアリも自分が貢献している壮大な建築物がどんなものになるかまったく知らない。アリのなかには、高度な構造物を築くために自分自身の体を建設資材にする種類もいる。軍隊アリとカミアリは水路を渡るときに、自分たちの体で橋と筏を組み立てて、採取遠征の障害を克服する。これらは「自己組織化」と呼ばれる事象の例だ。これは読書クラブや政治集会といった人間の社会集団、あるいは人間の器官（これは構成細胞の自己組織化と考えられる）、

あるいは都市（住民の自己組織化の表現）などに見られるもので、構成要素が自ら集積し、創発的な全体を作り出すという、創発行動なのだ。

創発と自己組織化という概念と密接に結びついているのが、多くの複雑系に見られるもうひとつの重要な特徴、すなわち変化する外部の状況にあわせて適応、進化する能力だ。そのような「複雑適応系」の典型的な例は、もちろん細胞から都市までの驚異的な形で現れる生命そのものだ。ダーウィンの自然淘汰説は、変化する環境に、生命体と生態系が絶えず進化適応するやり方を理解、説明するために開発された科学的な物語だ。

複雑系の研究により、個別に機能する構成部分へと系を分解するときには用心したほうがいいことがわかった。また系のどこか一部で小さな動揺が起きると、それがどこか別のところに非常に大きな結果をもたらすこともある。システムは、予測不能の変化をいきなり起こしがちだ——市場崩壊がその古典的な例だ。少数のトレンドが、他のトレンドを強化することで正のフィードバック・ループが生じ、事態が急展開して制御不能になり、ふるまいが劇的に変わるティッピングポイントを超えてしまいかねない。これは二〇〇八年の世界金融市場崩壊で壮絶な形で示された通りで、これにより世界規模の破壊的な社会、商業的な影響が生じそうになった。これはアメリカの住宅ローン産業という、地理的にかなり限られた狭い業界でのまちがった力学に促されたものだった。

科学者たちが複雑適応系の理解という課題を、それ自体として真剣に研究し、新たな取り組みを探求し始めたのは、ここわずか三〇年ほどのことだ。当然の結果として、生物学、経済学、物理学からコンピュータ科学、工学、社会経済学まで多様な領域から導き出された広範囲な技法と概念を活用し

た、統合された全分野包含アプローチが出現した。これらの研究から得られた重要な教訓は、こうした系についての細かい予測は概して不可能だが、系の重要な平均的特徴について、大ざっぱな定量的記述はできる場合もあるというものだ。例えば、ある個人がいつ死ぬかの正確な予測は決してできないが、なぜ人間の寿命は約一〇〇歳なのかを予測はできる。こうした定量的視点を持続可能性への取り組みと私たちの惑星の長期的生存に取り入れることは重要だ。なぜならそれは、現行の取り組みではよく無視される、相互接続と相互依存を本質的に認識しているからだ。

小さなものから大きなものへのスケールアップでは、基本要素、あるいはシステムの構成要素は変わらないか同じなのに、単純性から複雑性への進化が伴うことが多い。これは工学、経済、企業、都市、生命体、そしておそらく最も劇的なものとして進化過程ではお馴染みだ。例えば、大都市の超高層ビルは、小さな町の質素な住宅に比べて著しく複雑だが、力学、エネルギー、情報流通の問題、電源コンセント、水栓、電話、ラップトップコンピュータ、ドアなどの大きさを含む、建設と設計の基本原理は、建物の大きさとは無関係におおむね同じままだ。基本的な構成要素は、我が家からエンパイア・ステート・ビルディングにスケールアップしても大きなちがいはなく、みんなが共有している。同様に、生命体は実に様々なサイズと、桁外れに多様な形態や相互作用を持つよう進化を遂げ、それはしばしば複雑性の増大を反映したものだが、細胞、ミトコンドリア、毛細血管、葉といった基本的な構成要素は、体の大きさや、それが内包される系の種類の複雑性が増大しても、さほど変化しない。

7．あなたが自分のネットワーク——細胞からクジラへの成長

本章の冒頭で指摘したのは、ある非常に驚くべき直観に反するような事実だった。つまり進化の動態には偶然や事故がつきものなのに、生命体の最も基本的で複雑な重要性質は、驚くほど単純かつ整然と、その生物のサイズに応じてスケールするのだ。これは例えば、代謝率と動物の体重の関係を示した図1にはっきり示されている。

この系統的な規則性は厳密な数式に従っており、専門技術用語で言うと「代謝率はべき乗法則に従ってスケールし、その指数は3／4に非常に近い」となる。これについては後でもっと詳しく説明するが、ここではその大ざっぱな意味だけ説明しておこう。次のように考えてみよう。ゾウはネズミの約一万倍（十進数の四桁、一〇の四乗）重い。だから約一万倍の細胞を持つ。スケーリングの指数3／4法則とは、ネズミの一万倍の細胞を維持しているのに、ゾウの代謝率（すなわち生命維持に必要なエネルギー総量）はネズミの一〇〇〇倍（十進数の三桁、一〇の三乗）でしかないということだ。一〇の乗数が三対四になっている点に注目。これは、ゾウの細胞がネズミの約一〇分の一の代謝率で稼働しているということで、サイズの増大が持つ非常に大きな規模の経済を示している。さらに言えば、これに伴う代謝過程からの細胞傷害率減少が、ゾウの長寿の根底にあるということで、これが加齢と死の必然性を理解するための枠組みを与えている。スケーリング則はさっきと少しちがう表現もできる。ある動物が他の動物の二倍（一〇キログラム対五キログラム、あるいは一〇〇〇キログラム対五〇〇キログラム）のサイズを持つ場合、古典的な線形思考のせいで、代謝率は単純に二倍になると思うかもしれない。しかしスケーリング則は非線形なので、代謝率は二倍ではなく、実際はわずか

七五パーセント増しで、大きさが二倍になるごとに二五パーセントも節約できるとも言えるのだ。[*12]

比率3／4が、まさに数値（代謝率、質量）を対数で表した――両軸とも一〇倍ごとに目盛が進むということだ――図1のグラフの傾きだということに注目しよう。このように描くと、グラフの傾きはべき乗法則の累乗指数を表す。

この代謝率のスケーリング則は、これを最初に指摘した生物学者にちなんで「クライバーの法則」と呼ばれ、哺乳類、鳥類、魚類、甲殻類、バクテリア、植物、細胞を含む、ほぼすべての分類群に当てはまる。だがさらに印象的なのは、同様のスケーリング則が基本的に、成長率、心拍数、進化速度、ゲノム長、ミトコンドリア密度、脳の白灰質、寿命、木の高さ、木の葉の数さえも含む、ほぼすべての生理学的量と生活史の事象に当てはまることだ。さらにこのめまいがするほど多様なスケーリング則を両対数グラフで表すと、すべて図1のようになり、同じ数学的構造を持つ。すべて「べき乗法則」で、通常その指数（グラフの傾き）は1／4の整数倍となる。その古典的例が代謝率の3／4だ。だから例えば哺乳類の大きさが二倍になると、心拍数は二五パーセント減る。このように、4という数字はすべての生命体における基本であり、魔法のような普遍的役割を果たしている。[*13]

なぜこのような驚くべき規則性が、自然選択の持つ統計過程と歴史的制約から創発するのか？ 指数1／4スケーリングの普遍性と優位性は、自然選択が、個別生物の設計を超える別の一般物理原理に縛られてきたことを強く示唆している。細胞、生命体、生態系、都市、企業など、高度に複雑な自立構造は、莫大な数の構成単位の密接な統合を必要としていて、それがあらゆるスケールで効率的な保守運用を必要とする。これは生命体の場合、自然選択に内在する絶え間ない「競争」フィードバッ

ク機構によって最適化されたはずの、フラクタル的な階層分岐ネットワーク・システムの発達により実現されてきた。各種スケーリング則（1／4指数の普遍性も含む）の原点にあるのは、こうしたネットワーク・システム全般の、物理的、幾何学的、数学的特性なのだ。例えばクライバーの法則が生じるのは、ヒトなど哺乳動物が循環系に血液を送り出すための必要エネルギーを最小化することで、再生産にかけるエネルギーを最大化するためだ。他にこうしたネットワークとして、呼吸器系、腎臓系、神経系、植物と木の維管束系などがある。これらの概念と、「空間充塡」（体内のすべての細胞に栄養を供給する必要性）や「フラクタル」（ネットワークの幾何学）については、後でかなり詳しく述べる。

同じ基本原理と特性は、ちがう形を発達させてきたとはいえ、哺乳動物、魚、鳥、植物、細胞、生態系のネットワークすべてに共通している。これを数学的に表すと、普遍的指数1／4のスケール則の説明が出てくるし、さらに例えば最小最大の哺乳動物（トガリネズミとクジラ）のサイズ、あらゆる哺乳動物の循環系の任意の血管の血流量と脈拍数、アメリカ全土で最も高い木の高さ、ゾウやネズミの睡眠時間、腫瘍の血管構造といった、各種の系の基本的特質を表す多くの定量的結果も得られる。*14

これはまた成長の理論にも通じる。成長は、スケーリング現象の特殊例とみなせる。成熟した生命体は基本的にその幼生を「非線形的」にスケールアップしたものだ――大人の体の様々な比率を乳児と比べてみればいい。どの発展段階でも成長は、新たな組織を形成する新たな細胞を作るために、代謝エネルギーを分配し、ネットワークを通じて既存の細胞に届けることで実現する。この過程はネットワーク理論で分析できるし、それは腫瘍を含むどんな生命体にも適用可能な、成長曲線の普遍的な

定量化理論の予測に使える。成長曲線とは、生命体のサイズを年齢の関数として示したものにすぎない。子供のいる人は、平均的な幼児の身長体重と自分の子供を比較できるように小児科医がいつも見せてくれるので、成長曲線もお馴染みだろう。成長の理論はまた、誰でも思いつく興味深い逆説的現象を説明できる。なぜ人間は食べ続けているのに、やがて成長が止まるのかということだ。これは実は、ネットワーク設計に内在する代謝率の線形未満のスケーリングと規模の経済がもたらす結果だ。後の章では同じパラダイムを、果てしない成長とその持続可能性の起源をめぐる基本的問題の理解のため、都市、企業、経済の成長に適用しよう。

ネットワークはエネルギーと資源の細胞への供給率を決めるので、あらゆる生理的過程のペースを決めることにもなる。細胞は大型生命体では、小型生命体に比べて系統的にゆっくりと機能するよう強いられるため、「ライフ・ペース」はサイズが大きくなると系統的に遅くなる。だから大きな哺乳動物は長生きして、成長に長い時間をかけ、心拍数は遅くなるし、その細胞は小さな哺乳動物の細胞ほど頑張って働かない。そしてその比率も予測できる。小さな生き物は生き急ぐし、大きな生き物はゆったりと生きるが、効率的に生きる。走り回るネズミとゆっくりと歩くゾウを比べてみよう。

このような考え方を確立したら、生物学の領域で首尾よく確立されたネットワークとスケーリングのパラダイムを、都市と企業の動態、成長、構造にもうまく適用し、同じような問題の考察に使えるのではないかと考えてみよう。目指すのは、同じくらい機械論的な、「都市と企業の科学」の開発だ。これはさらに、地球の持続可能性という大問題と、持続的イノベーションとライフ・ペース加速という課題に取り組む出発点として活用する。

8. 都市と地球の持続可能性——イノベーションとシンギュラリティ（特異点）のサイクル

スケーリングを、その根底にあるネットワーク理論の表れとして見るのであれば、外見や形質がどれほどちがっていようとも、計測可能な特徴や性質から見る限り、クジラはでかいゾウにかなり近く、ゾウはスケールアップしたイヌ、そのイヌはスケールアップしたネズミということになる。確かにこれらはどれも、予測可能な非線形数学の方程式に従って、八から九割方はお互いにスケールしたバージョンとなっているのだ。言い換えると、あなたや私を含むこれまで存在したすべての哺乳動物は、平均すればおおむね単一の理想的哺乳動物をスケールしたものとなっている。これは都市や企業にも当てはまるのか？　ニューヨークはサンフランシスコのスケールアップ版で、そのサンフランシスコはボイジーのスケールアップ版、それはさらにサンタフェのスケールアップ版なのか？　東京は大阪のスケールアップ版で、それは京都のスケールアップ版で、それはさらにつくば市のスケールアップ版なのか？　各国独自の都市システムのなかですら、これらの都市は確かにどれもちがうし、ちがう歴史、地理、文化を持っている。でもそれを言うならクジラやウマ、イヌ、ネズミも同じだ。そのような問いに真剣に答える唯一の方法は、データを見ることだ。

驚いたことに、データ分析をしてみると、人口規模に応じて都市インフラ——道路、電線、水道管の全長、ガソリンスタンド数——はアメリカ、中国、日本、ヨーロッパ、中南米のどこでも同じようにスケールしている。生物の場合と同じく、これらの数量は都市規模に応じて線形未満でスケールし、

系統的な規模の経済が見られる。ただしその指数は〇・七五ではなく約〇・八五だ。だから例えば、世界中どこでも一人あたりに必要な道路と電線は、大都市ほど少ない。確かに生命体同様、都市は歴史、地理、文化が違っても、少なくとも物理的インフラに関しては、おおむね互いをスケールしたバージョンになっている。

おそらくさらに驚きなのが、都市が社会経済的にも互いをスケールしたバージョンだということだ。賃金、資産、特許、エイズ患者、犯罪、教育施設などは、生物界で対応するものがないし、人間が数万年前に都市を発明する前は地球上に存在しなかったものだが、そうした社会経済的数量も人口に応じてスケールする。こちらは超線形的（指数一以上ということ）で、その指数はおおむね一・一五だ。この一例が、図3に示した都市で生み出される特許数だ。だから一人あたりでは、こうした数量はすべて、都市の規模が大きくなると系統的に同じ比率で大きくなり、同時にすべてのインフラ数量は規模の経済のおかげで節約できる。世界全体の驚くべき多様性と複雑性や、都市計画の局所性にもかかわらず、都市はざっと見たところ驚くべき単純性、規則性、予測可能性を示している。[*15]

簡単に言うと、スケーリングはある都市が同じ国内の別の都市の二倍の規模（人口四万人と二万人、あるいは四〇〇万人と二〇〇万人）であれば、賃金、資産、特許、エイズ患者、凶悪犯罪、教育施設の数はおおよそ同じ割合（二・一五倍）で増え、インフラはすべて、同じくらい節約されている。都市が大きくなると、平均的な市民は財、資源、アイデアの所有、産出、消費を系統的に増やす。良いもの、悪いもの、醜いものがすべて、おおむね予測可能な形でいっしょくたになっている。人はイノベーションの多さ、「活気」の強さ、賃金の高さに惹かれて大都市に移動してくるが、同じだけの割

合で犯罪と病気の増大に直面するのも覚悟しなければならない。

世界中で独自に進化してきた都市と都市システムで、実に様々な都市指標について同じスケーリング則が見られるという事実からみて、生物界同様に歴史、地理、文化を超えた根本的な包括原理が存在するようだし、大ざっぱながらも基本的な都市理論はどうも可能らしい。第８章では、社会とインフラのネットワークに見られる、費用と便益との永遠の緊張関係の起源が、その根底にある社会ネットワーク構造の根本的で普遍的な動態と、人間相互作用の集団クラスター化にあると論じる。都市は、様々なやりかたで問題を抱えては解決する、まったく異なる人々の間での高度な社会接続性の恩恵を受ける、自然なメカニズムを与えてくれる。これら社会ネットワーク構造の本質と動態、あらゆる社会経済活動の一五パーセント増し、物理インフラにおける同じ一五パーセント節約とのあいだの興味深い関係を含むスケーリング則が、善かれ悪しかれどう生まれたかを論じよう。

人間は大規模なコミュニティを形成し始めたことで、根本的に新しい力学を地球にもたらした。言語の発明と、その結果生じた社会ネットワーク空間における情報交換によって、人類は富とアイデアの革新と創造のやり方を発見し、それが最終的に超線形スケーリングとして表れたのだ。生物界ではネットワークの力学による制約で、１／４スケーリング則に従ってサイズが増大するにつれ、ライフ・ペースは系統的に減る。対照的に、富の創出とイノベーションを支える社会ネットワークの力学は逆の挙動、すなわち都市規模の増大に応じた「系統的なライフ・ペース増大」を引き起こす。病気の拡大、企業の盛衰、商取引の速度、そして人々の歩き方さえ加速し、どれもおおむね一五パーセント則に従っている。小さな町よりも大都市の生活のほうが慌ただしく、しかもそれが私たちの存命中に、

都市とその経済の成長に伴っていたるところで加速しているのは、誰しも感じている。

資源とエネルギーは成長に欠かせない燃料だ。生物界の成長は代謝に後押しされ、その線形以下のスケーリングのおかげで、成熟時のサイズは予測可能で、おおむね安定したものとなる。こんなふるまいは、伝統的な経済学の考え方では大惨事とみなされるだろう。伝統的な経済学では、都市にせよ国にせよ、経済の健全性というのは持続的で果てしない、最低でも毎年数パーセントの指数関数的拡大と定義されているのだから。生物界における成長の限界は、代謝率の線形未満のスケーリングでもたらされたが、富とイノベーションの創出（例えば特許産出）の超線形スケーリングは、オープンエンドの経済という発想と整合した、際限のないしばしば指数関数よりも速い成長をもたらす。この一貫性は大いに結構ながら、「有限時間シンギュラリティ」という恐ろしい専門用語で表される大きな落とし穴がある。つまり困ったことだがこの理論が同時に予測することとして、無限の資源を持つか、潜在的な破綻が起こる前に時計を「リセット」する大きなパラダイムシフトが生じない限り、際限ない成長は維持できないのだ。私たちは、人間の歴史という大きなスケールのなかで鉄、蒸気、石炭、コンピュータ、そして最近ではデジタル情報技術の発見と結びついた、パラダイムシフトとなるイノベーションの持続的サイクルを喚起することで、果てしない成長を維持し、破綻を回避してきた。実際、そのような大小とりまぜた発見の繰り返しは、集合的な人間精神の非凡な創意工夫の証だ。

だが残念ながら重大な落とし穴がもう一つある。理論的には、そういった発見はますます加速して起こる必要があるとされている。連続するイノベーションの間隔は、どうしても系統的にますます短くなる必要があるのだ。例えば、石器、青銅、鉄器時代の間隔が数千年あったのに対し、「コンピュ

ータ時代」と「情報デジタル時代」の間隔はおそらく二〇年だった。だから持続的な果てしない成長にこだわるなら、ライフ・ペースがどうしても加速するばかりか、イノベーションも加速しなければならない。新しいガジェットやモデルがますます速いペースで登場するという、この短期での表出にはすでにお馴染みだろう。まるで加速するルームランナーに、ますます短い間隔で、次から次へ止め処もなく飛び移らされているようなものだ。これが持続可能でないのは明らかで、都市化されたすべての社会経済構造が崩壊しかねない。社会システムを刺激するイノベーションと富の創造は、抑制しないと避けられない崩壊の種を潜在的にまいていることになる。これは回避できるのか、はたまた私たちは失敗を運命づけられた、自然選択の魅惑的実験にはまり込んでしまっているのか？

9．企業とビジネス

これらの考えを発展させれば、企業とも関係しているのではと思うのは人情だ。定量的で予測力のある企業科学は可能だろうか？　企業は規模や事業特徴を超えた系統的規則性を見せているだろうか？　例えば売上高と資産額で見たとき、収益が五〇〇〇億ドル超のウォルマートやグーグルは、ざっと見て売上一〇〇〇万ドル以下のもっと小さな企業のスケールアップ版なのか？　驚いたことに、この答えは図4からわかる通りイエスだ。生命体や都市同様に、企業も単純なべき乗法則でスケールする。同じく驚きなのは、企業が都市の社会経済的な指標のように超線形的ではなく、サイズに伴い線形未満でスケールすることだ。都市インフラが〇・八五、生命が〇・七五なのに対し、企業のスケ

ーリング指数は約〇・九だ。でも企業のスケーリングは、生命体や都市に比べて厳密なスケーリングからかなりばらつきを見せている。これは、企業が市場での地位を競う発展の初期段階で顕著だ。それでも企業の平均的挙動に表れる驚くべき規則性から見て、企業は幅広い多様性と明らかな個性を持っているのに、規模や事業部門を超えた一般的な制限と原則に従って成長、機能するらしいのだ。

生命体の場合、代謝率の線形未満のスケーリングが根底にあるおかげで、成長は止まり、成熟時のサイズが死ぬまでおおむね維持される。似たような生命史の軌跡が、企業にも作用している。企業は初期には急成長するが、成熟すると成長は止まり、生き残った場合も最終的にGDP比で見た成長は止まる。創成期には、多くの企業は市場での地位を最大化しようとして、様々な革新的アイデアに支配される。でも成長して地位を確立すると、その製品空間の範囲はどうしても狭くなり、同時に強力な管理と官僚組織が必要になる。規模の経済と線形未満のスケーリングは、大きく複雑な組織の効率的な管理という課題を反映して、かなり早い時期に超線形スケーリングに支配されるイノベーションやアイデアを圧倒するようになり、最終的に停滞と死をもたらす。アメリカの上場企業のどんな区分を見ても、半数は一〇年以内に消え、一〇〇年どころか五〇年続く企業でさえまれだ。[*16]

企業は成長するにつれ、ますます多様性を失う。それを押し進めるのは、ひとつには市場原理だが、現代において従来型企業を経営する上で欠かすことのできない、トップダウン経営と官僚制の必要性がもたらす、必然的な硬直性もそれに拍車をかける。変化、適合、改革は、外部の社会経済の時計が絶えず加速し状況変化がどんどん激化すると、ますます実現しにくくなる。他方、都市は規模が大きくなるにつれ、ますます多面的になる。実際、ほとんどの企業と著しく対照的に、経済的風景を形作

る職種と業種の数から見た都市の多様性は、都市規模の増大に伴って、絶えず予測可能なかたちで系統的に増大する。こうして見ると、企業の成長と死の曲線が、生命体の成長と死の曲線に酷似しているのも当然だ。いずれの場合も、系統的な線形未満のスケーリング、規模の経済、限界ある成長、有限の寿命を示している。さらにいずれの場合も、対生存者比で死が起きる確率、通常死亡率と呼ばれている死の可能性は、年齢にかかわらず動物でも企業でも同じだ。上場企業は、どれほど確立した企業だろうと、その企業の実際の事業内容とは無関係に、買収、合併、倒産によって同じ率で消える。企業の成長、死、組織的力学を理解するための機械論的な基盤については、生命体の成長と死、そして都市の際限のない成長と明白な「不死性」と比較、対比しながら、第9章でさらに詳しく論じよう。

第2章　すべての尺度――スケーリング入門

前章で挙げた多くの問題と疑問を扱う前に、本章でこれからずっと使用するいくつかの基本コンセプトをざっと紹介しておこう。すでにある程度は知識を持った読者もいるかもしれないが、みんなの理解を揃えておきたいのだ。

概説は主に歴史的な視点で行おう。最初はなぜ巨大な昆虫は存在しないのかというガリレオの説明で、最後はなぜ空は青いのかというジョン・ウィリアム・ストラットの説明だ。そのあいだに、スーパーマン、ＬＳＤと薬物用量、ＢＭＩ、船舶災害とモデル理論の起源、そしてそれらすべてがイノベーションと成長の限界の起源と特質にどう関わっているかについて触れる。何よりもこれらの例で、「スケール」を元に定量的に考えるのが、いかに概念的なパワーを持っているかについてお伝えしたいのだ。

1．ゴジラからガリレオまで

多くの科学者同様、私も時々ジャーナリストからインタビューの申し込みを受ける。通常それは都

市、都市化、環境、持続可能性、複雑系、サンタフェ研究所、そして時にはヒッグス粒子などに関する質問や課題についてだ。だから『ポピュラー・メカニクス』誌の記者からの問い合わせで、日本の古典映画『ゴジラ』のハリウッド版リメイク大作が近々封切られるので意見を聞きたいと言われて、私はひっくり返った。ちなみにゴジラというのは、主に都市（オリジナルの一九五四年版では東京）をのし歩き、住民を恐怖に陥れて破壊と大惨事をもたらす巨大な怪獣だ。

私がスケーリングについて多少知識があると聞いた女性記者は、「楽しく、おバカでおたくっぽい感じで、（新作公開と結びつけて）ゴジラの生物学について（中略）そんな巨大動物の歩く速さとか（中略）代謝で生じるエネルギーとか、体重とか」が知りたいということだった。当然、この二一世紀版生粋のアメリカ産ゴジラは、同キャラクター史上最大の体高一〇六メートルで、「わずか」五〇メートルしかなかった日本のオリジナル版の二倍以上の身長だ。私はすぐに、どんな科学者に訊いても、ゴジラのような動物はあり得ないと答えるはずだと回答した。それが私たち（すなわちすべての生物）とほぼ同じ基本成分でできているなら、自重で潰れてしまうから生きられない、と。

この元になる科学議論が、四〇〇年以上前の近代科学の黎明期にガリレオによって説かれている。それはまさに本質からして、見事なスケーリング議論になっている。もしも動物、樹木、あるいは建物を無制限にスケールアップしようとすると何が起こるかとガリレオは問いかけ、その答えのなかで、成長には限界があることを発見した。彼の議論はその後、現在まで続くすべてのスケーリング議論の基本的な雛形となっている。

ガリレオは、物理学、数学、天文学、哲学への多くの独創的貢献によって、正当にも「近代科学の

ガリレオ35歳と69歳の肖像。彼はこの後10年経たないうちに死んだ。この肖像に鮮やかに表れている、加齢と差し迫る死については第4章で詳しく論じる。

父」と呼ばれている。おそらく、ピサの斜塔の上から大きさと材料の異なる物体を落として、それらすべてが同時に地表に到達することを示したという実験の伝説でいちばん有名だろう。この直観に反する結果は、重いものは軽いものより重量に比例して早く落下するという、一般に認められていたアリストテレスのドグマに反していた。このアリストテレスの根本的誤解は、ガリレオが実際に試してみるまでのほぼ二〇〇〇年間、普遍的に信じられていたのだ。今にして思えば、ガリレオの調査以前に誰一人としてこの「自明の事実」に思えるものを、実際に検証するどころか、検証しようと考えすらしなかったと思うと驚きだ。

ガリレオの実験は、運動と力学についての基本理解を一変させ、ニュートンによる有名な運動法則の先鞭をつけた。これらの法則は、

この地球上であろうと宇宙であろうと、すべての運動を理解するための、明瞭な定量的で数学的な予言的枠組みをもたらして、天上と地上を同一の自然法則で統合した。これは宇宙における人間の場所を再定義しただけにとどまらず、ここ二〇〇年間に到来した啓蒙時代と技術革命のお膳立てを含む、その後のあらゆる科学の不変の基準となった。

ガリレオは望遠鏡を完成させ、木星の衛星を見つけたことでも有名で、これにより太陽系についてのコペルニクスの見方が正しいと確信した。観察から得た太陽中心説を強く主張し続けたため、彼は重い代償を支払うことになった。すでに老衰した六九歳で異端審問にかけられ、有罪判決を受けたのだ。彼は自説の撤回を強いられ、つかの間収監された後、自宅監禁で余生を過ごした（九年間は失明していた）。著作は禁書となり、悪名高い「ヴァチカン禁書目録」に名を連ねた。彼の著作が目録から外されたのは、それから二〇〇年以上経った一八三五年で、ヨハネ・パウロ二世がガリレオの処遇について遺憾の意を公に表明したのは、ほぼ四〇〇年後の一九九二年のことだった。私見、直観、そして先入観に基づいてヘブライ語、ギリシャ語、ラテン語ではるか昔に記された言葉が、科学的観測による証拠や論理、数学的言語よりも圧倒的に重視されたというのは虚を衝かれる思いだ。悲しいことに私たちは今なお、こうした見当ちがいな考え方からまるで抜け出せていない。

ガリレオに降りかかった悲劇は恐ろしいが、人類は彼の監禁で素晴らしい恩恵を受けた。彼が『二大世界体系についての対話』（『天文対話』）という、彼の最高の著書とも言うべき、科学書として真の名著のひとつを記したのは、この自宅監禁中のことだったのだ（監禁がなくてもいずれ書かれたかもしれないが）[*1]。この本は基本的に、人間をとりまく自然界を論理的、理性的枠組みで理解しようと

する試みへの体系的な取り組みについて、それまでの四〇年間における彼の成果の集大成だった。だからこの本は、同じく記念碑的なアイザック・ニュートンの貢献や、その後のほぼあらゆる科学の先鞭をつけたのだ。実際、アインシュタインがこの本を称賛するとき、ガリレオを「近代科学の父」と呼んだのは誇張ではなかった。*2

これは名著だ。とっつきにくい書名と、幾分古めかしい書き方や文体にもかかわらず、驚くほど読みやすいし、実に楽しい。三人の男（シンプリチオ、サグレド、サルヴィアーティ）による「対話」形式で書かれている。彼らは、ガリレオが答えを探し求めている大小様々な問題について意見を交わし議論するために、四日間にわたって会合を開く。シンプリチオは、世界について知りたがって、かなり素朴な問いをいろいろ発する「普通」の素人代表だ。サルヴィアーティは利口な男（ガリレオ！）で、すべてに答える。その答えも説得力のあるていねいな形で述べられている。一方サグレドはその仲介役で、サルヴィアーティを追及するかと思えば、シンプリチオを激励する。

対話の二日目、彼らはロープや梁の強度に関するやや難解と思われる議論を扱う。そしてこの少々退屈なややこしい議論が、一体どこへ向かうのかと読者が戸惑っているまさにそのとき、霧が晴れて光がさし、サルヴィアーティは次のような意見を述べる。

すでに証明されたことから、人工物と自然のいずれにおいても、構造の大きさの巨大化が不可能なことは一目瞭然だろう。巨大な船、宮殿、あるいは寺院の建設をしようとしたら、櫂、中庭、梁、鉄製ボルト、さらにその他すべての部品がどうしてもバラバラになってしまうのだ。同様に

自然も、枝が自重で折れてしまうため、巨大な木は生み出せない。同様に、人間、馬などの動物が巨大な体高になっても、バラバラにならずに通常の機能を果たすような形で骨格を構築できないため（中略）過度に体高が高くなると、その動物は倒れて自重で潰れてしまう。

沙汰は下った。漫画や映画産業が生き生きと描き出す、巨大なアリ、甲虫、クモ、それを言うならゴジラなどについての妄想は、四〇〇年近く前にガリレオが検討しているのだ。彼はそれが物理的に不可能なことを見事に示している。厳密に言うなら、どのくらい大きくなれるかについての根本的な制約がある。あの様々なサイエンス・フィクションのイメージは、まさに単なるフィクションでしかない。

ガリレオの主張はエレガントで簡潔だが、重要な意味合いを持つ。またそれは、後の章で精査する多くの概念についての優れた序論になっている。彼の議論は二つの部分で構成されている。サイズが大きくなったときに、面積と体積がすべての物体のスケールとどのような関係にあるかを示す幾何学的テーマ（図5）と、建物を支える柱、動物を支える肢、あるいは木を支える幹などの強さが、それらの横断面積に比例していることを示す構造的テーマ（図6）だ。

囲みコラムでこの前者について、物体の形をそのままスケールアップした場合、表面積は長さの二乗に比例して増え、その体積は三乗に比例して増えることを、専門用語を使わずに説明する。

このようにもののサイズがスケールアップすると、その体積はその面積よりもかなり急激に増える。簡単な例を示そう。家のすべての長さを、形を保ったまま二倍にすると、その体積は二の三乗で八倍

面積と体積のスケールついてのガリレオの論考

まず可能なかぎり最もシンプルな幾何学的物体、正方形の床タイルを思い浮かべ、それを大きなサイズにスケールアップするとしよう（図5）。具体的には、その一辺の長さを１mとしよう。その面積は、二辺の積で$1\text{m}\times1\text{m}=1\text{m}^2$となる。ではその各辺を1mから2mにしよう。すると面積は$2\text{m}\times2\text{m}=4\text{m}^2$となる。同様に、長さを3倍の3mにすると、面積は$9\text{m}^2$に増える。これはすぐに一般化できる。面積は長さの二乗で増える。

この関係は、そのすべての線形の長さが同一の倍数で増えて形が変わらないなら、正方形のみならず、どんな二次元幾何学図形にも当てはまる。同様の例が円だ。例えばその半径が倍になると、その面積は2×2=4倍で増える。もっと一般的な例として、住む家の形と構造を保ったまま、家のすべての長さを倍にすると、壁や床などあらゆる面の面積は4倍になる。

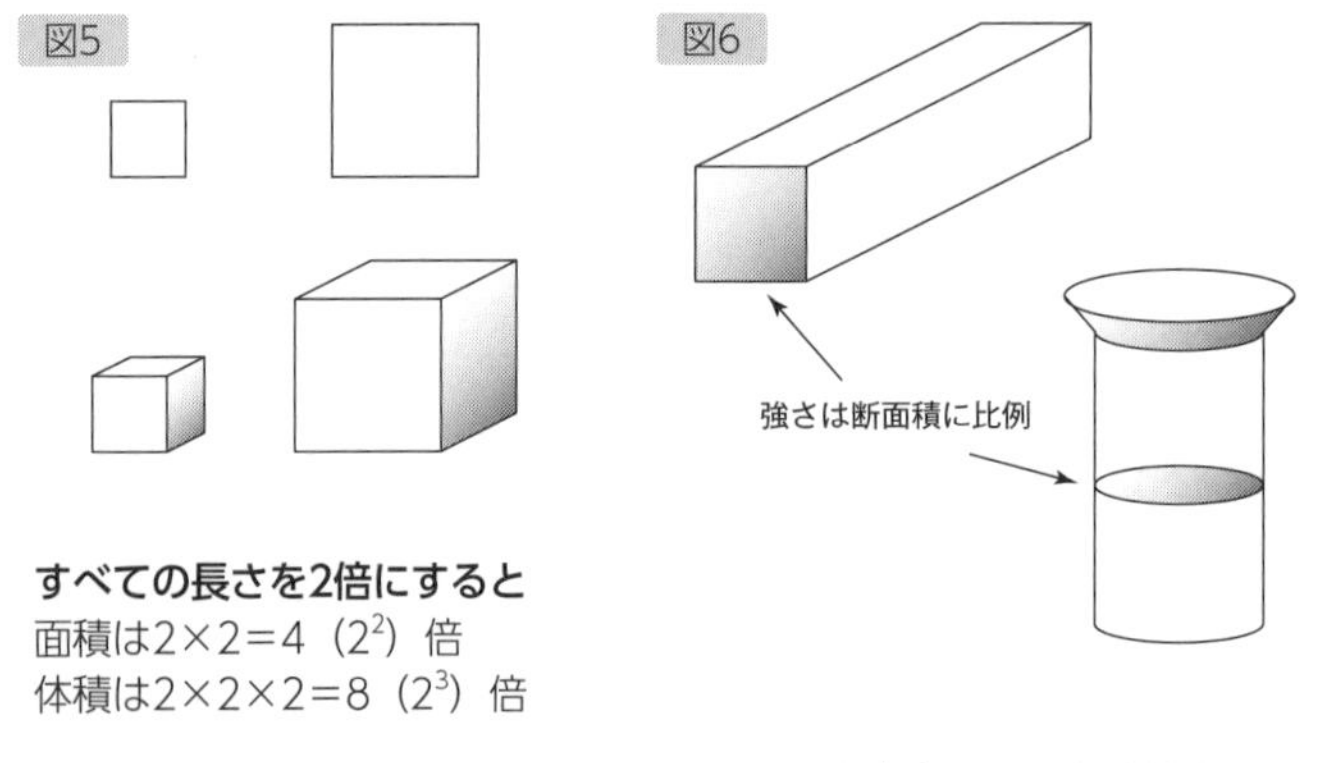
図5
図6
強さは断面積に比例
すべての長さを2倍にすると
面積は2×2=4（2^2）倍
体積は2×2×2=8（2^3）倍

図5　単純な正方形、正方体の場合、面積、体積がどのように拡大縮小するかを示した。
図6　梁、あるいは肢の強度はその断面面積に比例する。

この議論はそのまま面積から体積に拡張できる。まず最初にシンプルな立方体について考えてみよう。その側面の長さが2倍、例えば1mから2mになると体積は1m^3から、$2\times2\times2=8\text{m}^3$になる。同様に、長さが3倍になると体積は３×３×３＝27になる。面積同様、これもどんな形だろうとあらゆるものにそのまま一般化できる。形が同じままなら、スケールアップするとその容積は線形次元の3乗で増える。

に増えるが、床面積は二の二乗で四倍にしかならない。もっと極端な例を出すと、すべての長さが一〇倍になったら、床、壁、天井といったすべての表面は一〇×一〇で一〇〇倍になるのに対し、その部屋の容積はずっと大きな一〇×一〇×一〇で一〇〇〇倍になる。

これは、人が住んで働く建物だろうと、自然界の動植物の構造だろうと、身の回りの世界大半のデザインと機能にとって大きな意味がある。冷暖房や照明のほとんどの強さは、それに使われるヒーターやエアコンや窓の表面積に比例する。だからその効率は冷暖房をかけたり照らしたりする居住空間の容積ほど急速に増えないので、建物がスケールアップするとこうした設備の規模はずっと大きなものにしなければならない。同様に、大型動物は代謝と身体活動の放熱が問題となる。なぜなら熱を放出するための体表面積は、小さな動物に比べるとその体積と比べてかなり小さくなるからだ。例えばゾウはずっと大量の放熱が必要なため、不釣り合いに大きな耳を進化させて体表面積を大幅に増やすことで、この問題を解決している。

面積と体積のスケールの根本的なちがいは、ほぼまちがいなくガリレオ以前の人々も認識していたはずだ。ガリレオの加えた新たな洞察は、この幾何学的認識を、柱、梁、肢の強度がその長さではなく、断面の面積で決まるという自身の認識と結びつけたことだ。だから長方形の断面が一〇センチメートル×二〇センチメートル（すなわち二〇〇平方センチメートル）の柱は、同じ材質で断面の寸法が半分しかない、つまり五センチメートル×一〇センチメートル（すなわち五〇平方センチメートル）の柱の四倍の重量を支えられる。たとえ前者の柱の長さが四メートルで後者が七メートルだろうと、関係ない。だからこそ施工業者、設計者、技術者は材木を断面寸法で分類し、ホーム・デポやロ

ウズの木材置き場でも「2×2、2×4、4×4」等と表示してある。

建築物や動物をスケールアップするとき、その材質に変化がなく、密度が同じままなら、重さはその体積に比例して増える。体積が倍になれば重量も倍になる。このように、柱や脚が支える重さは、強度よりもずっと急速に増える。なぜなら重量は（体積同様に）辺の寸法の三乗で増大するのに、強度は二乗でしか増えないからだ。これをはっきりさせるために、建物や木が形は同じまま高さが一〇倍になったとしよう。支えなければならない重量は一〇〇〇倍（一〇の三乗）になるのに対し、それを支える柱、あるいは幹の強度はわずか一〇〇倍（一〇の二乗）にしかならない。だから増えた重量を支える能力は一〇分の一になる。結果的に、何であろうと構造物のサイズをやたらに増やすと、やがて自重で潰れてしまう。サイズと成長には限界があるのだ。

少し別の言い方をしてみよう。サイズが大きくなると、相対強度はだんだん弱まる。あるいはガリレオによる、実に生々しい表現を借りれば、「体が小さくなると相対強度は大きくなる。だから小さな犬は自分と同じサイズの犬を二、三匹背負えるが、馬は自分と同じサイズの馬を一頭でさえ背負うことはできないはずだ」。

2．スケールのまちがった結論と誤解——スーパーマン

スーパーマンがこの世にデビューしたのは一九三八年だが、今なおSFファンタジー界では偉大なアイコンの一つだ。彼の出自を説明した、一九三八年のスーパーマン・コミックのオリジナル版の冒

頭ページを載せておこう。*3 彼はクリプトン星から赤ん坊としてやって来た。「その星の住人の身体構造は私たちよりも数百万年も進化している。大人になると、その星の人々はとんでもなく強くなる」。だから大人になったスーパーマンは「いとも簡単に八分の一マイル（約二〇〇メートル）跳ね、二〇階建てのビルを飛び越え（中略）とてつもなく重いものを持ち上げ（中略）急行列車よりも早く走り（後略）」。これらが連続ラジオドラマや、その後のテレビ、映画の有名な導入部では次のようにまとめられた。「弾丸よりも速く、蒸気機関車よりも強く、高いビルもひとっ飛び（中略）スーパーマンだ！」

これらはすべて本当かもしれない。しかし最初のページの最後のコマには、もうひとつ大胆な宣言が、重要事項として大文字で書かれている。「クラーク・ケントの驚くべき強さの科学的説明——信じられないって？ いやいや！ この世にはすでに超強力な生き物がいる！」裏付けとして二つの例が挙げられている。「小さなアリは、自重の数百倍の重さを支えられる」そして「バッタは人間なら数街区に相当する距離を飛び跳ねる」。

いかにももっともらしいかもしれないが、これらは正しい事実を基にした見当ちがいの誤解の古典的な例だ。アリは確かに、一見すると人間よりもかなり強いように見える。しかしガリレオから学んだように、サイズが小さくなれば相対強度は系統的に高まる。だから強度とサイズの関係に従って犬からアリへとスケールダウンすると、もし「小さな犬が自分と同じ犬二、三匹を背負える」なら、アリは同じサイズのアリを一〇〇匹は背負える。まして人間は平均的なアリよりもおおむね一万倍以上は重いので、同じ理屈でおおむね一人しか背負えない。だからアリは、人間と同じくそのサイズに見

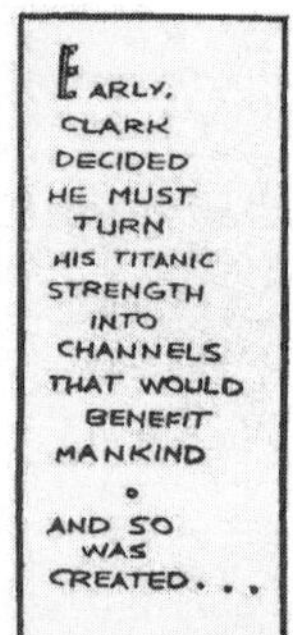

スーパーマンの出自神話と、そのスーパーパワーの説明。1938年の初のスーパーマン・コミックの巻頭ページより。

合った強さを持っているにすぎない。自分の体重の一〇〇倍も持ち上げられるのは特別でも、驚異的でもない。

この誤解が生じるのは**線形**思考をしたがる自然な傾向のせいだ。動物のサイズが倍になると、強さも二倍になるとつい思ってしまうのだ。これが本当なら、人間はアリよりも一〇〇〇万倍強く、約一トン持ち上げられることになる。これはまさにスーパーマン同様に、一〇人以上を持ち上げられるということだ。

3．桁数、対数、地震とマグニチュード

今、何かの形と組成が同じままで長さが一〇倍になると、その面積（ひいては強度）は一〇〇倍になり、その体積（ひいては重量）が一〇〇〇倍になるのを見た。このような一〇の累乗は「桁数」と呼ばれ、通常は便利な10^1、10^2、10^3等々といった指数表記が使われて、その指数――一〇の右上の小さな上付き数――が一の後に続くゼロの数を表す。だから10^6は一〇〇万、あるいは七桁の省略表記となる。すなわち一のあとに六個のゼロが続く、一〇〇〇〇〇〇だ。

この言い方では、ガリレオの結論は、長さの桁数が増えると、面積と強度の桁数は二倍増え、体積と重量の桁数は三倍増えることになる。そこから、面積が一桁増えると、体積の桁数は3／2（すなわち1と1／2）増えることになる。似たような関係は強度と重量のあいだでも維持される。たとえ強度が一桁上がっても、支えられる重量の桁数は3／2しか増えない。逆に重さが一桁増えても、強

の桁数が一増えると、体積の桁数も一増える。

度はたった2／3桁しか増えない。ここに非線形的関係の本質が表れている。線形的関係では、面積の桁数が一増えると、体積の桁数も一増える。

多くの人は、知らず知らずのうちにメディアによる地震の報告を通じて、分数桁数を含む桁数の概念を経験している。ニュースの途中でよく、「今日ロサンゼルスでマグニチュード五・七の中型地震がありました。多くのビルが揺れましたが、被害はわずかでした」といったアナウンスが入る。一九九四年にロサンゼルスのノースリッジ地方で起きた地震のように、マグニチュードが一しか大きくないのに、甚大な被害を与えた地震もある。マグニチュード六・七のノースリッジ地震が、死亡者六〇名を含む二〇〇億ドル以上もの被害を与えて、アメリカ史上で最も甚大な被害をもたらした天災となったのに対し、五・七の地震なら取るに足らない被害しかもたらさない。マグニチュードの増加は見たところ小さいのに、影響の差が非常に大きいのは、マグニチュードが桁数を表しているからだ。

だからマグニチュードが一増えると、実は一桁増えたということなので、実際には一単位増大は一等級の増大を意味する。六・七の地震の規模は、五・七の地震の一〇倍ということになる。同じように二〇一〇年のスマトラ地震のような七・七の地震はノースリッジの一〇倍大きく、五・七の地震の一〇〇倍になる。スマトラ地震は比較的人口が少ないところで発生したが、津波によって広大な破壊をもたらし、二万人以上が家を失い、五〇〇人近くが命を失った。不幸なことに、その五年前にもスマトラはマグニチュード八・七とさらに一〇倍規模の破壊的な地震に襲われている。地震がもたらす破壊はそのサイズに加えて、人口や人口密度、建物やインフラの頑健性といった地域状況に大きく左右される。共に甚大な被害をもたらした、一九九四年のノースリッジ地震と最近の二〇一一年の福島

地震のマグニチュードは、それぞれ「わずか」六・七と六・六だった。

マグニチュードは、実際には地震の「揺れ」の振幅を地震計で測っている。放出エネルギー総量は、振幅が一桁増えるごとに放出エネルギーが1と1／2（すなわち3／2）増えるというふうに、振幅に対して非線形的にスケールする。つまり振幅が二桁ちがうと、すなわちマグニチュードが二・〇変わると放出エネルギーは三桁増える（一〇〇〇倍になる）が、マグニチュード変化が一・〇ならエネルギーは一〇〇〇の平方根＝31.6倍しかない。[*4]

地震の莫大なエネルギーの感覚をつかんでもらうために、いくつかの数字を考えてほしい。TNT（トリニトロトルエン）〇・五キログラムの爆発が放出するエネルギーはおおむねマグニチュード一に相当する。マグニチュード三はTNT約五〇〇キログラムで、一九九五年のオクラホマシティ爆弾事件に相当する規模だ。マグニチュード五・七だと約五〇〇〇トン、六・七なら一七万トン（ノースブリッジ地震と福島地震）、七・七は約五四〇万トン（二〇一〇年のスマトラ地震）、八・七は一億七〇〇〇万トン（二〇〇五年のスマトラ地震）に相当する。これまで記録されたなかで最も強い地震は一九六〇年バルディビアで発生したチリ大地震で、二七億トンのTNTに相当するマグニチュード九・五、ノースリッジ地震や福島地震のほぼ一〇〇〇倍だった。

ちなみに、一九四五年に広島に投下された原子爆弾「リトル・ボーイ」はTNT一万五〇〇〇トンに相当するエネルギーを放出した。その約一〇〇〇倍を放出する典型的な水素爆弾は、マグニチュード八の大地震に相当する。二〇〇五年のスマトラ地震の大きさに相当する一億七〇〇〇万トンのTNTのエネルギーが、ニューヨーク大都市圏全域に相当する一五〇〇万人都市のまるごと一年分のエネ

ルギーを賄（まかな）えると知ったら、いかに莫大なエネルギーかわかってもらえるだろうか。

一、二、三、四、五……という線形的な増大のかわりに、マグニチュードのように一〇を係数に10^1、10^2、10^3、10^4、10^5と増えるスケールを「対数」と呼ぶ。それを一〇の乗数（上付文字）として示した場合、桁数として線形的に増えることに留意してほしい。その多くの特質のなかでも、対数スケールを使うとバルディビア地震、ノースリッジ地震、そしてダイナマイト一本のマグニチュードといった、全体としては一〇億（10^9）以上の幅を持つ、すさまじく桁ちがいの量を同じ軸上に表せる。これは線形グラフでは不可能だ。なぜなら、ほとんどの項目がグラフの小さいほうに集中してしまうからだ。五桁、六桁もちがうすべての地震を一つにまとめるには、線形グラフだと数キロメートルの長さの紙が必要だ――だからマグニチュードが発明されたのだ。

このように対数表示は非常に大きな幅で変化する量を紙のページに収めやすいので、科学のあらゆる分野で利用されている。星の明るさ、化学溶液の酸性度（pH）、動物の生理的特性、国々のＧＤＰはすべて、研究対象となる量の変化分布全体をカバーするために、通常は対数表示となっている。冒頭の章の図１から図４のグラフも対数表示だ。

４．重量挙げとガリレオの検証

多くの場合、科学と他の知的探求との決定的なちがいは、仮説としてたてた主張について実験と観察による立証が求められることだ。これは非常に重要なことだ。重力で落下する物体の速度はその重

さに比例するというアリストテレス説を実際に検証するまでに、二〇〇〇年以上の年月がかかったこと——そして実行してみると、それがまちがっていたこと——からもその重要性は明らかだろう。悲しいことに、現在でもドグマや信念の多くが、特に科学以外の分野では厳格な検証を求められることなく、盲信されている——そしてそれが時として不運な、壊滅的でさえある結果をもたらす。

そこで一〇の累乗への寄り道に続いて、これまで桁数や対数について学んできたことを使って、強度は重量に比例するというガリレオの予測検証に取り組もう。「現実世界」での強度は本当に、重量の増加に伴って増えるのか、そしてそれを桁数で表すと、2／3という比率になるという規則に従うだろうか?

一九五六年、化学者M・H・リエツキはガリレオの予測を単純かつエレガントに確認する方法を考案した。彼は重量挙げの様々な階級が、少なくとも人間について、最大強度が体のサイズによってどうスケールするかを示すデータ集合を提供してくれることに気づいた。重量挙げチャンピオンはみんな、持ち上げられる重量を最大化しようとして、ほぼ同じ強度で同程度のトレーニングを行うので、彼らの強度を比較すればおおむね条件は揃っていることになる。さらに、チャンピオンは三種類のリフト——プレス、スナッチ、クリーン&ジャーク——で決まるので、その総合点は個別リフトでのオ能の個人差をおおむね平均化する。だからこれらの総合点は最大強度のよい指標となる。

一九五六年オリンピックの重量挙げで、これら三つのリフト総合点を使って、リエツキは体重に応じて強度は指数2／3で増えるという予測を見事に裏付けた。個人競技金メダリストの総合点と体重を両対数グラフで表示してみたのだ。つまりそれぞれの軸で1増えるのは10倍ずつになるということ

だ。縦軸に示された強度が、横軸に示された体重が三桁増えるごとに二桁増えるなら、データは傾き2／3の直線となることになる。リエッキの実測値は〇・六七五で、予測された2／3、すなわち〇・六六七にとても近い。彼のグラフを図7に再現した。[*5]

5. 個人の成績とスケーリングからの逸脱――世界最強の男

重量挙げデータが示す規則性と、強さのスケーリングが2／3予測と実によく一致しているという事実は、スケーリング議論の単純さを考えると意外かもしれない。なんといっても人間は、それぞれ微妙に異なる体型、異なる体質、異なる経歴、少しだけ異なる遺伝子を持っているのに、そのいずれも2／3予測を導くときには考慮されていないのだから。おおむね同じ程度トレーニングしてきたチャンピオンたちが挙げた重量総計を使うことで、これらの個体差はいくらか平均化されている。その一方で、人間はみなほぼ同じ要素でできており、非常に似た生理機能を持つ。身体の働きも非常によく似ており、図7に示したように、強度に関する限りお互いの拡大縮小版に近い。実際、本書の終わりまでに、この広範な近似性を、私たちの生理機能と生活史のほぼあらゆる面に拡張できるのだと納得していただきたい。それも中途半端な意味ではない。「私たち」がおおむねお互いの拡大縮小版なのだと言うとき、その「私たち」は人間すべてにとどまらず、あらゆる哺乳類、そして程度の差こそあれ、あらゆる生命を指しているのだ。

これらスケーリング則に対する別の見方は、それらが私たちを人間としてのみならず、多様な生命

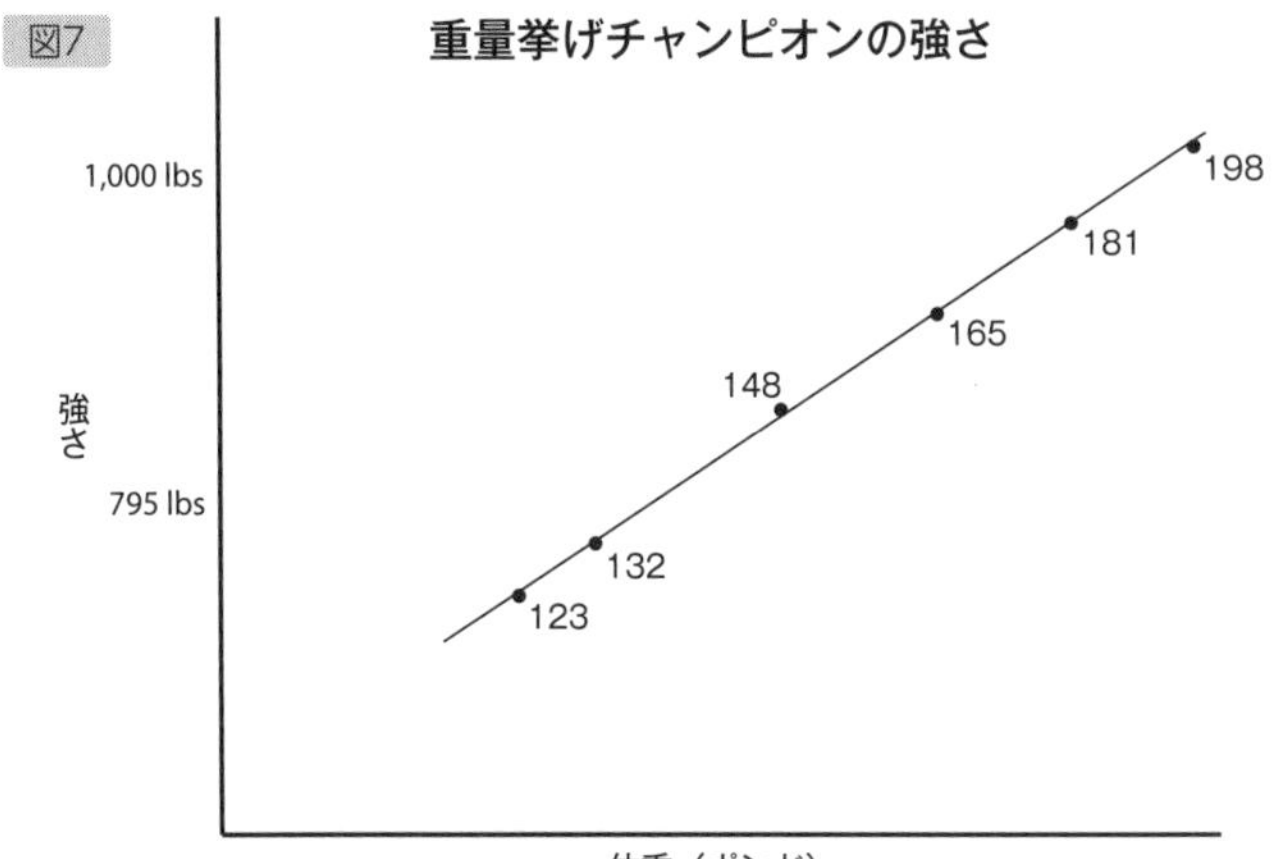

1956年オリンピックの重量挙げチャンピオンが挙げた総重量と体重の関係を両対数グラフに示してみると、その直線の傾きの2/3予測が実証される。最も強いのは誰で、最も弱いのは誰だろうか？

体、そして生命の表出として結びつけている、有力な基本的特徴をとらえた理想的基準を提供するものだ、という考え方だ。個体、種、さらには類や目といった分類でさえ、程度の差こそあれスケーリング則が指し示す理想的基準から外れている。そしてその逸脱ぶりが、個性を示す独自の特性を反映しているのだ。

　これを重量挙げの例で説明してみよう。図7のグラフを注意深く見れば、四つの点はほぼ直線上にあって、これらの重量挙げ選手がその体重に対してリフトすべき重量をほぼ正確にリフトしていることを示している。だが残り二つ、ヘビー級とミドル級が直線よりも

少しだけ外れている。一つは下に、もう一つは上に位置しているのだ。ヘビー級選手は他の誰よりも重い重量を挙げているが、実際には体重から見て挙げるべき重量を下回っているのに対し、ミドル級選手は体重から見て期待以上の重量を挙げている。言い換えれば、物理学者としての平等主義的見地からすると、一九五六年最強の男は、実際は体重に比して期待以上の重量を挙げたミドル級チャンピオンなのだ。皮肉なことに、この科学的スケーリングの見地から言うと全チャンピオンの中で一倍弱いのは、誰よりも重い重量をリフトしたにもかかわらず、ヘビー級チャンピオンだった。

6．スケールについてのありがちな誤解——ＬＳＤとゾウから鎮痛剤と乳児まで、薬物用量について

スケーリング則の考え方と概念的枠組みは、生物医学分野に明示的に採用されてはいないが、サイズとスケールの役割は医学や保健分野のいたるところに見られる。例えば身長、成長率、食物摂取量、ウエストのサイズが、体重とどう相関しているか、あるいはそれらの測定基準値が子供の成長期にどう変化するかを示す標準的な図は、誰でもお馴染みだろう。これらの図は「平均的健康人」に適用可能とされる、スケーリング則を図示したものに他ならない。医師はまさに、これらの変数が患者の体重や年齢とだいたいどう相関するか意識するよう教えられる。

またこれと関係する脈拍、体温といった不変量の概念も有名だ。こちらは平均的健康人では、体重や身長が変わっても系統的に変化しない。不変平均値からの大きな逸脱は、疾病や不健康の診断に使われるのが通例だ。体温三八・三℃、あるいは血圧 275/154 mmHg は、何かがおかしい印だ。最近

では標準的な健康診断で指標を大量に集め、医師はそれを使って健康状態を評価する。医療保健産業の大きな課題は、定量化可能な生命のベースラインとなる尺度を確定し、どの程度の変異、あるいは逸脱なら許容できるかということも含め、平均的健康人の基準値一式を確定することだ。

だから医療での多くの重要問題は、スケーリングにより対処可能だ。後半の章では、万人に関係する老化や死から睡眠や癌までの重要な健康問題について、これらの枠組みを使って論じる。だがここではまずその呼び水として、面積と体積のスケーリングのちがいで生じるガリレオの緊張関係の洞察から得られる考え方を含む、同じくらい重要ないくつかの医療問題を考えよう。これらは無意識の線形推定から生じる誤解と、それが実に簡単に深刻なほどまちがった結論を導いてしまう様子を明らかにしてくれる。

新薬開発と多くの疾病研究では、研究の相当部分はいわゆるモデル動物で行われる。これは研究だけのために飼育、純化された標準的マウス群であることが多い。医学、薬学研究にとって根本的に重要なのは、そのような研究結果を人間にどうやってスケールアップし、安全で効果的な用量を処方できるようにしたり、診断と治療方針の結論を引き出したりするかということだ。この包括的な手法は、製薬産業が新薬開発の際に、この問題について莫大な資源を投じているのに、いまだに開発されていない。

その困難と落とし穴の古典的例のひとつは、LSDが持つ人間への治療効果の可能性を探った初期研究だ。「幻覚剤」という用語は一九五七年に登場していたが、専門特化した精神療法の一部を除けばこの薬物についてはほとんど知られていなかった。そこへ一九六二年に、精神科医ルイス・ウェス

ト（本書著者とは無関係）がオクラホマ大学のチェスター・ピアースとオクラホマ市立動物園の動物学者であるウォーレン・トーマスと共に、ＬＳＤがゾウに与える影響を調べようとした。

ゾウ？　そう、ゾウだ。具体的にはアジアゾウだ。ＬＳＤの薬効研究の「モデル」としてネズミの代わりにゾウを使うのは、いささかとっぴに思えるかもしれないが、荒唐無稽とは必ずしも言いがたい理由が確かにあった。実はアジアゾウは定期的に、通常のおとなしい服従状態から、最大二週間ほどひどく攻撃的で危険な状態にいきなり移行することがある。ウェストらは、「ムス」と呼ばれるこの奇妙でしばしば破壊的な行動が、ゾウの脳内におけるＬＳＤの自己生成によって起こるのではと考えた。そこで、ＬＳＤがこの奇妙な状態を誘発するかもしれないし、そしてもし誘発するなら、その反応を研究すればＬＳＤが人間に与える影響についても知見が得られるのではと考えたのだ。かなり変な理屈だが、まったくあり得ないとも言いがたい。

だがここですぐに興味深い問題が持ち上がった。ゾウに投与するＬＳＤの量は？

当時、ＬＳＤの安全用量についてはほとんどわかっていなかった。まだＬＳＤは大衆文化には入り込んでいなかったが、人間には１／４ミリグラム以下の投与でも典型的な「アシッドトリップ」を引き起こすとされ、ネコへの安全投与量は体重一キログラムあたり約一〇分の一ミリグラムと言われていた。治験調査者たちは、このネコの数字をもとに、オクラホマシティのリンカーン・パーク動物園にいた哀れな被験対象、ツコという名のゾウに与えるＬＳＤの量を見積もった。

ツコの体重は約三〇〇〇キログラムなので、ネコにとって安全とされる数値から、ツコに安全で適切な服用量は体重一キログラムあたり〇・一ミリグラムの三〇〇〇倍、つまりＬＳＤ三〇〇〇ミリグラ

ムとした。実際の注射量は二九七ミリグラムだった。人間に適切な一回分の服用量が1／4グラム以下だったことを思い起こしてほしい。ツコに投与すると、結果は壮絶で最悪だった。彼らの論文から直接引用しよう。「投与五分後に彼（ゾウ）は高い声で鳴いて崩れ落ち、右側に激しく倒れて便を漏らし、てんかん発作状態になった」。可哀想な老ツコは一時間四五分後に死んだ。おそらく、この忌むべき結果と同じくらい問題なのは、治験担当者たちがゾウは「ＬＳＤに対して体重比例で非常に敏感である」と結論を下したことだ。

もちろん問題はこれまで何度も強調してきたこと、すなわち線形思考の誘惑という落とし穴だった。ツコへの投与量の計算は、効果的かつ安全な服用量は体重にあわせて線形にスケールするという思い込みに基づいていたので、体重一キログラムあたりの服用量はすべての哺乳類について同じと推定されていた。ネコから得られた体重一キログラムあたり〇・一ミリグラムという数字に、単純にツコの体重をかけて、二九七ミリグラムという突拍子もない見積もりがなされ、悲惨な結果をもたらした。

服用量をある動物から別の動物へズバリどのようにスケールさせるべきかはまだ結論が出ておらず、場合にもよるし、対象となる薬物と医学的条件の細かい特性にも左右される。しかし詳細はともかく、信頼できる見積もりを得るためには、薬が運ばれ特定の器官と細胞に吸収される基本的なメカニズムを理解する必要がある。関係する多くの要因のなかでも、代謝率は重要な役割を果たす。薬物は代謝物質と酸素と同様に、拡散やネットワーク系を通じて、表層膜から表層膜へと運ばれている。このため服用量決定因子の大半が、器官の総体積や重量よりも表面積に左右され、重量に対して非線形にスケールする。重量の関数としての面積の2／3スケーリング則を使った単純な計算からすると、ゾウ

にとって適正なＬＳＤ投与量は、実際に投与された数百ミリグラムではなく、数ミリグラムになる。もしもこの計算が行われていれば、ツコはまちがいなく死を免れ、ＬＳＤの効用についてまったく異なる結論が導き出されていただろう。

教訓ははっきりしている。薬物投与量のスケーリングはそんな簡単な問題ではない。薬物輸送と吸収の基本メカニズムに十分注意して、適切に行おう。配慮に欠けるやり方は、不幸な結果とまちがった結論をもたらす。これは明らかにすさまじく重要で、時には生死に関わる。これもあって、新薬の一般使用認可の取得には、長い時間がかかるのだ。

これが何やら傍流のトンデモ研究だろうと思う人もいるだろう。だがこのゾウとＬＳＤの論文は、世界で最も評価の高い一流専門誌『サイエンス』で発表されたものなのだ。[*6]

私たちの多くは、高熱、風邪、耳痛など子育てにつきものの、予測外の変調をきたした子供たちへの対応を通じて、薬物投与量を体重にどうスケールさせるかについて、非常に慣れ親しんでいる。随分前のことだが、私は夜中に高熱に苦しんで泣き喚く幼児をなだめようとしたとき、乳児用鎮痛剤タイレノールの瓶に印刷された推奨用量が、乳児の体重に応じて線形的にスケールしているのを見つけて驚いた。ツコの悲惨な物語をよく知っていた私は、幾分不安を覚えた。ラベルには、ある年齢と体重の乳児に与えるべき服用量を示す小さな表があった。例えば、六ポンド（約二七二二グラム）の乳児の推奨服用量は小さじ１／４（四〇ミリグラム）で、（六倍重い）三六ポンド（約一万六三三〇グラム）の服用量は小さじ１と１／２（二四〇グラム）と、ぴったり六倍になっていた。しかし、非線形的な指数２／３のスケーリング則に従えば、服用量は$6^{2/3} \approx 3.3$倍で、一三二ミリグラムになる。

これは推奨服用量の半分強でしかない！　だからもし六ポンドの乳児に推奨されている小さじ1／4が正しいなら、三六ポンドの乳児に推奨されている小さじ一・五杯の服用量は適量の二倍近いことになる。

これで子供が危険にさらされなかったことを願うばかりだが、最近ではそのような表は瓶や製薬会社のウェブサイトにも出ないようだ。しかし製薬会社のウェブサイトでは、体重三六ポンドから七二ポンドの幼児については、いまだに線形スケーリングによる推奨服用量の表が示されている。ただし体重三六ポンド以下（二歳未満）の乳児については賢明にも医師への相談を薦めている。それでも、他の有名ウェブサイトで、これよりも幼い乳児にもいまだに線形スケーリングを推奨していた。[*7]

7．BMI、ケトレー、平均人、社会物理学

スケールに関係するもうひとつの重要な医学的問題は、ボディマス指数（ＢＭＩ）を体脂肪率の代用として、ひいては重要な健康指標として使うことだ。これはどこでも肥満診断に利用されているし、高血圧、糖尿病、心臓疾患など多くの健康問題との関係もあり、近年非常に関心を集めている。ベルギーの数学者アドルフ・ケトレーによって一五〇年以上も前に、運動不足の個人を分類する単純な手段として導入されたＢＭＩは、理論的根拠が怪しげなのに、医師と一般大衆にはとても重視されている。

一九七〇年代に人気が高まるまで、ＢＭＩは「ケトレー指数」と呼ばれていた。ケトレーは数学者

として教育を受けたが、気象学、天文学、数学、統計学、人口統計学、社会学、犯罪学など幅広い科学的分野に貢献した多才な人物だ。最大の遺産はＢＭＩだが、これは社会的課題に本格的な統計分析と定量的判断を導入しようとする、彼の情熱のごく一部でしかない。

ケトレーの目標は、犯罪、婚姻、自殺率といった社会現象に内在する統計法則を理解し、その相関を探ることだった。最も影響力のある本は一八三五年に出版された、『人間とその能力の発展について――社会物理学の試み』だ。英訳版のタイトルは、もっと大げさな『人間論』に短縮された。この本で、彼は社会物理学という用語を導入し、「平均男性」（l'homme moyen）という概念を説いた。この概念は、仮想的な「平均的人物」の強さは、その人の体重や身長とどのようにスケールするかというガリレオの論考や、体温や血圧といった生理学的特徴には重要な平均基礎値があるという考えに非常によく似ている。

「平均男性」（そして女性！）は、十分大きな人口サンプルの測定可能な生理学的、社会的指標の平均だ。身長、寿命、婚姻数、総アルコール消費量、疾病率まであらゆるものがそこに含まれる。だがケトレーはこれらの分析に新しくて重要なものを持ち込んだ。こうした指標の平均値を中心とした偏差値、さらに確率分布の推定値だ。こうした偏差のほとんどが、いわゆる正規分布、別名ガウス分布を示すことを彼は発見した、というかそのように想定した。つまりこうした指標の平均値を計測しただけでなく、それが平均値のまわりでどの程度の分散を示すかも分析したわけだ。だから例えば健康は、各種指標が特定の数値（体温三七℃など）を持つかどうかだけでなく、全人口中で健康な個人の平均値からの分散で示される明確な範囲内に収まるかどうかで判断される。

ケトレーの考え方と、「社会物理学」という彼の用語は、当時論争を呼んだ。それらが社会現象に対する決定論的枠組みを示唆していると解釈され、自由意志と選択の自由という概念に反すると考えられたからだ。今にして思うと、これは意外な話だ。というのもケトレーは統計的な分散に夢中だったからだ。これは今なら規範からどの程度まで逸脱できる「選択の自由」があるのかについての定量尺度を提供していると見ることもできるのだ。社会的、生物的なシステムの構造と進化を制約する基本的「法則」の役割と、それにどこまで「違反」できるかというせめぎあいは、何度も出てくる話だから後ほど触れる。集団や個人として、人は自分たちの運命を形作る自由をどのくらい持っているのだろう? 細かい高解像度レベルでは、近い将来の事象を決定する大きな自由を持っているが、非常に長い時系列の粗っぽい大局レベルでは、人生は予想外に決定論的なのだ。

「社会物理学」という用語は、科学の世界からは消えかけたが、最近になって復活しつつある。様々な分野の科学者たちが、伝統的な物理学のパラダイムとされがちな定量分析の観点から社会科学の問題を検討し始めているのだ。さほど人口に膾炙(かいしゃ)した用語ではないが、これから後の章で詳しく説明する、私や同僚たちの研究は、多くが社会物理学と呼べる。皮肉なことに、この用語を多用しつつあるのは社会科学者でも物理学者でもなく、社会的なつながりについてのビッグデータ分析を表現しようとするコンピュータ科学者たちだ。彼らの表現では「社会物理学はビッグデータ分析に基づいて人間行動を理解する新手法だ」[*8]。非常に興味深い研究分野ではあるが、それを「物理学」と思う物理学者はまちがいなくほとんどいないはずだ。なぜならそれは、根底にある原理、一般法則、数理解析、機械論的説明を重視していないからだ。

ケトレーのＢＭＩは、体重を身長の二乗で割って、平方メートルあたりのキログラム数で表したものだ。健康な人、とりわけ「ノーマル」な体型と体脂肪率の人の体重は、その身長の二乗に比例してスケールするはずだというのが基本的な発想だ。だから体重を身長の二乗で割ると、すべての健康な人の値はおおよそ同じで、比較的狭い範囲（18.5～25.0 kg/m²）に収まる。この範囲から外れると、身長に対して体重が重すぎるか軽すぎるかで、それに対応した健康問題を抱えている兆候とみなされた。[*9]

つまりＢＭＩは、理想的な健康的個人の間ではほぼ不変と想定されている。つまり体重や身長にかかわらずほぼ同じ値になるということだ。だがこれでは体重が身長の二乗に比例して増えるということになる。これはさっき論じた、体重は身長の三乗に比例し、身長よりずっと急速に増えねばならないと結論付けたガリレオの研究とは大きく食いちがっている。もしこれが正しいなら、ＢＭＩは明らかに不変ではなく、身長に比例して線形に増える。するとＢＭＩは一貫して背が高い人を過剰に肥満と評価し、背の低い人を痩せすぎと過小に評価することになる。実際、背の高い人は実際の体脂肪率に比べてＢＭＩが異様に高い値になるという結果が出ている。

では人間の体重は身長が増えると、現実にどのようにスケールするのだろう？　データの様々な統計分析は結論も様々で、三乗に比例するという立法則の結果を裏付けるものから、指数二・七や、最近ではずっと小さい二に近い値を示す分析まである。[*10] その理由を理解するには、立方則を引き出す際の大前提、つまりシステム（この場合は人の体型）が大きさによらず一定という条件を思い出そう。でも体型は年齢とともに変わる。大きな頭と丸々と太った手足を持った赤ん坊という極端な時期から、

成熟した「均整のとれた」大人、そして最終的には私と同年代のしなびた身体の人々まで様々だ。さらに体型は性差、文化、各種の社会経済要因にも依存していて、そうした要因は健康や肥満と関係するかどうかはっきりしない。

かなり前だが、男女の身長のデータセットを体重の関数として分析したら、古典的な立方則との優れた一致が得られた。実に素晴らしいことだが、私が分析したデータは、五〇～五九歳のアメリカ男性と四〇～四九歳のアメリカ女性という比較的狭い人口群のものだった。性別ごとに、似通ったかなり狭い年齢集団のなかで分析したため、これらの群は似通った特徴を持った有意に「平均的」な健康男女となっている。皮肉なことに、これに対してずっと真剣で大がかりな包括研究はまったく正反対で、全然ちがう特徴を持った、あらゆる年齢層をすべて平均化しているため、結果の解釈はかなり不明瞭になってしまっている。だから指数が理想値三ではないのも無理はない。すべてのデータセットを、年齢など類似特性ごとに分類して、そうした下位集団ごとに指数を求めるほうが、アプローチとしてもっと適切ではないだろうか。

立方スケーリング則とはちがって、ＢＭＩの通常の定義には理論的、概念的基礎がないので、統計的意義は怪しい。これとは対照的に、立方則には概念的基礎があるし、人口群の特徴で調整すれば、データでも裏付けられる。だから体重を身長の三乗で割った別のＢＭＩの定義が提唱されたのも当然だ。これが「ポンデラル指数」だ。ケトレーの定義よりも、体脂肪率との相関が高いという点でいくらか優れているが、それでも類似の特徴を持った人口群ごとに分解していないため、同様の問題を抱えている。

もちろん優秀な医師は、各種のＢＭＩ値を健康評価に利用することで解釈のひどいまちがいを抑える。ただし、ＢＭＩ値が境界付近のだと解釈の誤りも出るかもしれないが。いずれにしても現在利用されている古典的ＢＭＩは参考程度にとどめよう。特にリスクを抱えているとされる数字が出た人は、もっと検査をすべきだし、例えば年齢や文化などまで考慮した、もっと細やかで詳細な指標の開発を待ったほうがいい。

こうした例を挙げたのは、スケーリングの概念的枠組みが健康管理手法での重要な基準値利用の基礎となっていることを示すためだ。そしてその検討で、潜在的な落とし穴や誤解も明らかになった。薬物服用量など、これは複雑で非常に重要な医療の構成要素なのに、その基本的な理論的枠組みはいまだに発達が不十分だし、認識もまだ足りないのだ。

8．イノベーションと成長限界

なぜ木や動物やビルの高さには上限があるのかという問いに対する、ガリレオの一見単純そうな議論は、デザインとイノベーションについても大きな意味合いを持っている。以前、彼の議論を説明した際、私は次のような所見で締めくくった。「何であろうと構造物のサイズをやたらに増やすと、やがて自重で潰れてしまう。サイズと成長には限界があるのだ」。だがここには「他に何も変化しなければ」という大事な一節を付け加えるべきだった。成長を続け、崩壊を回避するためには、変化、ひいては「イノベーション」が起こる必要がある。成長と新しい変化する環境への適応の継続的な必要

性は、しばしば「改善」や効率性改善という形で現れ、イノベーションの大きな駆動力となる。

ガリレオは多くの物理学者同様に、適応プロセスには興味がなかった。そのプロセスが身の回りの世界形成にいかに重要かを理解するには、ダーウィンを待たなければならない。適応プロセスそのものは、主に生物学、経済学、社会科学の領域だ。だがガリレオはその機械的な例の考察にあたり、スケールという根本概念と、ひいては成長の考え方も導入している。これはどちらも、複雑性適応システムで欠かせない役割を果たしている。例えば、システムを支える構造の強度が、支えられている重量とはちがったスケーリングを示したりする。こうしたシステムの特性をそれぞれちがうスケーリング則が制約し、それが相反しあうため、サイズの果てしない増大として表れる成長は、いつまでも持続できない。

が、イノベーションが起これば話は別だ。これらスケーリング則の重要な前提は、サイズが変わっても、システムの形状、密度、化学組成など物理的特性が同じままということだ。だからスケーリング則からくる限界を超える、大きな構造を作ったり、大きな生命体へと進化したりするには、システムの物質組成や構造設計を変えるようなイノベーションが起こる必要がある。

物質組成のイノベーションの単純な例は、橋や建物に木材ではなく、鉄など強い素材を使うことだ。構造設計イノベーションの単純な例は、それらの建築に梁や柱だけでなく、アーチ、円天、ドームを使うことだ。実は橋の進化は、要求、あるいは認識された必要性の刺激を受けた、素材と設計の両面でのイノベーションが、新たな課題に対処したいという欲望や必要性に刺激されて生じてきた好例だ。この場合の課題とは、もっと広い川や峡谷や谷を安全かつ耐久力のある方法で渡すことだ。

最も原始的な橋は流れをまたぐように倒れたか、人為的に置かれた——これがすでにイノベーションだ——単純な丸太だ。橋梁建設で初の重要な工学イノベーションは、意図的に丸太や厚板を切り出したことだろう。安全性、安定性、堅牢性、利便性、さらに幅の広い川に橋を架けたいという欲望に駆り立てられて、この構造が拡張されて両岸からの単純な支持系となる石組み構造に拡張され、いわゆる桁橋になった。木の張力強度は限られているから、このやり方で渡せるスパンには限界がある。そこで、川の真ん中に石造の橋脚を作るという設計イノベーションにより解決された。これで、橋は実質的に、個別の桁橋をいくつもつないだものとなる。

別の方策は、完全に石だけで橋をつくり、アーチの物理原則を利用するという、さらに洗練されたイノベーションだった。これは以前の設計では橋が損傷したり破壊されたりする状況にも耐えられるという、大きな優位性を持つ。驚いたことに、石組みアーチ橋は、三〇〇〇年以上前のギリシャの青銅時代（紀元前十三世紀）にまで遡り、いまだに使われているものまである。古代の石組みアーチ橋建設者として最高の存在はローマ人で、膨大な数の美しい橋と水道橋を帝国全土に作り、多くが今でもその姿を保っている。

イギリスのエイボン峡谷やアメリカのサンフランシスコ湾の入り口といった、さらに広く深い淵に橋を架けるには、新しい技術、新しい素材、新しい設計が必要だった。加えて、交通量の増大と大きな荷重を支える必要性、とりわけ鉄道の登場に伴うニーズにより、鋳鉄アーチ橋、鍛造鉄によるトラス構造、そして最終的に鋼鉄の使用と、近代的な吊り橋の発達をもたらした。これらの設計には、片持ち梁橋、タイドアーチ橋（シドニーハーバーのものが最もよく知られている）、ロンドンのタワー

ブリッジのような可動橋といった多くの変種がある。さらに現代の橋は、コンクリート、鋼鉄、繊維強化ポリマーといった幾多の異なる素材から作られている。これらすべてが、汎用的な各種の工学的課題の組み合わせに対する革新的な対応を表すものだ。そうした課題としては、橋ごとの個性を超越したスケーリング則による制約と同時に、橋の独自性と個性を規定する、その場所ごとの複合的な地理学的、地質的、交通的、経済的課題があるのだ。

ますます幅が広く、課題も多い隔たりを越える必要性に駆り立てられた、これらすべての革新的な多様性は、いずれ限界に達する。ここでのイノベーションは、小さな流れから始まり、すさまじい幅のある水の広がりと最も深く最も広い峡谷と渓谷にまで至る、渡るべき空間の幅の持続的なスケールアップという課題への対応と考えていい。サンフランシスコ湾を長い木の板一枚で渡ることはできない。そこに橋を架けるには、鉄を発見し、鋼鉄を発明し、それらを吊り橋の設計コンセプトと統合する、幾多のイノベーション段階を超える進化の旅に乗り出す必要がある。

このようなイノベーションの捉え方は、物理的制約が強いる限界への避けがたい側面を抱えつつ、さらに成長し、道を切り開き、ますます広がる市場で競争しようという意気込みや必要性と結びついている。そしてこれは本書が、生物学的、社会経済的な適応系というさらに大きな文脈のなかで、同種のイノベーションに取り組むパラダイムとなる。

以降の節ではこれを拡張し、系のモデル化という発想がどのように生じたかを示そう。モデル化は今ではごくありふれた当たり前のことなので、それが比較的最近に発展したものだとは思われていない。それが不可欠でも、産業プロセスや科学活動と切っても切り離せない機能でもなかった時代があ

ったとは、ほとんど誰も認識していないだろう。様々な種類のモデル／模型が、特に建築では何世紀も前から作られてきたが、それらは主に建設中のシステムの動きや物理原則の試験、調査、実証のための縮尺模型というよりは、実際の建物の審美的な性質を説明するためのものだった。そして何よりも重要なのは、それらが地図と同じように、いつも「均一縮尺」、つまり各ディテールが実物の一定の縮尺――例えば一対一〇――で作られていたことだ。モデルの各パーツは、その模型の元となる実物の船、聖堂、都市を線形に縮小し再現したものだった。これは審美的な面では結構だし、おもちゃとしては良いが、実際の系の働きを知るにはあまり役に立たない。

今日では、自動車、建物、飛行機、船から交通渋滞、疫病、経済、天候まで、想像できるすべてのプロセスや物理的対象が、コンピュータで実物の「モデル」としてシミュレーションされている。すでに述べたように、特別に飼育されたネズミが、人間の縮小「モデル」として、生物医学研究に使われている。これらすべてで、モデル・システムにおける結果や観測値を、どうやって現実的かつ確実に実物大へとスケールアップするかが大きな問題だ。この考え方のすべての起源は、一九世紀半ばの船舶設計の惨めな失敗と、その回避方法を巡る謙虚で紳士的なエンジニアによる、卓越した洞察にある。

9．蒸気船グレート・イースタン号、広軌鉄道、偉人イザムバード・キングダム・ブルネル

失敗と大事故は、科学、工学、金融、政治、私生活のいずれにおいても、イノベーション、新しい

アイデア、発明をもたらす大きな原動力であり、機会だ。造船の歴史やモデリング理論の起源、さらにイザムバード・キングダム・ブルネルというすごい名前のすごい男が果たした役割でも、失敗と大事故がきっかけとなった。

二〇〇二年、BBCは「最も偉大な一〇〇人のイギリス人」を選ぶために、全国で投票を実施した。おそらく予想通りウィンストン・チャーチルが第一位、ダイアナ妃が第三位（当時は彼女の死後五年しか経っていなかった）、その後にチャールズ・ダーウィン、ウィリアム・シェークスピア、アイザック・ニュートンというかなりの大物三人が続いた。では第二位は誰だったのか？　それが驚異のイザムバード・キングダム・ブルネルだった！

イギリス以外の講演でブルネルの名に言及するとき、聴衆にこれまで彼の名を聞いたことがあるか尋ねることが多い。挙手する人はほとんどいないし、いてもたいていはイギリス出身の人たちだ。そこで私は聴衆に、BBCの投票でブルネルがダーウィン、シェークスピア、ニュートン、さらにジョン・レノンやデビッド・ベッカムも抑えて、最も偉大なイギリス人第二位だと告げる。ウケは取れるが、重要なのはこの人物が科学、工学、イノベーション、スケーリングに関する、かなり刺激的な問題への自然な流れを作ってくれることだ。

では、イザムバード・キングダム・ブルネルとは一体何者で、なぜ有名なのか？　多くの人が彼は一九世紀の最も偉大な技術者で、そのビジョンとイノベーションは、特に輸送技術の面で、イギリスを世界最強の最も豊かな国にするのに貢献したと考えている。まさしく万能エンジニアで、専門特化の傾向に断固として逆らった。彼はいつも大局的な構想から細かい製図に至るまでプロジェクトのあ

らゆる段階に関わり、現場調査もやったし、設計と製造の細部にまで気を配った。業績は多岐にわたり、船、鉄道、駅舎から橋梁やトンネルといった大作に至る卓越した構造物の類まれな遺産を残した。

ブルネルは一八〇六年イングランド南部ポーツマスに生まれ、比較的若くして一八五九年に死亡した。フランスのノルマンディーで生まれた父サー・マーク・ブルネルもまた、非常に熟達した技術者だった。イザムバードがわずか一九歳のときに、この親子は共同でイースト・ロンドンのロザーハイズで可航河川としては史上初のトンネル、テムズ・トンネルを作った。これは歩行者用トンネルとして名高い観光名所となり、年間二〇〇万人の観光客が通行料一ペニーを支払って、そこを通った。多くの同じような地下通路同様、それは悲しいことにホームレス、強盗、売春婦の巣窟となり、やがて一八六九年に鉄道トンネルに姿を変え、ロンドン地下鉄システムの一部として現在でも利用されている。

一八三〇年、二四歳のブルネルはブリストルのエイボン峡谷に架ける吊り橋の厳しいコンペで勝利した。野心的な設計で、死後五年経った一八六四年に最終的に完成したとき、そのスパンは世界最長（径間二一四メートル、河からの高さ七六メートル）だった。ブルネルの父は、そのような長さの単一スパンの橋が物理的に可能とは信じられず、イザムバードに橋の中央に橋脚を作れと勧めたが、彼はまったく聞き入れなかった。

次にブルネルは、当時最良の鉄道と考えられていたロンドンとブリストル、そしてさらにその先までを結ぶグレート・ウェスタン鉄道の主任技師、設計者となった。この任に就いた彼は、多くの壮大な橋、高架橋、トンネル——バース近郊のボックス・トンネルは当時世界最長のトンネルだった——

そして駅舎さえも設計した。例えば、多くの人にお馴染みの、ロンドンの素晴らしい錬鉄造のパディントン駅などだ。

彼がもたらした最も魅力的なイノベーションの一つが、線路間隔が七フィート四分の一インチ（二一四〇ミリメートル）の広軌の採用だった。当時イギリスのすべての鉄道が使用していた四フィート八・五インチ（一四三五ミリメートル）の標準軌は、世界中で採用され今日のほとんどの鉄道が使っている。ブルネルは、標準軌は世界最初の旅客鉄道が発明される一八三〇年以前に敷かれた坑道鉄道から、考えなしに持ち込まれたものだと指摘した。それは坑道で馬車を引く長柄の間に馬を置くために必要な幅によって決められただけなのだ。ブルネルは正しくも、最適な軌間の決定を真剣に検討すべきだと考え、この問題を合理的に考えようとした。自分の計算結果は、一連の試験と実験によって裏付けられており、広い軌間で速度も上がり、安定性も高まり、乗客の快適性も上がるのだと主張した。その結果、グレート・ウェスタン鉄道は唯一、その他の鉄道のほぼ倍の軌間を持つことになった。残念なことに、一八九二年にイギリス議会は国営鉄道系が発達してきたことで、標準軌が劣っていると十分に認知されていたのにグレート・ウェスタン鉄道にも標準軌への準拠を強いた。

今日私たちが直面している、革新的な最適化と、歴史的な先例で決まる統一性や標準制定との避けがたい対立をめぐる同様な問題、とりわけ急速に発展するハイテク産業での問題との類似性は明らかだ。鉄道軌をめぐる戦いは、革新的な変化が必ずしも最適な解決手段につながるわけではないことを示す事例として有益だ。

ブルネルの計画は常に完全な成功を収めたわけではないが、通常は積年の工学的問題に対する、ひ

1858年、グレート・イースタン鉄道開通時に、自分が設計した鎖のまえでポーズをとる粋なイザムバード・キングダム・ブルネル。そして建設中の巨大船とエイボン川に架かったクリフトン吊り橋。この橋は1830年、弱冠24歳で彼が設計したものだ。

らめきのある革新的な解決策が含まれていた。おそらく最も偉大な業績——そして失敗——は造船に関するものだ。世界貿易が発達し、競合しあう帝国が確立するにつれ、迅速で効率的な長距離海上輸送を発達させる必要性が高まった。ブルネルはグレート・ウェスタン鉄道と、新設のグレート・ウェスタン蒸気船会社とを直結させるという壮大な構想を提案した。乗客がロンドンのパディントン駅でチケットを買って、そのままニューヨークで降車できるようにして、そのすべての移動を、蒸気の力で実現するというのだ。彼はこれをおどけてオーシャン鉄道と名付けた。だが純粋な蒸気船では、旅程をこなすのに十分な燃料を積んだら、採算がとれる十分な量の貨物を積む余裕がなくなると考えられていた。

ブルネルはそうは思わなかった。彼の出した結論は、単純なスケーリングの論拠に基づいていた。船の積載量は（その重さと同様に）、船の長さの三乗に比例して増えるが、水面を進むときの抗力は、船体の断面積、つまり長さの二乗に比例して増えるだけなのだ。これはまさにガリレオの出した、梁と肢の強度が体重に対してどうスケールするかという結論と同じだ。いずれの場合も強度は、指数2／3のスケーリング則に従うので、対応する重量よりゆっくりと増える。だから積載可能重量に比した流体力学的抗力は、船の長さに正比例して減少する。別の言い方をすれば、エンジンが克服すべき抗力に比べた積載重量は、船が大きくなると系統的に増える。もっと別の言い方をすれば、船が大きくなると、積載重量一トンあたりに必要な燃料はその大きさに比例して減る。よって、大きな船は小さな船に比べてよりエネルギー効率が良い——これまた規模の経済の見事な例で、これが世界通商貿易の発展にすさまじい影響を与えた。[*12]

この結論は直観に反するもので、一般に受け入れられなかったが、ブルネルとグレート・ウェスタン蒸気船会社はその正しさを確信していた。ブルネルは果敢に会社最初の船、グレート・ウェスタン号の設計に着手した。大西洋横断を目論んで建造された最初の蒸気船だ。それは（万が一の場合のバックアップとして、四つの帆を備えた）木造の外輪船で、一八三七年の完成当時は世界最大最速の船だった。

グレート・ウェスタン号が成功し、大きな船は小さな船よりも効率が良いというスケーリング議論が立証されたことで、ブルネルはそれまで単一の設計に同時使用されたことがない技術と素材を大胆に組み合わせ、さらに大きな船の建造へと移った。一八四三年に進水したグレート・ブリテン号は木ではなく鉄製で、側面の外輪ではなくスクリュー・プロペラによる駆動だった。これでグレート・ブリテン号は、現代のあらゆる船の原型になった。空前の全長を持ち、史上初の鉄製の船体を持つ、大西洋横断を行った初のスクリュー駆動船だった。ブルネルがこれを建造する際にブリストルに建設した乾ドックで、今でも完全修復され保存されているこの船が見られる。

大西洋を征服したブルネルは、なかでも最大の挑戦に乗り出した。急成長した大英帝国の世界的な覇権をかためるため、その広大な領土を結びあわせるのだ。彼は、ロンドンからシドニーまでノンストップで航海し、燃料補給を受けずに最初に積んだ石炭だけを使って戻ってこられる船（これはスエズ運河開通前のことだ）を設計しようとした。全長はグレート・ブリテン号の二倍の約七〇〇フィート（二一三メートル）、排水量（実質的な重量）はほぼ一〇倍になる。これはグレート・イースタン号と名付けられ、一八五八年に進水した。これに匹敵する規模の船が次に登場するのは、ほぼ五〇年

後、二〇世紀に入ってからとなる。規模感をおわかりいただくために言うなら、一五〇年以上経った現在、世界の大洋を航行しているスーパータンカーでさえ、グレート・イースタン号の全長の二倍強しかない。

だが残念ながらグレート・イースタン号は成功しなかった。二〇世紀になるまで再び到達することのない水準にまでハードルを上げた、桁外れの工学的偉業ではあったが、ブルネルの多くの業績同様に、工期の遅れと予算超過に苦しんだ。さらにはっきり言えば、グレート・イースタン号は技術的にも成功ではなかった。それは重く不格好で、そこそこの高波でも激しく揺れ、実に困ったことに、その巨体は並のスピードですら航行できなかった。意外ながら効率もあまり良くなかったため、大量の貨物と多くの旅客をインドとオーストラリアの間で往復輸送して大英帝国に尽くすという、当初の壮大な目的に使われることは一度もなかった。不名誉にもケーブル敷設船に転用されるまでに、ごく数回大西洋横断をしただけだった。最初の強靭な大西洋横断電信ケーブルは、一八六六年グレート・イースタン号によって敷設され、これでヨーロッパと北アメリカ間の信頼性のある電気通信が実現して、グローバル通信に革命的変化が生じた。

グレート・イースタン号は、最後はリバプールで海上ミュージック・ホールと広告看板船として利用され、一八八九年に解体された。壮大な構想の惨めな終わりだった。この物語には、おそらく熱狂的サッカーファンだけが興味を抱く奇妙な後日譚がある。一八九一年、有名なイギリスのサッカーチーム、リバプールが創設されたとき、新スタジアムで使う旗用ポールを探していた彼らは、グレート・イースタン号の最上マストを購入した。それは今でもそこに誇らしげに起立している。

なぜこんなことが起こったのか？　史上最も聡明で革新的な実務家の一人が実践した、実に素晴らしい展望が、なぜこんなボロボロの終わり方をしたのだろうか？　もちろん設計のまずい船はそれまでも存在した。だがグレート・イースタン号は、巨大なサイズ、革新的構想、そしてろくに発揮されなかった性能に比べて費用が莫大すぎたため、壮絶な失敗となったのだ。

10．ウィリアム・フルードとモデル理論の起源

システムが機能しなかったり、設計が期待通りでなかったりしたとき、原因となりそうな理由は山ほどあるのが通例だ。まずい計画と実施、製造技術や素材の欠陥、管理のまずさ、概念レベルでの理解の欠如すらあり得る。だがグレート・イースタン号のように、基本となる科学とスケールの基本原則についての深い理解なしに設計を行ったことが失敗の大きな原因だった例もある。実際、一九世紀後半までは、船はおろかほとんどの人工物の製造で、科学やスケールが多少なりとも重要な役割を果たすことはなかった。

幾つか大きな例外はある。最も顕著なものが蒸気機関の開発で、そこでは圧力、温度、蒸気量の関係の理解が、非常に大きい効率的なボイラー設計の進歩に貢献した。おかげでエンジニアたちは、世界を航行できるグレート・イースタン号のような大型船の建造を検討できるようになった。もっと重要なことは、効率の良い機関の基本原則と特性、そして熱、化学作用、運動といった様々な形のエネルギーの性質を理解するための研究が、「熱力学」という根本的な科学の発展をもたらしたことだ。

そしてさらに重要なのは、熱力学の法則と、エネルギーとエントロピーの概念は、蒸気機関という狭い領域をはるかに超えたもので、エネルギーが交換されるあらゆる系に普遍的に適用できるということだった。それが船、飛行機、都市、経済、人体、あるいは全宇宙そのものであってもかまわない。

　グレート・イースタン号の頃でさえ、造船にはそうした「本物」の科学などないも同然だった。船舶の設計、建造の成功は、試行錯誤を経て、知見と技術をひとつひとつ蓄積することで達成され、確立された経験則は多くの場合、徒弟制度と現場学習で継承された。通常、各船舶はそれ以前のものに少し手を加えただけで、その船で予想されるニーズと使途に応じてあちこち少し変えるだけだ。以前は大丈夫だったことに、新しい状況にあわせて少し改変して生じた些細なエラーの影響は、通常は比較的小さい。だから例えば、船の全長を五パーセント長くすると、予想した設計性能をうまく出せなかったり、ふるまいも思った通りではなかったりすることもあるが、そうした「まちがい」は適切な修正を加えるだけですぐ直せるし、以降のバージョンにおけるイノベーションを生み出すこともある。だから造船は、その他のほぼあらゆる人工物製造の発展同様に、自然選択に似た過程をたどりながら、ほとんど有機的とも言える進化を遂げた。

　この漸進的で基本的に線形的なプロセスに、時々起こる素晴らしく革新的な非線形的飛躍が重なる。それが設計や使用素材の大きな変化をもたらすような、帆やスクリューの導入、あるいは蒸気と鉄の利用などだ。そうした革新的飛躍は相変わらず以前の設計に基づいてはいても、新しい成功したプロトタイプが登場するまでに、再考と多くの場合大きな見直しが必要となった。

　新しい船の設計建造では、以前の設計を元にちょっと先に延ばすという昔ながらのやり方でうまく

いくが、それは変化が漸進的な場合に限る。それまで成功を収めた船舶の長い歴史により、対処すべき問題のほとんどはすでに解決済みだと保証しているも同然なので、なぜ何かがそのように機能するのかをしっかり科学的に理解する必要はなかった。このパラダイムはかなり昔に、スウェーデンの戦艦ヴァーサという最悪の失敗作を建造した造船工たちについてのコメントに、簡潔にまとめられている。「当時の問題は、船舶設計科学が十分理解されていなかったことだ。設計図などなく、船は主に経験からくる『経験則』で設計された」[*13]。造船工たちは全体寸法を教えられるだけで、自分の経験を活かして優れた航行性能を持った船を作り出した。

別に問題もなさそうだし、ヴァーサがそれまでストックホルムの造船所で作られた船を少し大きくしただけの船だったら、何も問題は起きなかったかもしれない。だがグスタフ二世アドルフが要求したのは、それまでの船よりも全長が三割長く、通常よりずっと重い大砲を搭載可能な特製甲板を備えた船だった。求められるものがここまでちがうと、設計のちょっとしたまちがいは、性能面でのちょっとしたまちがいをもたらすだけでは済まなくなる。このサイズの船の構造は複雑で、その力学、特にその安定性に関する力学は、本質的に非線形なものとなる。設計のちょっとしたまちがいは、性能の甚大なまちがいを引き起こし、壊滅的結果をもたらしかねないし、実際そうなった。残念ながら造船工たちには、船をそれほどまでに大幅にスケールアップするための、科学的知識がなかった。それどころか、船をわずかばかりスケールアップするための科学知識さえなかったのだが、これはそれほど問題にならなかった。結果的に、船は最終的にあまりに船幅が狭くトップヘビーになり、軽風でも転覆しかねなかった――そして実際に、処女航海でストックホルムの港から出る前に転覆し、多くの

人が命を失った。*14

全長が二倍、重量がほぼ一〇倍とさらに大きいグレート・イースタン号についても、同じことが言える。ブルネルらは、そのような大きな割合で船をうまくスケールアップするための科学知識をまるで持っていなかった。幸いこの場合には、大きな人身事故は起きず、経済的な被害にとどまった。激しい競争経済市場では、性能不良は命取りなのだ。

船の動きを左右する基礎科学が発展したのは、グレート・イースタン号建造に先立つわずか一〇年ほどの間のことだった。「流体力学」は、フランスの技術者クロード＝ルイ・ナヴィエとアイルランドの偉大な数学者ジョージ・ストークスによって、それぞれ独立に定式化された。ナビエ＝ストークス方程式として広く知られている基本方程式は、ニュートンの法則を流体運動に適用し、水の中の船や空中の飛行機といった、流体のなかを動く物体の力学へと拡張させることで生まれた。

これはかなりややこしく思えるかもしれないし、ナビエ＝ストークス方程式なんて聞いたことがない人も多いだろうが、この式は暮らしのほぼあらゆる局面で、今も昔も大きな役割を果たし続けている。例えば飛行機、自動車、水力発電所、人工心臓の設計、さらに人間の循環系における血流の理解、河川と上水道の水文学（すいもんがく）などの基礎になっているのだ。天気や海流の理解と予測や公害分析にも不可欠だし、だから気候変動の科学と地球温暖化予測でも主要な要素となっている。

ブルネルが、設計中の船の動きを司るこれらの等式が発見されたことを知っていたかはわからないが、それらに精通していたはずのある人物を連れてくるだけの洞察と直観力はあった。その男は、オックスフォードで数学を学び、数年前までグレート・ウェスタン鉄道で若き技術者として働いていた

ウィリアム・フルードだった。

グレート・イースタン号の建造中、ブルネルはフルードに船の横揺れ問題と安定性について調査を依頼した。これはやがて、水の粘性抗力を最小にする船体の最適な形という、重要問題の答えへとつながった。彼の研究が船舶輸送と世界貿易にもたらした経済的意義は、非常に大きい。こうして船舶設計の近代科学が誕生した。だがもっと大きな影響と長期的な重要性を持っていたのが、実際の系がどのように機能するか見極めるための、モデリング・システムという革命的概念を彼が導入したことだった。

ナビエ゠ストークス方程式はほぼあらゆる状況下での流体運動を記述できるが、本質的に非線形なので、厳密な解を得るのは非常に難しく、ほとんどの場合は不可能だ。大まかに言うと、非線形性は水がそれ自体と相互作用するフィードバック機構から生まれる。この相互作用は、河や小川の渦や波立ち、船が水上を進むときに残す航跡、あるいはハリケーンや竜巻といった脅威、そして大洋の美しく無限の変化を見せる波などの、あらゆる興味深い動きとパターンとして現れる。これらすべてが「乱流」の現れで、それがナビエ゠ストークス方程式の秘められた豊かさに含まれているのだ。

実際、乱流研究は複雑性の概念とその非線形性との関係について、最初の重要な数学的知見をもたらしてくれた。複雑系ではしばしば、ある秩序の部分的な変化や摂動が別のところに指数関数的に増大した反応を起こすという、カオス的ふるまいが見られる。前出のように、伝統的な線形思考では、小さな摂動は同じくらい小さな反応しか引き起こさない。非線形システムによる直観とかけ離れた拡大ぶりは、「バタフライ・エフェクト」と一般的に呼ばれている。ブラジルの蝶の羽のはためきが、

フロリダでハリケーンを引き起こすというおとぎ話だ。一五〇年間に及ぶ集中的な理論研究や実験研究で、膨大な知見が得られたにもかかわらず、乱流の一般化された理解は、物理学における未解決の問題のままだ。事実、著名な物理学者リチャード・ファインマンは乱流を、「古典物理学における最も重要な未解決問題」と呼んだ。*15

フルードは、自分が直面している課題のすさまじさを完全には理解していなかったかもしれないが、それを造船に応用するには新たな策略が必要なことはわかっていた。この状況で、彼は「モデリング」という新たな方法論を考案し、その延長として、小さなスケールの調査から得た定量的結果を、実物大の船の動きの予測にどう応用するか決めるための、「スケーリング理論」の概念も発明した。ガリレオ同様にフルードも、ほぼすべてのスケーリングは非線形的であり、よって忠実な一対一の発想に基づく従来のモデルでは、実際の系の働きを見極めるには使えないと悟った。彼の重要な貢献は、小規模モデルから実物大の対象にどうスケールするかを解明する、定量数学的な戦略を提案したことだった。

古い問題についての従来の考え方を脅かしかねない多くの新アイデア同様に、フルードの試みは当初、当時の専門家たちから見当ちがいだと却下された。造船設計者たちの正式教育を促進するために、一八六〇年にイギリスに造船技師協会を設立したジョン・ラッセルは、フルードを冷笑している。「一連の見事な興味深い小実験を、小規模に行うそうで、フルード氏はそれで大いにお楽しみでしょうし（中略）それについて聞かされる貴公らも実に楽しいことでありましょう。しかしながら、大規模な現実での実用的な結果からは、まったくもってかけ離れているのです」。

多くの人はこの種の物言いに聞き覚えがあるだろう。これはしばしば学問的、学術的な研究に向けられ、それが「現実世界」から乖離(かいり)しているとほのめかすものなのだ。まあ、その大半は確かにその通り。だがそうでないものも多いし、もっと重要な点として、一見すると得体の知れない研究の潜在的影響力を、その場ですぐに見極めるのはとても難しいことが多いのだ。今の技術主導社会の大半と、多くがありがたくも満喫している驚異的な生活水準のほとんどは、そういった研究の成果だ。社会において、すぐに得られる目先の便益がない、雲をつかむような基礎研究と、「実益のある実世界」の問題に焦点を絞った非常に直接的な研究とは、絶えず緊張関係にあるのだ。

ラッセルの名誉のために言っておくと、フルードが船舶設計に革命を起こした後の一八七四年には前言を撤回し、フルードの方法論と考えを熱烈に受け入れた。とはいえ自分はこれらすべてをすでに思いついて数年早く実験を行っていたという見え透いた主張をしてみせた。実はラッセルは、グレート・イースタン号建造のブルネルの主要パートナーだったし、実際にモデルをいじってみたのも事実だが、残念ながら彼はその重要性も、根底にある概念的枠組みも、理解できていなかった。

フルードは九〇から三七〇センチメートルの小さな模型船を作り、長い水槽に浮かべて引っぱり、流れ抵抗と安定特性を測定した。数学能力のおかげで、模型の結果を大きな船にスケールアップするための技法もわきまえていた。

彼は、模型と実物の相対的な動きの性質を決める主要な量が重要なものだと気がついた。これは後に「フルード数」と呼ばれるようになるもので、船の速度の二乗を長さで割り、重力加速度を掛けた数と定義されている。これは少々ややこしくて尻込みしてしまうが、実はかなり単純だ。というのも

この式の「重力加速度」というのは、大きさ、形、組成を問わず、すべての物体で同じだからだ。これは単に、重さがちがっても落下物は同時に着地するというガリレオの観察結果の言い換えだ。だから実際に変化する量だけ考えると、フルード数は単純に速度の二乗を長さで割ったものに比例している。この比率は、高速で動く銃弾や走る恐竜から空を飛ぶ飛行機と航行する船まで、運動に関するすべての問題で中心的役割を果たす。

フルードが、気がついた重要な点は、物理法則はあらゆるもので同じだから、異なる速度で動く異なる大きさの物でも、フルード数が同じなら同じふるまいを示すということだ。だから模型船の全長と速度を実物大のものと同じフルード数にすると、実物大の船の力学的なふるまいを建造前に測定できる。

これを簡単に例示するため、一〇フィート（ft）長の模型船の動きを、二〇ノット（時速二〇マイル、すなわち三二キロメートル強）で動く七〇〇フィート長のグレート・イースタン号と同じにするにはどうすればよいか考えてみよう。フルード数を同じにする（速度の二乗を長さで割った数値を同じにする）のだから、速度は長さの平方根に比例してスケールする必要がある。全長比の平方根は$\sqrt{(700ft/10ft)}$で、$\sqrt{70}=8.4$となる。だから一〇フィートの模型でグレート・イースタン号を真似るには、おおよそ$20/8.4=2.5$ノット、ちょうど人間の歩行速度で動かせばよい。つまり二・五ノットで動く一〇フィート長の模型船は、七〇〇フィート長のグレート・イースタン号の二〇ノットの動きのシミュレーションとなる。

この説明は、彼の手法をひどく単純化したものだ。この問題にはフルード数に似た他の数値も関わ

ってくることが多いし、それは例えば水の粘性といった他の力学的影響を明示的に含むものもある。それでもこの例はフルードの手法の本質を捉え、モデリングとスケーリング理論の一般的なテンプレートを示している。それは優に数千年間にわたって使われてきた、旧式の大ざっぱな試行錯誤による方法から、問題を解決し、コンピュータや船から飛行機、建物、さらには企業まで含む近代的人工物を設計するための、分析的で原則に基づいた科学的方略への移行を意味している。フルードの水槽による設計手法は、今でも船舶研究に使われており、それを発展させた風洞は、ライト兄弟にも強い影響を与え、飛行機や自動車で似た役割を果たしている。今では高度なコンピュータ解析が設計過程の中心となり、性能を最適化するためにスケーリング理論の原理をシミュレーションしている。「コンピュータ・モデル」という言葉は不可欠なものになった。そして今やナビエ＝ストークス方程式やそれに相当するものを「解く」、あるいは解をシミュレーションできるようになり、性能をずっと正確に予測できるようになった。

こうした展開による奇妙な予想外の結果の一つが、例えばあらゆる自動車が今や似てきてしまったというものだ。これはすべての製造元が、似たような性能パラメーターを最適化するために同じ方程式を解いているせいだ。こんな高性能のコンピュータが使えず、結果予測もあまり厳密ではなく、しかも燃費や排気ガス公害をこんなに懸念していなかった五〇年前、車のデザインはずっと多様で、その結果ずっとおもしろかった。一九五七年型スチュードベーカー・ホークや一九二七年型ロールス・ロイスを、はるかに機械として優れているとはいえ、かなり退屈なデザインの二〇〇六年型ホンダ・シビックや二〇一四年型テスラと比べてみよう。

11 類似性と類似度——無次元数とスケール不変数

フルードが導入したスケーリング方法論は、今や科学と工学ツールキットにおける強力で高度な構成要素になるまでに進化し、非常に広範で多様な問題に適用されて大いに効果を挙げてきた。だがそれが一般化された技法として定式化されたのは、二〇世紀に入って著名な数理物理学者のレイリー卿が、挑発的できわめて影響力の高い「類似度の原則」という論文を『ネイチャー』誌に発表してからだった。[*16] 類似度というのは、これまでスケーリング理論と呼んできたものに彼がつけた名前だ。彼が主に強調したのは、あらゆる物理系で、無次元という属性を持つ特別な量がきわめて重要な役割を果たすということだった。これらはフルード数のように、測定単位系にかかわらず値が変わらない変数の組み合わせだ。詳述しよう。

長さ、時間、圧力といった、日常生活でよく計測する量は、測るときのメートル、秒、一平方センチメートルあたりのキログラム数といった単位に左右される。でも同じ量を別の単位で測ることもできる。例えば、ニューヨークとロサンゼルスの距離は三二一〇マイルだが、五八七一キロメートルとも表せる。数はちがうが、中身は同じものだ。同様に、ロンドンとマンチェスターの距離は二七八マイルとも、四五六キロメートルとも書ける。でもニューヨークからロサンゼルスの距離と、ロンドンからマンチェスターの距離との比率（3,210 マイル ÷ 278 マイル、あるいは 5,871km ÷ 456km）は、使う単位にかかわらず同じ一四・八九だ。

これが、大きさのない無次元量のいちばん単純な例だ。これは、測定に使う単位系がちがっても変わらない「純粋」な数だ。この「スケール不変性」は、単位や尺度の選択をめぐる恣意性依存が取り除かれるという意味で、その量について何か絶対的なものを表している。個別の単位は、標準化された言語で計測値を伝えるための、人間による便宜的な発明だ。特に建設、交易、そして財とサービスの交換で重要な役割を果たしている。実際、標準尺度の導入は、法治に基づく信頼できる政治機構の発展にも不可欠だったし、文明の進化や都市の隆盛における重要な局面となった。

おそらく最も有名な無次元数は、円の直径と円周の比率パイ（π）だ。これには単位はない。二つの長さの比率なので、いつでもどこでも、大小にかかわらず、すべての円について同じ値だからだ。このようにπは、「円であること」の普遍的性質を体現している。

この「普遍性」の概念のために、フルード数には重量加速度が含まれていたのだ。重力加速度そのものは、模型船から実物へのスケールに、明確な役割は何も果たさない。だが速度の二乗の長さに対する比は、無次元ではないので、使う単位に左右される。それを重力で割れば無次元になり、スケールしても不変なのだ。

それでも、なぜよりによって重力加速度が選ばれたのか？　なぜなら、重力は地球上のいたるところですべての動きを律しているからだ。歩くときや走るときにも、一歩一歩進むたびに、そして特に坂を上がるとき、重力に逆らって絶えず足を上げなければならないことからもそれは明らかだ。船の動きへの関わりは、水の浮力が重力と均衡を保っているため（アルキメデスの原理を思い出してほしい）、そこまであからさまではない。しかし船が水の中を進むとき、それは常に伴流と水面波を生み

出し、その動きは重力の影響を受けている——実際、海や湖でよく目にする波は、専門的には重力波と呼ばれている。このように重力は間接的に、船の動きに重要な役割を果たしている。だからフルード数は、動いている個別物体の細部を超えて、地球上のすべての動きと結びついた「普遍」性を体現しているのだ。よってその値は船だけでなく、車、飛行機、そして私たち自身の動きを大きく決定づける。さらにこれは、重力がちがう別の惑星で、こうした運動が地球上での運動とどう変わるかも教えてくれる。

あらゆる測定可能な量の本質も、人間が作った単位の恣意的な選択には左右されないため、物理法則もまた単位には左右されない。結果として、これらすべて、さらにはすべての科学法則は、たとえ慣習的に通常はそのように書き表されていないとしても、スケール不変の無次元量の関係性として、書き表せるべきだ。これが影響力の大きいレイリーの論文の根底にあるメッセージだ。

彼の論文は、多くの厳選された例を使ってこの手法をエレガントに説明している。その一つは、誰もが一度は考える人生最大の謎、「なぜ空は青いのか」という問題に対する科学的な説明だ。純粋な無次元量だけの関係に基づくエレガントな議論を使って、彼は微粒子で散乱した光波の強度は波長の四乗に比例して減少することを示した。よって、虹のすべての色を含む太陽光は、大気中に漂う微粒子によって散乱し、青に相当する最短の波長が支配的になる。

実は、レイリーはこの素晴らしい結果をずっと以前に導いていた。光スペクトルの青方偏移の原因を機械論的に詳しく説明した、見事な数理解析に基づいた力作論文を出していたのだ。彼が類似度論文でその単純な導出方法を示したのは、細かい高度な数学なしに、「類似度の大原則」という形でス

ケーリング議論を使い、同じ結果を彼の言う「ものの数分の考察」で得られると示したかったからだ。彼のスケーリング議論は、重要な変数が何かわかってしまえば、短い波長への偏移はどんな分析でも避けられない結果なのだと示した。こうした導出に欠けているのは、なぜその結果が生じるのかという仕組みの深い理解だ。これは多くのスケーリングの議論の特徴だ。一般性のある結果は導けるが、その機械論的な起源の詳細はわからないままだったりする。

レイリーによる波の散乱の数理解析は、後に「散乱理論」となるものの基礎となった。これは水の波から電磁波まで様々なものに応用され、とりわけレーダー、そしてもっと最近ではＩＴ通信などに大きな役割を果たしており、なかでも量子力学の発展への貢献は非常に重要だ。有名なヒッグス粒子が最近発見されたジュネーブのＣＥＲＮのような、巨大粒子加速器による「散乱実験」から発見を引き出すための定式化の基礎となっているのだ。

一八七〇年、彼がわずか二八歳のときに発表した元の論文を見ると、著者名がレイリー卿ではなく、もっと気取りのないジョン・ストラットになっているのに気づくだろう。ケンブリッジ大学の威厳ある教授というよりも、トマス・ハーディの小説の登場人物のような響きがある。これは彼が貴族の称号を父から引き継ぐ一八七三年以前の名前だ。ストラットの名は、彼の弟エドワードのおかげで世間的にも有名だ。エドワードは有名な不動産および物件管理会社ストラット＆パーカーを創業し、今や英国最大の不動産パートナーシップ企業となっている。次にロンドン中心部に行ったら、高級不動産に彼らの看板が出ていないか探してみるといい。

レイリーは実に多才な人物だった。多くの偉業のなかでも、音の数学理論の開発とアルゴンの発見

により、一九〇四年にごく初期（第四回）のノーベル賞を受賞している。

第3章　生命の単純性、調和、複雑性

最初の章で強調したように、とても小さなバクテリアから巨大な都市や生態系に至る生命系は、実に大きな範囲にわたる多様な空間的、時間的、エネルギー的、質量的なスケールで作動する、典型的な複合適応システムだ。質量だけに絞っても、生命のスケールは、代謝のエネルギーを供給する分子や遺伝子コードから生態系や都市まで、三〇桁もの幅（10^{30}）を持つ。この範囲は銀河系全体に対する地球の質量の桁の差を大きく上回っている。こちらの桁の差は「わずか」一八で、電子とネズミの質量を比べた桁の差と同じだ。

このすさまじい広がりのなかで、生命は基本低位に同じ構成要素やプロセスを使って、驚くほど多様な形、機能、動的ふるまいを創り出している。これは、自然選択と進化力学の威力を如実に示す。すべての生命は物理、化学的な源からのエネルギーを有機分子に変え、それを代謝して複雑で高度に組織化されたシステムを形成、維持、再生することで機能している。これはまったく別だが、密接に絡みあう二つのシステムの働きで実現している。生命体を作り上げて維持するための情報と「命令」を保存、処理する遺伝コードと、維持、成長、生殖のためのエネルギーと資源を獲得、変換、配分する代謝系だ。これら両方の系について、分子レベルから生命体レベルまで各種の水準で解明がずいぶ

ん進んでおり、後でそれを都市や企業にまで拡張する方法を論じよう。だが情報処理（「ゲノミクス」）がエネルギーと資源の処理（「代謝」）と、生命維持でどう統合されているかの解明が、大きな課題として残っている。こうした系の構造、力学、統合の根底にある普遍原理発見が、生命の解明と、薬、農業、環境といった多様な状況における生物学的、社会経済学的システムの運営の基本となる。

遺伝子の複製、転写、翻訳から、種の進化上の起源までの現象を説明できる、遺伝子理解の統一的な枠組みが開発された。同じように統一的な代謝理論も、ゆっくりと現れつつある。それは細胞内の生化学反応が生み出す、エネルギーと物質の変換プロセスが、生命体を維持して、生物活動の原動力となり、生命プロセスの時間範囲を決めるために、生命体から生態系のレベルにまでスケールアップされる過程を結びつけるものだ。

生命の複雑性が根底にある単純性から生じるための基本原則の探求は、二一世紀科学の大きな課題の一つだ。これは現在も今後も、主に生物学者と化学者の縄張りとなるが、他の分野、特に物理学とコンピュータ科学がますます重要な役割を果たしつつある。適応進化システムの本質的特徴の一つである、単純性からの複雑性の創発をもっと一般化して理解するのは、新しい複雑系科学の礎石の一つだ。

物理学の分野は、定量化、数学化（つまり計算で処理できる）可能なあらゆる水準の組織化における基本原則と概念を扱い、したがって厳密な予測ができるし、それを実験観察で検証できる。この見地から、数学化可能な「生命の普遍法則」があるのではと考えるのは人情だ。それがあれば、生物学も物理学同様に予測可能な定量的科学として定式化できる。少なくとも原理的には、あらゆる生物学

図8

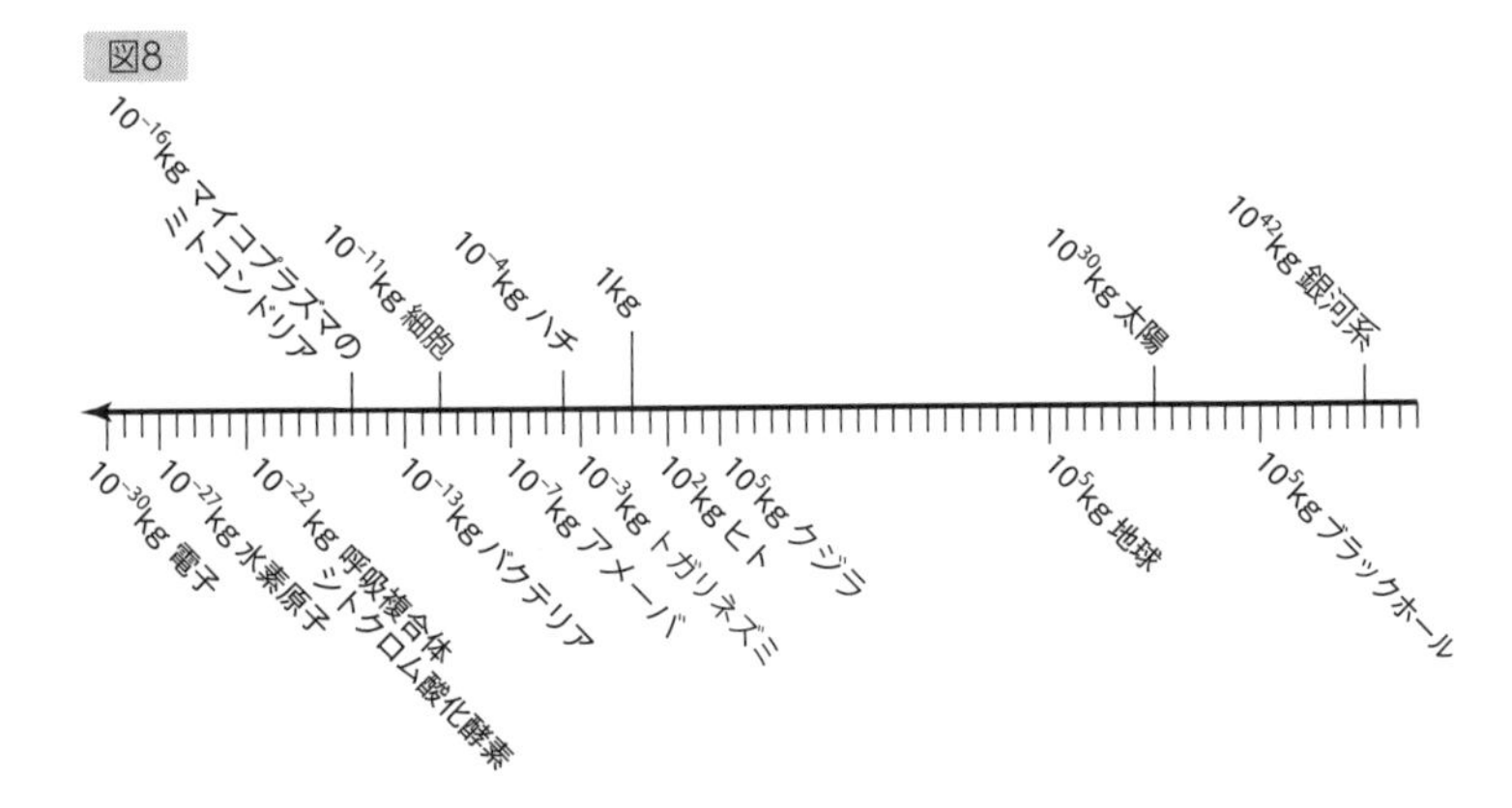

複合分子、細菌からクジラ、セコイアまでの幅を持つ非常に大きなスケールと、銀河系、原子核内のスケールとの比較。

的プロセスを厳密に計算し、例えば寿命を正確に予測できるような、未発見の「生物学版ニュートンの法則」もあり得るのでは？

　たぶんあり得ないだろう。結局のところ、生命はずばぬけた複雑系で、複数の依存しあう歴史から生じる、多層的な創発現象を示すのだから。それでも、生命系全般の大まかなふるまいであれば、その本質的特徴を反映する定量化可能な普遍法則に従っていそうだ。この比較的控えめな見方では、あらゆる組織水準で、平均的に理想化された生物学的システムを構築できて、そのシステムの一般的性質は計算可能だと想定する。だから自分の寿命は計算できなくても、人間の平均寿命と最長寿命なら計算できるはずだ。これは実際の生物系を理解するための、出発点またはベースラインとして考えられる。実際の生物系は、局所的な環境条件や進化の歴史的な分岐のおかげで、その理想化された規範に対する変種または摂動だと考えれば

いいわけだ。これからこの考え方についてずっと深く掘り下げて詳述する。これこそ最初の章で提示した問題のほとんどを攻略する、概念的な戦略となるからだ。

1. クォークとひもから、細胞とクジラまで

これまでに挙がった大問題に着手する前に少し寄り道をして、幸運にも私を物理学の基本問題の研究から生物学の基本問題、そして最終的に世界の持続可能性に関する最も重要な問題と関連した社会経済学へと導いた、霊感に満ちた旅の話をしておきたい。

一九九三年一〇月、アメリカ連邦議会はビル・クリントン大統領の承認を得て、すでに三〇億ドル近い建設費を注ぎ込んだ、史上最大の科学プロジェクト計画を公式に中止した。この途方もないプロジェクトは、巨大な超電導大型加速器（SSC）で、その検出装置と共に、工学的な挑戦としても史上最大級だったとすら言える。SSCは物質の基本成分の構造と力学を明らかにするため、一〇〇兆分の一ミクロンの極小空間の探究用に設計された、巨大顕微鏡だった。素粒子理論から導き出された予想について重要な証拠をもたらし、新しい現象を発見できる可能性もあり、自然界のあらゆる基本的な力に関する「大統一理論」と呼ばれているものの基礎を築くはずだった。この壮大な構想は、すべてが何からできているかについて、深い理解を与えてくれるのみならず、ビッグバンから始まった宇宙の進化についても重要な洞察を与えてくれる。多くの面でそれは、宇宙の最も深淵な神秘のいくつかを解明しようと果てしない挑戦をするだけの、意識と知性に恵まれた唯一の生き物としての人類

の究極の理想を表している――宇宙が自分を知るためのエージェントなのだという、人類の存在理由そのものすら与えてくれるかもしれない。

ＳＳＣのスケールは巨大だった。円周八〇キロメートル以上で、一〇〇億ドル以上の費用をかけて、陽子エネルギーを二〇兆電子ボルトまで加速させる。どのくらいの規模かというと、電子ボルトというのは生命の基礎を成す代表的な化学反応エネルギーだ。ＳＳＣ内の陽子のエネルギーは、最近ヒッグズ粒子の発見で脚光を浴びた、ジュネーブで稼働中の大型ハドロン衝突型加速器よりも八倍も大きくなるはずだった。

ＳＳＣの廃止理由はいろいろあるし、その多くは意外でもなんでもない。お決まりの予算問題、経済状況、加速器が建設されていたテキサスに対する政治的遺恨、鈍重なリーダーシップなどが含まれる。だがその頓挫の大きな理由の一つは、伝統的な巨大科学、とりわけ物理学に対する風当たりが強くなったことだった。[*1] 風当たりにもいろいろあったが、多くの人が受けた罵声の一つは、すでに引用した「一九、二〇世紀は物理学の世紀だったが、二一世紀は生物学の世紀になるだろう」というしばしば繰り返されてきた主張だった。

どれほど尊大で鼻っ柱が強い物理学者でも、二一世紀には支配的科学としての物理学が失墜し、生物学が台頭する可能性が高いという所感にはなかなか反論できない。だが学者の多くがカチンときたのは、すでに必要なことはすべてわかっているから、この類の基礎物理学にさらなる基礎研究はもはや必要ないという暗黙の主張で、これをはっきり言われることも多かった。悲しいかな、ＳＳＣはこの見当ちがいで杓子定規な考えの犠牲になった。

当時私はロスアラモス国立研究所で高エネルギー物理学プログラムを監督していた。そこで私たちはSSCに建設中の主要な検出装置二つの片方に深く関わっていた。専門用語にあまり馴染みのない人たちのために言っておくと、「高エネルギー物理学」とは物理学の一部で、素粒子の基本問題、その相互作用と宇宙論的意味を扱う。当時（そして今も）私は理論物理学者で、この領域が主な研究所の関心だった。物理学と生物学の道筋のちがいについての挑発的意見に対する、私の直観的な反応は、確かに生物学はほぼまちがいなく二一世紀の支配的科学になるが、それが本当に成功を収めるには、物理学を成功に導いた定量、解析、予測の文化を受け入れる必要があるというものだった。生物学は伝統的な統計、現象論的、定性的な議論を、根底にある数学化可能な計算原則に基づいた、もっと理論的な枠組みと融合させる必要があると思ったのだ。恥ずかしながら、当時の私は生物学についてまったく無知で、こうした反応のほとんどは傲慢と無知によるものだった。

それでも口先だけではいけないと思い、物理学のパラダイムと文化を生物学の興味深い問題に活用する方法を考え始めた。もちろん、生物学に進出して大成功を収めた物理学者はいる。なかでも最もめざましいのはおそらくフランシス・クリックで、ジェームズ・ワトソンと共にDNA構造を見極め、ゲノム理解に革命を起こした。もう一人は、量子力学の創始者の一人である大物理学者エルヴィン・シュレーディンガーで、一九四四年の著書『生命とは何か——物理学的にみた生細胞』は、生物学に多大な影響を与えた。*2 これらの例を見ると、物理学から生物学に何かおもしろいことが言えそうなので、これに刺激されて少数ながらまずます多くの物理学者がその境界線を越えて、生物物理学という新興分野を盛り立ててきた。

SSC廃止当時、私は五〇代初めで、本書の冒頭で述べたように、老化プロセスと命の有限性が必然的にますます身につまされるようになっていた。私の男性祖先たちはみんな早死になので、私が生物学について考えるときの出発点が、老化と避けがたい死についての学習だったのも無理はない。これらは生命の最も普遍的で基本的な特徴であるため、私はおめでたいことに、それらについてはほぼすべて解明されていると思い込んでいた。しかし非常に驚いたことに、老化と死に関する全般的に認められた理論などないばかりか、この分野そのものがかなり小さく、幾分停滞気味だと知った。さらに、物理学者なら当然訊くであろう、最初の章で私が提示したような問いは、これまでほとんど検討されていないようだった。とりわけ、一〇〇年という人間の寿命のスケールはどこからきたのか、あるいは何があれば老化の定量的な予測理論と言えるのか、といった問いだ。

死は生命の本質的特徴だ。実際、それは暗黙のうちに進化論の本質的特徴にもなっている。進化プロセスに必要な要素の一つが、個体が最終的に死ぬことで、子孫が新しい遺伝子の組み合わせを広め、最終的に新しい形質と新しい変異の自然選択による適応へと至り、種の多様性がもたらされる。私たちは皆死んで、新たなものが開花、探索、適応、そして進化させねばならない。スティーブ・ジョブズはそれを簡潔に言い表している。[*3]

誰も死にたくはない。天国に行きたいと思っている人でも、そこに行くために死にたいとは思わない。それでも、死は万人に共通の最終目的地だ。それから免れた者はいないし、それはそうあるべきだ。なぜなら死は生命の最高の発明だから。それは生命変化の主体だ。古いものを捨て

て、新しいもののための道を作る。

死とその前兆である老化プロセスの決定的な重要性から考えて、生物学の入門書を手にとれば、生命の基本的性質に関する議論の一部として、誕生、成長、生殖、代謝などを扱った章と同じように、死や老化についての章が当然見つかるはずだと考えた。なぜ人間は一〇〇年しか生きられないのか示し、これまで提示した各種問題にも答えてくれる単純な計算を含む、老化の機構的理論を教育的にまとめたものを期待した。だがそんなものはなかった。まるで言及すらなく、関心を持たれている問題だと示唆するものもない。これにはかなり驚いた。だって死は、個人の人生のなかで誕生に続き、生物学的に最も鮮烈な出来事ではないか。私は物理学者として、生物学はどこまで「本物」の科学なのか（つまりもちろん、物理学とどのくらい似ているのか、ということだ！）、そしてこういった基本的問題を扱わないなら、二一世紀を支配する学問になれるかどうか、疑問を抱き始めた。

比較的少数の献身的な研究者を例外として、老化と死の必然性に対する興味が生物学界で全般的に明らかに欠けているため、自分でこれらの問題を考えようと思った。それらを定量的、解析的な言葉で考えている人はほとんどいないようだったから、物理学的手法でそれらを多少なりとも進歩させられそうにも思えた。だからクォーク、グルーオン、ダークマター、ひも理論に取り組む合間に、死について考え始めた。

この新たな方向に乗り出してみると、科学としての生物学と、数学との関係についての思索に対し、意外なところから予想外の支援が出てきた。私が破壊的思考と思い込んでいたことが、ほぼ一〇〇年

も前に少々変わり者の著名生物学者サー・ダーシー・ウェントワース・トムソンによって、一九一七年出版の名著『生物のかたち』のなかで、もっと明瞭かつ深遠な形で述べられていたことを知ったのだ。[*4] これは素晴らしい本で、生物学界だけでなく数学、芸術、建築界からも密かに崇敬され、アラン・チューリング、ジュリアン・ハクスリーといった思想家から、ジャクソン・ポロックのような芸術家にまで影響を与えてきた。その絶えることない人気の証としていまだに版が続いている。臓器移植の父で、移植片拒絶と後天的免疫寛容性の研究でノーベル賞を受賞した、著名生物学者サー・ピーター・メダワーは『生物のかたち』を「これまで英語で記されたあらゆる科学論集のなかで最良の著作物」と呼んでいる。

トムソンは最後の「ルネッサンス人」の一人で、今や絶滅寸前の、多分野型、学際型科学者一派の典型だった。いちばん大きな影響を与えたのは生物学だったが、古典学者や数学者としても大きな業績を挙げた。英国古典学会、王立地理学協会の会長に選ばれ、非常に優秀な数学者としてエディンバラ数学会の名誉会員でもある。スコットランドの知識人一家の出身で、イザムバード・キングダム・ブルネルと同じく、ヴィクトリア朝時代の小説の端役を連想させる名前を持っていた。

彼は自著の冒頭で、ドイツの有名な哲学者イマニュエル・カントを引用している。カントは当時の化学について“eine Wissenschaft, aber nicht Wissenschaft”と述べているが、トムソンはこれを、化学は「一科学ではあるが、大文字の科学ではない」と訳して、「真の科学の基準は、数学との関係にある」としている。トムソンは続けて、今や根本原理に基づいた予測的な「数理化学」が生まれたので、化学は小文字の科学（science）から大文字の科学（Science）に昇格したと論じている。一方で、

数学的基礎や原則を持たない生物学は、依然として定性的で、まだ小文字の「一科学」にすぎないと言う。生物学は数式化可能な物理原則と合体して初めて、一段上の大文字の科学になるはずだった。そしてそれ以降の一世紀に達成された類まれな進歩にもかかわらず、トムソンによる生物学の挑発的な描写は、いまだにかなり有効だということがわかってきた。

一九四六年、トムソンは王立協会から名誉あるダーウィン・メダルを授与されたが、伝統的なダーウィン進化論には批判的だった。それは生物学者たちが、生物の形と構造の決定因子として自然選択の役割と「適者生存」を強調しすぎていて、進化過程における物理法則とその数学化の役割を重視していないと感じていたからだ。彼の問題提起に潜む基本的な問いは、いまだに答えが出ていない。その問いとは、生物学を予測的な（大文字の）定量科学として定式化できるような、数式化可能な「生命の普遍的法則」は存在するのか、というものだ。彼は次のように述べる。

物理学では、単純なことを発見するにも偉人が必要だったことを常に心にとめておくべきだ。（中略）その場合でも、数学や物理学がどこまで人体の構造を説明できるかは、誰にも予測できない。エネルギーの法則、物質の性質、コロイドの化学的性質をすべてもってしても、魂は理解しきれないのと同様に、人体の説明には無力なのかもしれない。だが私としては、そうは思わない。魂が肉体になぜ何かをもたらせるのかについて、物理科学は何も教えてくれない。そして生物が心に影響を与え、心から影響を受ける理由も、手掛かりのない謎だ。生理学者によるすべての神経経路とニューロンを理解したところで、意識は解明できないし、なぜある人は善良となり、

別の人が邪悪となるのかについて、物理学に説明を求めたりはしない。しかし人体の構築と成長と機能については、地球の自然に関するあらゆる事と同様に、物理科学こそが唯一の師であり案内役であるというのが、わが慎ましき考えだ。

これはまさに現代の「複雑系科学」の信条を言い表している。ここには、意識は創発的な全身性の現象であり、単なる脳内の「神経経路とニューロン」の総和で生じる結果ではないという示唆さえある。この本は学術的だが、驚くほど数式が少ない非常に読みやすい書きぶりだ。そこで表明されている大きな原理というのは、数学の言葉で記された自然の物理法則こそが、生物学的成長、形、進化の主要決定要因だという信念だけなのだ。

トムソンの本は老化や死には触れていないし、専門的な内容としてはあまり有益でも高度でもないが、その哲学は、生物学の各種問題に対する物理学の考え方や手法についての考察と適用について、支援と刺激を与えてくれた。私自身の思考で言えば、この本のおかげで肉体について、栄養を与え、維持し、修理する必要があるが、いずれ使い古されて「死」を迎える、車や洗濯機に非常によく似た隠喩的な意味での機械として見るようになった。だが動物だろうと、自動車、企業、文明であろうと、どのように老いて死ぬかを理解するには、まずはそれを生かしているプロセスと仕組みを理解し、次にそれらが次第にどう劣化するか見極める必要がある。これによって自然に、生命維持と可能な成長に必要なエネルギーと資源、そして損傷、崩壊、摩滅などと関連づけられる破壊的な力によって起こるエントロピーの生成と戦うための、維持と修復へのそれらの割り当てについて考えるようになる。

この考え方により、なぜ代謝が永遠に続かないのか問う前に、人を生かしている代謝の中心的役割にまずは注目することにした。

2. 代謝率と自然選択

代謝は生命の火……そして食物は生命の燃料だ。人間の脳内ニューロンも遺伝子の分子も、食物から抽出した代謝エネルギー供給がなければ、機能できない。歩くことも、考えることも、あるいは寝ることさえ、代謝エネルギー供給なしではできない。それは生命体が維持、成長、繁殖、血液循環、筋収縮、神経伝導といった個別プロセスに必要な力を供給する。

代謝率こそまさに生物の基本的比率で、細胞内の生化学反応から成熟に達するまでの時間、そして森林の二酸化炭素摂取率からその落葉落枝率まで、生命体が行うほぼすべてのライフ・ペースを決める。最初の章で論じたように、平均的な人間の基礎代謝はわずか九〇ワットほどで、典型的な白熱電球一個分、毎日食べる約二〇〇〇キロカロリーと同等だ。

すべての生命同様、人間はバクテリアとウイルス、アリと甲虫、ヘビとクモ、イヌとネコ、あるいは草と樹木、そして常に困難を強いて変化する環境のすべてのなかにいる他の生物と、相互作用し、適応しながら、自然選択によって進化した。私たちは果てしない相互作用、争い、適応の多次元的な相互関係のなかで共進化してきた。だから各生命体、その各器官と下位組織、各種細胞とゲノムは、それぞれ独自の絶え間なく変化し続ける環境で、固有の歴史に従って進化してきた。チャールズ・ダ

ーウィンとアルフレッド・ラッセル・ウォレスがそれぞれ独自に考案した自然選択の原理は、進化論と種の起源の鍵だ。自然選択、あるは「適者生存」は、遺伝形質や特質のなかで成功した変異が、環境との相互作用によってその形質を発達させた生命体の繁殖成功度合いに応じて個体群のなかで固定される、緩やかなプロセスだ。ウォレスが強調しているように、十分に広範な変異が存在するので、「他より有利になりそうな方向へと作用する、自然選択の材料は常に存在する」し、ダーウィンがもっと簡潔に述べたように「それぞれのわずかな変異は、役に立てば維持される」。

このるつぼからそれぞれの種が、進化の時間のなかでたどってきた独自の道筋を反映した、生理学的形質と特徴一式を備えて進化し、バクテリアからクジラにまで至る生命の全領域の途方もない多様性と変種をもたらした。何億年もの進化による手直しと適応、適者生存ゲームを経て、人間は最終的に二足歩行、身長一五〇から一八〇センチメートル、最高寿命一〇〇歳、脈拍一分約六〇回、収縮期血圧約一〇〇mmHg、睡眠時間一日約八時間、大動脈長約五・五メートル、各肝細胞内のミトコンドリア数約五〇〇、代謝率約九〇ワットに落ち着いた。

これらはすべてひたすら気まぐれでデタラメな数値にすぎないのだろうか。私たちの長い歴史のなかで、自然選択によってとりあえず固定された、無数の小さな偶然と変動の結果なのか？　それともここには何らかの秩序、作用している他のメカニズムを反映した隠されたパターンがあるのか？　ある。それを説明しようとすると、話は再びスケーリングに戻る。

3. 複雑性の根底にある単純性：クライバーの法則、自己相似、規模の経済

人間は生きていくために一日約二〇〇〇キロカロリー必要だ。他の動物はどのくらいの食料とエネルギーが必要なのか？　ネコやイヌ、ネズミやゾウは？　ついでに、魚や鳥、昆虫や木は？　この問題を本書の冒頭で提示したときに強調したのは、自然選択に対する率直な予想に反して、そして生命の途方もない複雑性と多様性、そして代謝は宇宙で最も複雑な物理化学プロセスだという事実にもかかわらず、代謝率はすべての生命体で実に系統的な規則性を示すということだった。図1に示したように、代謝率は体のサイズに応じて考えられる最も単純な形でスケーリングする。体重との関係を対数目盛で表すと、単純なべき乗則のスケーリング関係を表す直線になるのだ。

代謝率のスケーリングは八〇年以上前から知られている。その原型は一九世紀末にはすでに知られていたが、現代版を考案したのは著名生理学者マックス・クライバーとされる。一九三二年、彼はそれを無名のデンマーク学術誌に発表した独創的な論文で定式化した。[*5] 最初にクライバーの法則を見つけて、私はかなり興奮した。各生物種の進化に内在する、ランダム性と固有の歴史的経路依存のため、相関しない巨大な変動が生じるはずだと思っていたからだ。なんといっても同じ哺乳類でさえ、クジラ、キリン、ヒト、ネズミは非常に一般的な特性以外はあまり似ておらず、まったくちがう環境のなかで、まったくちがう課題と機会に直面して生きているのだ。

その先駆的論文の中で、クライバーは体重約一五〇グラムの小さなハトからほぼ一〇〇〇キログラムの巨大な雄ウシまで、様々な動物の代謝率を調べている。その後数年間で彼の分析は多くの研究者によって、最小のトガリネズミから最大のシロナガスクジラまで、哺乳類全域に拡張され、体重の開

きは八桁に及んだ。驚いたことに、同じくらい重要な点だが、同じスケーリングは魚類、鳥類、昆虫、甲殻類、植物など、あらゆる多細胞生物の分類群、そしてさらにバクテリアやその他の単細胞生物に至るまで当てはまることが分かった。[*6] 全体の体重の開きは二七桁となり、この世で最も一貫した系統的スケーリングだろう。

図1では動物の体重の範囲が、わずか二〇グラム（〇・〇二キログラム）の小さなネズミから、ほぼ一万キログラムの巨大なゾウまで、五桁を優に超える幅を持つ（一〇万倍以上の差だ）ため、私たちはデータを対数、すなわち両軸の目盛が一〇を底にして連続的に増えるような形で表すしかなかった。例えば、体重は水平軸に沿って、線形に一、二、三、四キログラムと増えるのではなく、〇・〇〇一、〇・〇一、〇・一、一、一〇、一〇〇キログラムと増える。普通の大きさの紙に標準的な線形目盛でこれを描くと、ゾウを除くすべてのデータポイントはグラフ左下の角に重なりあってしまう。なぜなら二番目に軽い雄ウシとウマの体重ですら、ゾウの一〇分の一以下だからだ。多少なりとも妥当な分解能で表示するには、幅一キロメートル以上のばかばかしいほど大きな紙が必要になる。そしてトガリネズミとシロナガスクジラの八桁の体重差を解決するには、一〇〇キロメートル以上の幅が必要だ。

前章で地震のマグニチュードを論じた際に見たように、このような桁がまるでちがうデータを表すときには、対数座標にきわめて実用的な理由がある。だが対数表示を使うべき、深い概念的な理由もある。研究対象の構造と力学に、単純なべき乗則で数学的に表される自己相似性があるのだ。それをこれから説明しよう。

対数表示の直線はべき乗則の典型で、その乗数は傾斜に表れる（強さのスケーリングだと図7に示したように2／3）。図1では（横軸に沿って）質量の桁が四増えるごとに、（縦軸に沿って）代謝率は三桁しか増えないので、直線の傾きは3／4となり、これは有名なクライバーの法則の指数だ。この意味合いをもっと具体的に説明するために、体重三〇グラムのネズミと比べて一〇〇倍重い体重三キログラムのネコを例に考えてみよう。その代謝率の計算にはクライバーの法則をそのまま使えて、ネコは約三二ワットでネズミは約一ワットになる。ネコはネズミの一〇〇倍重いが、その代謝率は約三二倍でしかない。規模の経済の好例だ。

次にネコの一〇〇倍重い雌ウシを考えると、クライバーの法則からその代謝率はネコの三二倍となる。これをさらに雌ウシの一〇〇倍重いクジラに広げると、その代謝率は雌ウシの三二倍になるはずだ。この反復的なふるまい、ここでは体重が一〇〇倍ずつ増えるとき、三二倍という数が繰り返し出てくるのが、べき乗則の自己相似特性の一例だ。もっと一般的には、あらゆるスケールで体重が任意の倍数（ここでは一〇〇）で増えると、代謝率は最初の体重の値にかかわらず、つまりネズミだろうと、ネコだろうと、雌ウシだろうと、クジラだろうと、同じ倍数（ここでは三二）で増える。この際立って系統的な反復的ふるまいは「スケール不変性」または自己相似と呼ばれ、べき乗則に固有の特徴だ。これはフ、ラ、ク、タ、ルの概念と密接に関係している。これについては次章で詳しく論じる。程度の差こそあれ、フラクタル性、スケール不変性、自己相似性は、星雲や雲から人の細胞、脳、インターネット、企業、都市に至るまで、自然のなかのあらゆる場所に見られる。

ネズミよりも一〇〇倍重いネコは、約一〇〇倍の細胞を持っているのに、生存に必要なエネルギー

はたった約三二倍――クライバーの法則の非線形的特質から生じる「規模の経済」の典型例――だとわかった。単純な線形思考では、ネコの代謝率は三二倍ではなく一〇〇倍になると思ってしまうところだ。同様に動物の大きさが倍になっても、必要エネルギーが一〇〇パーセント増えるわけではない。必要な追加分は約七五パーセントだ――だから二倍になるごとに、約二五パーセントの省エネだ。系統的に予測できる定量的な手法によると、生命体が大きくなれば、体組織一グラムを維持するために、細胞一個が毎秒生み出すべきエネルギーは減る。ヒトの細胞はイヌの細胞よりも怠け者だが、ウマの細胞はもっと怠けている。ゾウはネズミのおよそ一万倍重く、維持すべき細胞が約一万倍あるのに、代謝率はわずか一〇〇〇倍でしかない。つまりゾウの細胞はネズミ細胞の約一〇分の一しか働かず、細胞の受けるダメージもその分だけ減り、おかげでゾウの寿命は長くなる。これについては第4章で詳しく説明する。これは系統的な規模の経済が、生命の誕生から成長を経て死に至るまで一貫して作用する重要な結果を持つことを示す例だ。

4．普遍性と生命を制御する魔法の数字4

クライバーの法則の系統的な規則性はかなり驚かされるが、同じくらい驚きなのは同じような系統的スケーリング則が、細胞からクジラ、そして生態系までのあらゆる生命における、ほぼすべての生理的性質と生活史の事象について当てはまることだ。代謝率だけでなく、成長率、ゲノム長、大動脈長、樹高、脳内の大脳灰白質の総量、進化速度、寿命まで同じ規則性を持つのだ。その見本を図９～

12に示した。このようなスケーリング則はたぶん優に五〇以上あり――これまた驚いたことに――それぞれで見られる指数は（クライバーの法則の3／4と同様に）、常に1／4の整数倍に非常に近い。

例えば、成長率の指数はほぼ3／4で、大動脈長やゲノム長では1／4、樹高で1／4、大動脈と木の幹の断面積で3／4、脳の大きさで3／4、大脳白質と灰白質で5／4、心拍数でマイナス1／4、細胞内のミトコンドリア密度でマイナス1／4、進化速度でマイナス1／4、皮膜拡散率でマイナス1／4、寿命で1／4等々……まだまだたくさんある。ここでマイナスは、対応する量がサイズと共に増加するのではなく、減少するというだけの話だ。例えば、図10に示したように、心拍数は体の大きさが増えると、1／4のべき乗則に従って減る。大動脈と木の幹が同じようにスケールするという興味深い事実には、是非注目してほしい。

とりわけ興味をそそるのは、これらすべての指数に1／4乗として登場する、数字4の出現だ。それは生命のあらゆる場面に普遍的に現れ、その生命体の設計がどれほど進化していようとも、多くの重要な測定可能な性質の決定において、特別な基本的役割を果たしているらしい。スケーリングのレンズを通してみると、驚くほど際立つ一般的な普遍パターンが浮かび上がってくるので、自然選択ではない別の一般物理原則が進化を制約していることが強く示唆される。

こうした系統的なスケーリング関係は、著しく直観に反する。あらゆる生命体のほぼすべての生理的特質と生活史事象が、単純にサイズで決まることを示しているのだから。例えば、生命の生物学的なペースはサイズの増大と共に系統的で予測可能なかたちで遅くなる。大きな哺乳類動物は長生きして、成熟に時間がかかり、心拍数は遅く、小さな哺乳動物に比べて細胞はあまり頑張って働かない。

スケーリングの多くの例をいくつか選んで見ると、めざましい普遍性と多様性がわかる。（図9）昆虫の個体と昆虫コロニーの両方のバイオマス生産量は、図1で示した動物の代謝率とまったく同じように、質量に対して指数3/4でスケールしている。（図10）哺乳類の心拍数は質量に対して指数マイナス1/4でスケールする。（図11）哺乳動物脳内の白質の量は灰白質に対して指数5/4でスケールする。（図12）単細胞とバクテリアの体重比の代謝率スケーリングは、多細胞生物についてのクライバーの法則の標準指数3/4に準じる。

図9

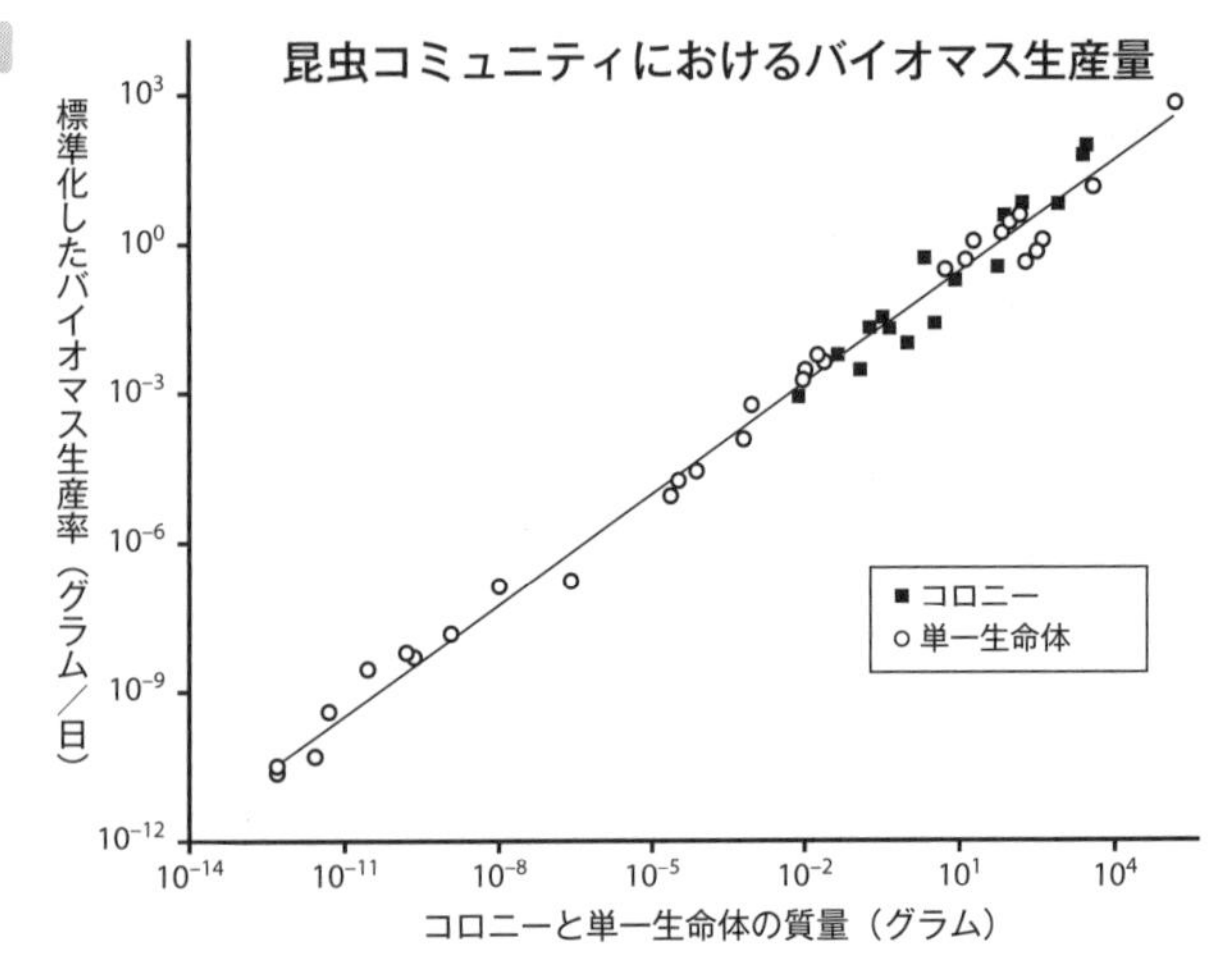

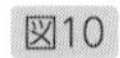
図10

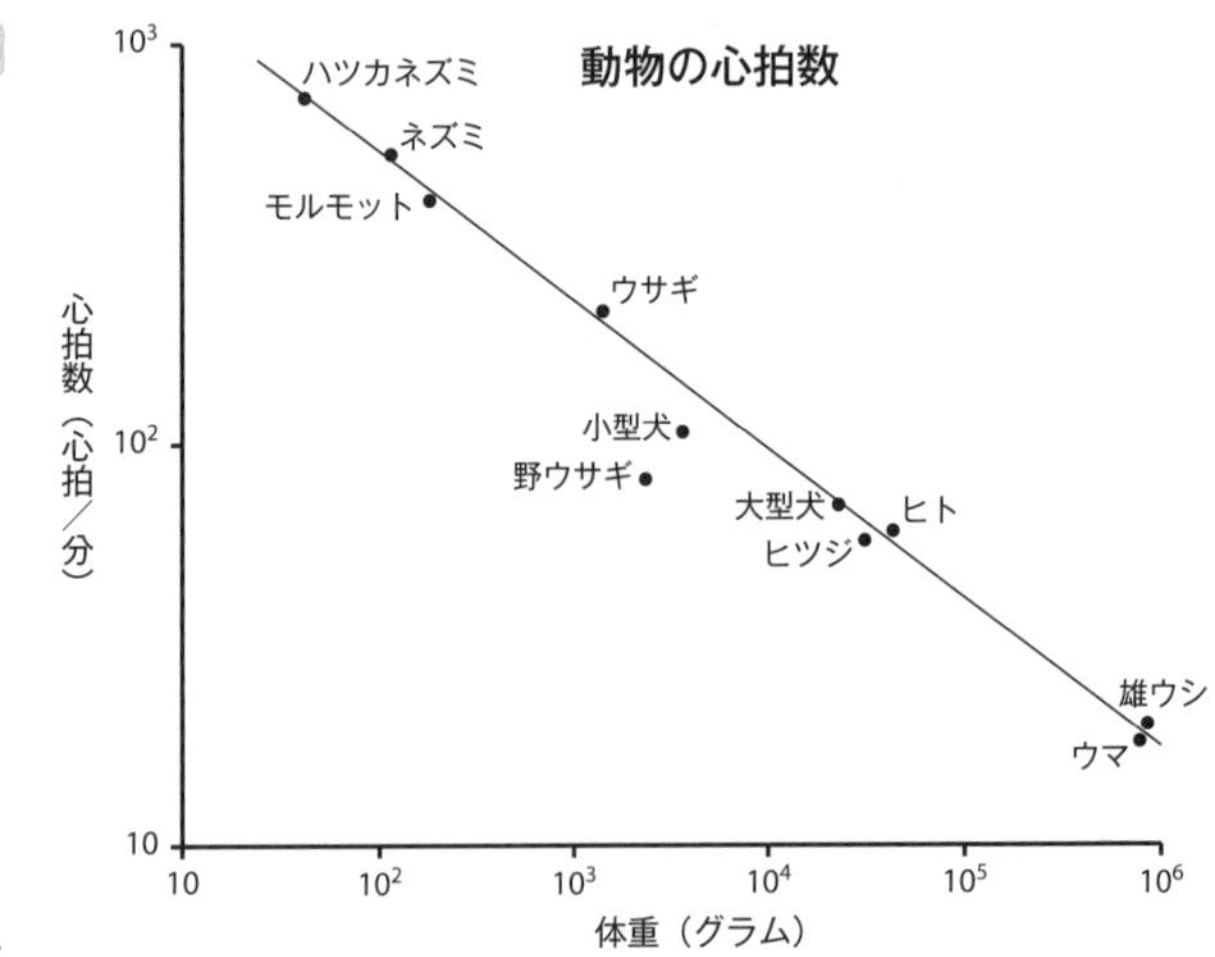

図11

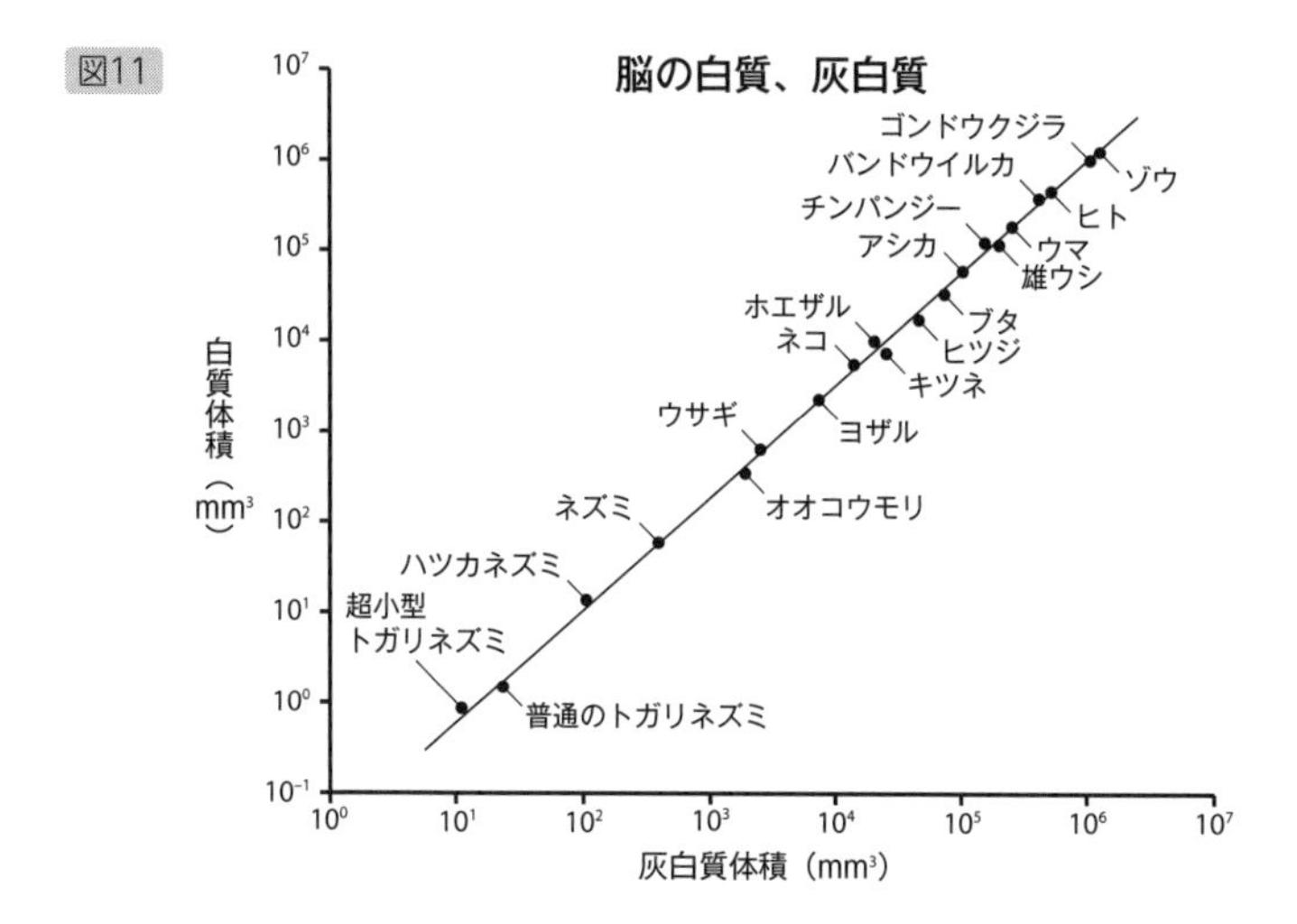
脳の白質、灰白質
白質体積（mm³）
灰白質体積（mm³）
ゴンドウクジラ
ゾウ
バンドウイルカ
ヒト
チンパンジー
ウマ
アシカ
雄ウシ
ブタ
ホエザル
ネコ
ヒツジ
キツネ
ウサギ
ヨザル
オオコウモリ
ネズミ
ハツカネズミ
超小型
トガリネズミ
普通のトガリネズミ

図12

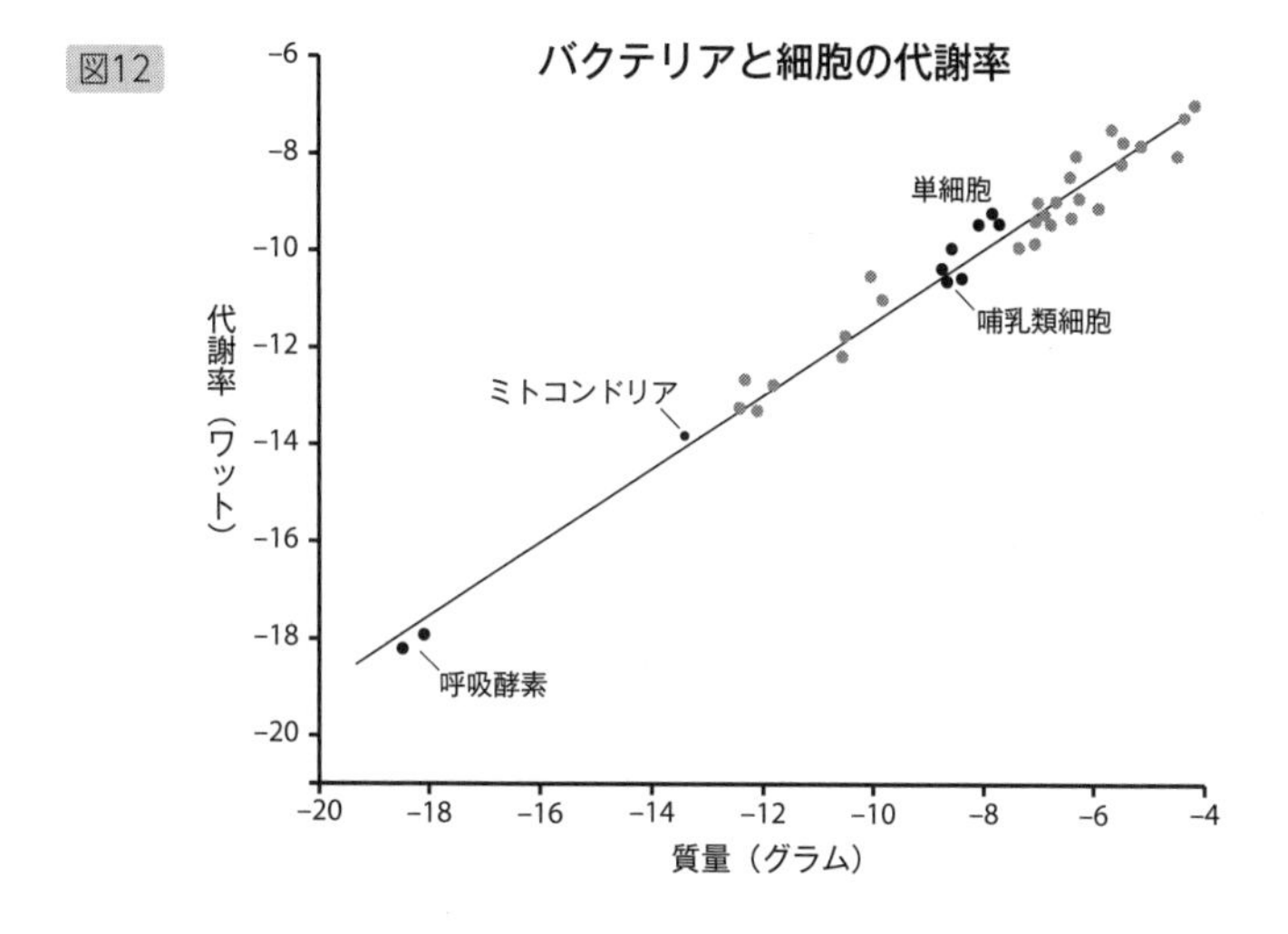
バクテリアと細胞の代謝率
代謝率（ワット）
質量（グラム）
単細胞
哺乳類細胞
ミトコンドリア
呼吸酵素

こうしたものがすべて、同じ度合いで予測可能な形で起こる。哺乳類の体重が二倍になると、寿命や成熟までの時間といったこれらすべての時間スケールは、平均して約二五パーセント増え、これに伴い心拍数などあらゆる速度も同じだけ下がる。

クジラは海で暮らし、ゾウには長い鼻があり、キリンは長い首を持ち、ヒトは二本足で歩き、ヤマネはチョロチョロ走り回るといった明らかなちがいにもかかわらず、生物はみな互いの非線形的な拡大縮小版である面が大きい。哺乳動物の大きさが分かれば、スケーリング則を使って、測定可能な特徴ほぼすべてについて平均値がわかる。一日に必要な食料、心拍数、成熟にかかる時間、大動脈の長さと半径、寿命、子の数まで。生命の途方もない複雑さと多様性を考えると、これはかなり驚きだ。

死の謎について学ぼうと探求を始めたら、意外なことに生命の思わぬ魅力的な謎をつきとめたので、私はとてもワクワクした。というのも生物学のこの領域では、明らかに定量的で、数学で表現できて、同時に物理学者御用達の「普遍性」が現れていたからだ。こうした「普遍」法則は、自然選択の単細胞な解釈とは一致しないことへの驚きに加えて、多くの生物学者がこれに気づいているのに、十分に高く評価していないらしいというのも驚きだった。さらに、その普遍性がなぜ生じるのかという一般性ある説明もなかった。まさに物理学者が食いつけるネタだ。

実は、スケーリング則が生物学者たちにまともに評価されていなかったというのは言いすぎだ。スケーリング則は、生態学の分野では確かに昔から確立してきたし、一九五〇年代になって生物学に分子化学とゲノム革命が到来するまでは、ジュリアン・ハクスリー、J・B・S・ホールデン、ダーシー・トムソンら多くの著名生物学者から着目されていた。*7 実際、ハクスリーは生命体の生理的、形態

的特徴が身体のサイズに対してどうスケールするかを説明するために、「アロメトリック（allometric）」という言葉まで作った。ただし彼の関心は、主にそれが成長過程でどう起こるかということにあった。アロメトリックは、ガリレオの「アイソメトリック（isometric）」・スケーリングの概念を一般化したものとして導入された。アイソメトリックというのは、前章で論じたように、サイズが大きくなっても体形と形態が変わらなければ、その生命体のすべての長さは同じ比率で大きくなるというものだ。「*iso*」はギリシャ語で「同じ」を指し、「*metric*」は「大きさ」を意味する「*metrikos*」から来ている。一方「allometric」は「異なる」を意味する「*allo*」から来ており、身体のサイズの増大に伴って、体型や形態が変わるために、様々な部分がちがうスケーリングを示すという、もっと一般的な状況を指す。例えば木の幹や動物の肢の半径と長さは、サイズが大きくなると別のスケーリングを示す。半径は重量の3／8乗でスケールし、長さはもっとゆっくりと1／4乗（つまり2／8乗）でスケールする。だから幹と肢は、その木や動物のサイズが大きくなると、ずんぐり、がっしりしてくる。ゾウとネズミの肢を比べてみよう。これは最初に出てきたガリレオによる強度のスケーリング議論を一般化したものだ。これがアイソメトリックに半径と長さが同じようにスケーリングすると、幹と肢の形は変わらないまま、動物や木のサイズが大きくなって、不安定になる。ゾウがネズミのようにほっそりした肢では、自重で倒れてしまう。

ハクスリーの「アロメトリック」という用語は、幾何学的、形態学的、個体発生論的に限定された当初の意味から拡張され、これまで論じてきたスケーリング則を表すのに使われるようになった。そこにはエネルギーや資源の循環が体の大きさに伴ってどうスケールするかといった、もっと動的な現

象も含まれており、その代表例が代謝率だ。これらすべて、今では「アロメトリック・スケーリング則」と一般に呼ばれている。

これまた高名な生物学者だったジュリアン・ハクスリーは、チャールズ・ダーウィンと自然選択による進化論を支持した有名なトーマス・ハクスリーの孫で、小説家であり未来主義者でもあるオルダス・ハクスリーの兄だ。アロメトリックという言葉に加えて、ジュリアン・ハクスリーは、批判の多かった「人種」という言葉を「民族集団」に置き換えるなど、幾つか新しい用語と概念を生物学にもたらした。

一九八〇年代になると、アロメトリーについての膨大な論文をまとめた優れた本が何冊か、主流生物学者たちによって書かれた。[*8] あらゆるスケールと生命形態を網羅したデータが収集、解析され、指数1／4のスケーリングが生物学全般に見られる特徴だという結論に対する異論はなかった。しかし驚いたことにそれについての理論的、あるいは概念的な議論はほとんどなく、なぜそのような系統的法則があるのか、それがどこから来たのか、ダーウィンの自然選択とどういう関係にあるのかについて、一般的説明はなかった。

物理学者たる私には、これらの「普遍的」な1／4乗スケーリング則が、生命の動態、構造、組織について基本的な何かを伝えているように思えた。このスケーリング則の存在は、個々の種を超える根本的な動的プロセスが作用して、進化を制約しているのだと強く示唆していた。そしてこれが生物学の新たな基本法則へとつながりそうな窓を開き、一般的に見た生命システムの大まかなふるまいは、その本質的特徴を捉えた定量化可能な法則に従っているのではと考えたのだった。

これらスケーリング則が単なる偶然で、それぞれお互いに関係ない現象で、個別の力学とまとまりを反映した「特別」な事例にすぎず、進化力学における人騒がせな偶然でしかないから、心拍数のスケーリングは代謝率や樹高のスケーリングとは無関係だ、などというのはあり得そうになかったし、とんでもない話に思えた。もちろん個々の生命体、生物学的な種、生態学的集団はそれぞれ独自だし、遺伝子構造のちがい、個体発生の道筋、環境状態、進化史を反映している。だから他の物理的制約がなければ、各種の生命体、あるいは少なくとも似たような環境に生息する生命体の類似グループは、構造と機能の面で、サイズに対するパターンがいろいろ変動すると考えるのが自然だ。そうではないという事実——データを見ると、実に様々なサイズと多様性の全域で、ほぼ常に単純なべき乗則に非常に近いものになっている——は、興味深い問題を提起する。これらべき乗則の指数がほぼ常に1／4の単純倍数だという事実は、さらに大きな問題を提起している。

それらのもとになる基本メカニズムは何かという問題は、考察対象として素晴らしい難問だ。私の老化と死に対する病的な興味と寿命さえも（大きなばらつきはあるが）アロメトリックに1／4乗でスケールするように見えるという事実を考えればなおさらだ。

5. エネルギー、創発的法則、そして生命のヒエラルキー

これまで強調してきたように、生命のどんな側面もエネルギーなしでは機能しない。あらゆる筋収縮や活動に代謝エネルギーが必要なのとまったく同様に、脳内のとりとめのない思考、睡眠中のひく

つき、細胞内のＤＮＡ複製のすべてにもエネルギーが必要だ。代謝エネルギーは、最も基本的な生化学レベルである、「呼吸複合体」と呼ばれる細胞内の半自律分子ユニットで作られる。代謝で中心的役割を果たす重要な分子は、少しとっつきにくい「アデノシン三リン酸」という名で、通常はＡＴＰと呼ばれる。代謝の細かい生化学は非常に複雑だが、基本的にそれは細胞環境内で比較的不安定なＡＴＰの分解、すなわち（三つのリン酸を持つ）アデノシン三リン酸から、ＡＤＰと呼ばれる（リン酸を二つ持つ）アデノシン二リン酸への分解による。すると付加的なリン酸の結合で蓄えられていたエネルギーが放出される。このリン酸結合の分解から得られるエネルギーが代謝エネルギーの源で、これが生命を維持している。人間のような哺乳類は食物から呼吸による酸化で得たエネルギーを使って（そのために酸素を呼吸する）、あるいは植物なら光合成によって、逆のプロセスでＡＤＰをＡＴＰに戻す。ＡＴＰをＡＤＰに分解してエネルギーを解放し、ＡＤＰにエネルギーを貯めてＡＴＰに再び戻すサイクルは、電池への充電と放電にとてもよく似た、一連の循環プロセスだ。このプロセスの図解を次ページに示した。残念ながら、多くの生命にエネルギーを与えるこの卓越したメカニズムの美しさと簡潔さは、十分に反映しきれてはいないのだが。

その中心的役割を考えると、ＡＴＰの流れがほぼあらゆる生命体の代謝エネルギーの通貨と呼ばれているのも無理はない。体内には常にわずか二五〇グラムほどのＡＴＰしかないが、ここに自分について知っておくべき、本当に驚異的な事実がある。通常人間は毎日約2×10^{26}個のＡＴＰ分子――二億京分子――を作っていて、これを積み上げると重さ八〇キログラムほどになる。つまり人は毎日、自分の体重と同じ重さのＡＴＰをリサイクルしているのだ！　この大量のＡＴＰが、生存して肉体にパ

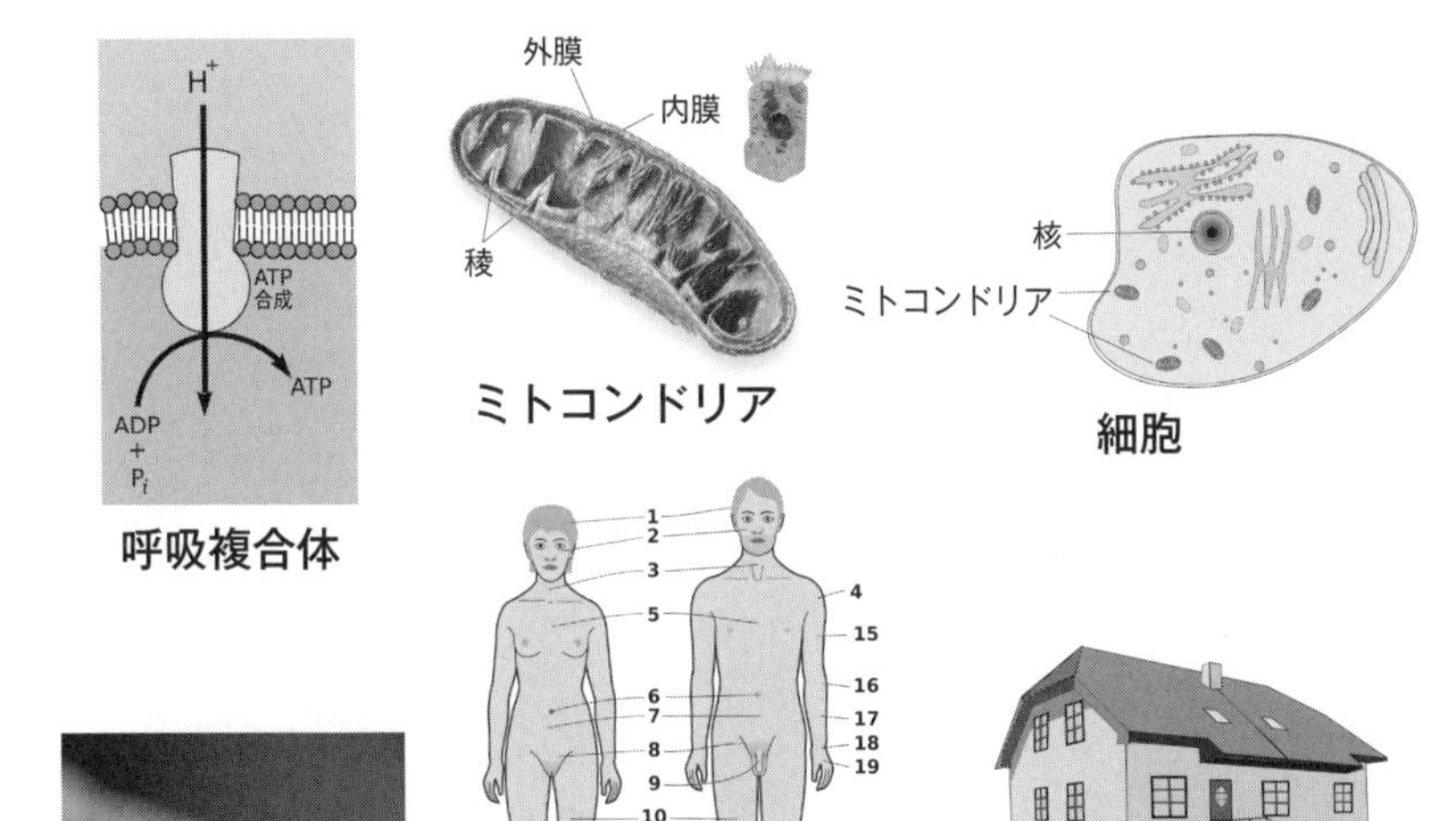

住居

多細胞生物

社会組織

私たちのエネルギーを生み出す呼吸複合体（左上）から始まる生命のエネルギー・フロー階層は、ミトコンドリアと細胞（中央上と右上）を通じて多細胞生物から社会構造へと続く。この観点からすると、都市は突きつめると人間の呼吸複合体が生み出したATPを動力源にし、それによって維持されている。これらはそれぞれまるで異なる設計構造を持った、まったくちがうものに見えるが、似たような特性を持った空間充塡型の階層ネットワークによって、そのすべてにエネルギーが供給される。

ワー供給するために必要な、約九〇ワットの総代謝ニーズを満たすことになる。

これら小さなエネルギー発生装置である呼吸複合体は、細胞内に漂う芋状の「ミトコンドリア」内部の波状薄膜上にある。各ミトコンドリアは、約五〇〇から一〇〇〇の呼吸複合体を持つ……そしてヒトの各細胞内には、細胞の種類や必要とするエネルギーにもよるが、約五〇〇から一〇〇〇のミトコンドリアがある。筋肉はエネルギーへのアクセスニーズが大きいので、その細胞はミトコンドリアでいっぱいだが、脂肪細胞だとはるかに少ない。だからヒトの細胞はそれぞれ平均で、各ミトコンドリア内にあるこれら小さなエンジンを最大で一〇〇万個持ち、それらが昼夜突貫で働き続けて、健康で活発で力を保つために必要な、天文学的な数のＡＴＰを作り出している。このＡＴＰ総数を作り出す速度が、代謝率の尺度だ。

人体は約一〇〇兆（10^{14}）個の細胞でできている。それらは神経や筋肉から保護（皮膚）や貯蔵（脂肪）まで、幅広い多様な機能を果たすが、共通の基本的特質を持つ。どの細胞も、呼吸複合体とミトコンドリアの階層を通じて、エネルギーを同じような方法で処理しているのだ。すると大きな課題が生じる。ミトコンドリア内の五〇〇個ほどの呼吸複合体は、ミトコンドリアを効率よく機能させ、適切な順序で細胞にエネルギーを供給するため、独立して機能するのではなく、統合されたまとまりある集団として役割を果たす必要がある。細胞内の五〇〇個ほどのミトコンドリアも、やはり独自に機能するのではなく、呼吸複合体同様に、人体を構成する10^{14}個の細胞が効率的かつ適切に機能するためのエネルギー供給を受けられるように、まとまって一貫性ある形で相互作用しなければならない。さらに、これら一〇〇兆個の細胞は、様々な器官など多数の下位システムの一部となる。それらが必要

とするエネルギーは、その器官のニーズと機能によって非常に様々で、それがあるからこそ人間は思考やダンスからセックスやＤＮＡ修復まで、生を構成するさまざまな活動ができる。そしてこの相互関係を持つ多層的な動的構造は、最高一〇〇年間機能し続けられるよう、十分に頑健かつ柔軟でなければならない！

　この生の階層化を、個々の生命体を超えて一般化し、コミュニティ構造にまで広げるのは自然なことだ。以前私は、アリが集団として協力しあって魅力的な社会共同体を作り上げ、一貫した相互作用から生じる創発的規則に従うことで優れた構造を築いていると述べた。ハチや植物など多くの生命体が、同じく集団アイデンティティを持つ統合された共同体を形成している。

　この最も極端で驚くべき例が私たち人間だ。ごく短期間に人間は、比較的少数の個人から成るかなり原始的な小集団から、何百万人もの個人を包含する巨大都市と社会構造で地球を支配するまでに進化した。生命体が細胞、ミトコンドリア、呼吸複合体レベルを司る創発的法則のまとまりに制約を受けているのと同様に、都市も社会相互性の基礎となる創発的動態から生まれ、制限されている。そのような法則は「偶然」ではなく、複合的に統合された構造レベルすべてにわたり作用する、進化プロセスのもたらした結果だ。

　生命を構成するこの非常に多面的、多角的プロセスは、二〇桁もの膨大な幅の全域にわたり、無数の形で創発し、複製されている。膨大な数の動的主体が、呼吸複合体やミトコンドリアから細胞、多細胞生物、さらに共同体構造まで広大な階層に広がり、相互作用している。これが一〇億年以上も頑強に弾力性を持って持続可能なかたちで続いて残ってきたという事実は、**それらの行動を支配する実**

効法則が、すべてのスケールで創発してきたことを示唆している。すべての生命を超越するこれらの創発法則を明らかにし、説明して理解することこそが、偉大なる挑戦となる。

アロメトリック・スケーリング則について考えるときには、この文脈を考える必要がある。それらが持つ系統的規則性と普遍性は、こうした創発的法則とその根幹にある原則を解明する手段なのだ。外部環境の変化に応じて、これら様々な法則のすべては順応性、進化性、成長という継続的な課題に合わせて、スケール可能でなければならない。同じ包括的で基本的な力学と組織原則が、複数の時空間的スケールで機能しなければならない。個体レベルと生命自体の両方における類まれな弾力性と持続可能性の根底には、生物系のスケール可能性があるのだ。

6．ネットワークと1／4乗アロメトリック・スケーリング則の起源

これら驚くべきスケーリング則の起源について考え始めたとき、何が作用しているにせよ、個別の生命体が進化させた設計とは無関係なはずだというのが明らかになった。なぜなら哺乳類、鳥類、植物、魚類、甲殻類、細胞などで、同一の法則が表れていたからだ。最小かつ最も単純なバクテリアから最大の植物、動物まですべての生命体は、生命維持と繁殖を、無数のサブユニット——分子、細胞小器官、細胞——の密接な統合に依存しており、これらのきわめて小さな構成要素は、代謝基質を供給し、老廃物を取り除き、活動を制御するために、相対的に「民主的」で効率的な方法で保守される必要がある。

自然選択はこの課題を、巨視的な貯蔵庫と極小のサイトの間でエネルギーと物質を分配する、階層的な分岐ネットワークを進化させるという、おそらく最も簡単で有望な方法により解決してきた。機能から見た生物系は、エネルギー、代謝産物、情報がネットワークを通じて供給される率によって最終的に制約されている。その例としては、動物の循環、呼吸、腎臓、神経系、植物の脈管系、細胞内ネットワーク、さらに食料、水、動力、そして情報を人間社会に供給するシステムが挙げられる。実際、考えてみれば人間というのは、そのなめらかな皮膚の下で効率的に統合された一連のネットワークであり、そのネットワークはそれぞれ休むことなく、様々なスケールの代謝エネルギー、物質、情報を輸送している。その幾つかを次の図に示した。

生命はあらゆるスケールで、こうした階層ネットワークに維持されているため、1／4乗アロメトリック・スケーリング則の起源、ひいては生物系の全体として大まかな行動様式の鍵が、これらのネットワーク全般の物理、数学特性にあるのではと自然に推測される。つまり進化した構造は非常に多様――家の配管のように管で構成されたり、電線のような束状の繊維で構成されたり、単に拡散する通路状のものだったり――であるにもかかわらず、それらはすべて同一の物理、数学原則によって制約されているはずなのだ。

7. 物理学と生物学の出会い：理論、モデル、解釈の本質について

私が1／4乗スケーリング則の起源についてのネットワークに基づいた理論を開発しようと苦闘し

生物ネットワークの例：左上から反時計回りに、
脳の循環系、
細胞内の微細管とミトコンドリアのネットワーク、
脳の白質と灰白質、
ゾウの寄生生物、
木、
人間の心臓血管系

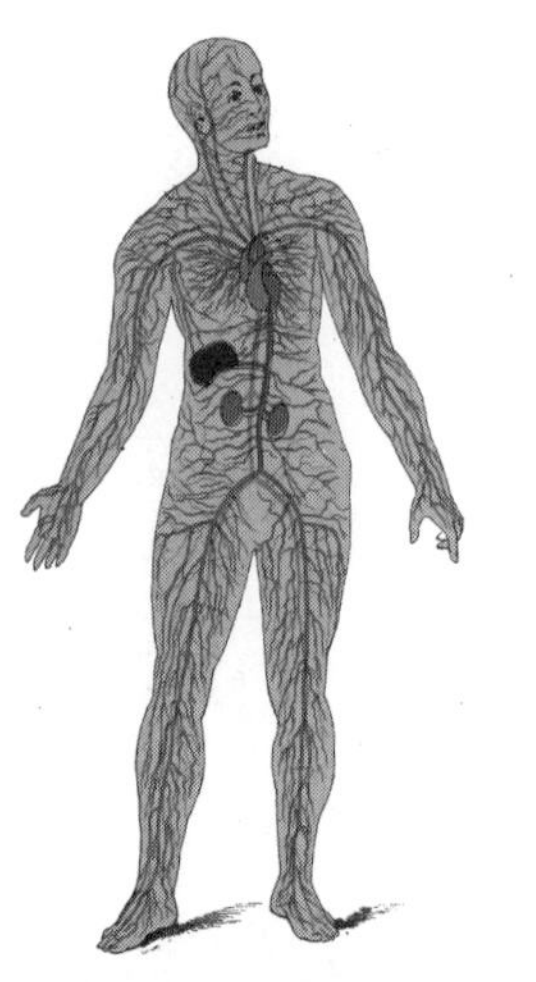

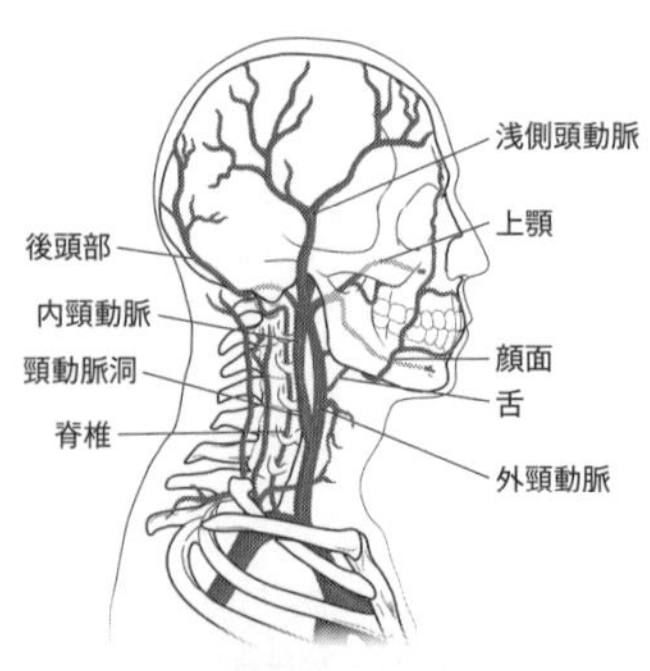

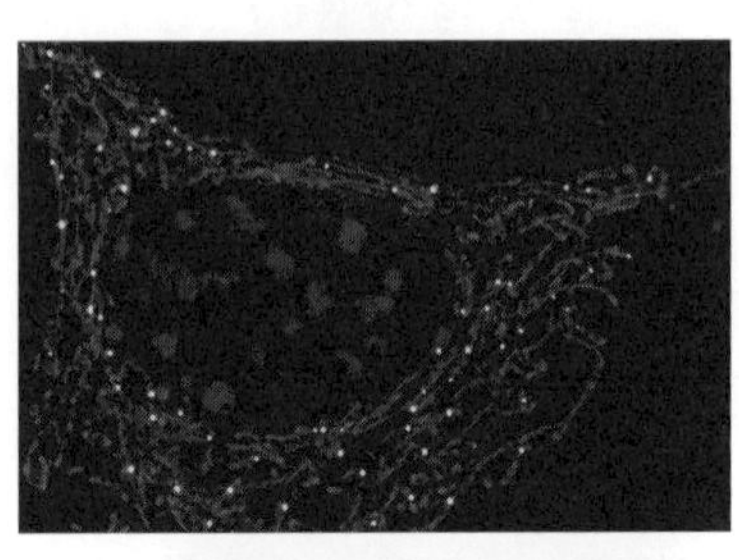

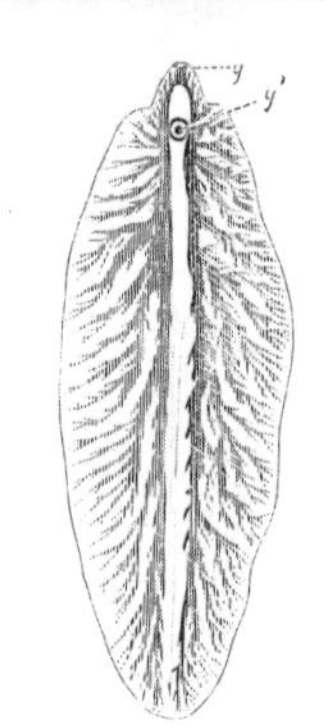

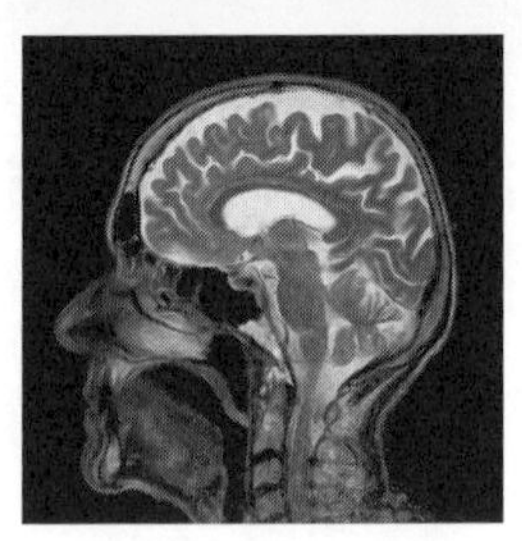

ていたとき、不思議なシンクロニシティが起きた。思いがけず、ジェームズ・ブラウンと当時彼の教え子だったブライアン・エンクイストに紹介されたのだ。彼らもまたこの問題について考察し、ネットワーク輸送が主な要因ではとにらんでいた。ジム（ジェームズ・ブラウン）は多才な人物で、著名な生態学者でもあり（出会った当時はアメリカ生態学会長だった）、マクロエコロジーと呼ばれる、台頭しつつあった生態学の下位分野の考案に大きな役割を果たしたことで有名だった。[*9] その名が示すように、これは生態系を理解するのに、大スケールでトップダウンの全体的アプローチを使う。系の大ざっぱな表現重視など、複雑系科学に内在する哲学とも共通点が多いのだ。マクロエコロジーは「木を見ず森を見ている」という、風変わりな評価を受けていた。グローバルな環境問題に対する懸念が高まり、その原因、力学、緩和についての深い理解の差し迫った必要性が出てくると、マクロエコロジーのヴィジョンで明確に示されたジムの大局的な展望は、ますます重要になり評価されるようになった。

初めて会ったとき、ジムはニューメキシコ大学（ＵＮＭ）に移ったばかりで、上位指導教授だった。さらに彼はサンタフェ研究所（ＳＦＩ）とも馴染みが深く、私とつながったのもＳＦＩ経由だった。こうしてジム、ＳＦＩ、ブライアン、ひいては優秀なポスドクたちや学生たち、さらに他の上級研究者たちとの「美しい関係」が始まった。一九九五年から数年続いたジム、ブライアンとの共同研究は、非常に生産的で、とびぬけて刺激的で、素晴らしく楽しいものだった。それは確実に私の人生を変え、ブライアンとジムにとっても同様で、おそらくその他の人々にとってもそうだろうと敢えて断言しよう。だが卓越、充足した有意義な関係にありがちなことだが、それは時として苛立たしく困難に満ち

たものでもあった。

　ジムとブライアンと私は毎週金曜に会って、朝九時三〇分ぐらいから、トイレ休憩だけを入れて（ジムも私も昼食は食べない）午後半ばの三時くらいまで作業をした。これはかなりの入れ込みようだ。みんな他でもかなり大きなグループを運営していたのだから――ジムは大きな生態学グループをＵＮＭで、私は高エネルギー物理学グループをロスアラモスで。非常に寛大なジムとブライアンは、ほとんど毎週アルバカーキからサンタフェまで車で来てくれた。一時間ほどのドライブだったが、私のほうが車で向かうことは数ヵ月に一度程度しかなかった。ひとたび打ち解けて、分野間に必然的に生じる文化的、言語的障害が取り払われると、私たちはわくわくするような開放的な雰囲気を作り上げ、そこではあらゆる質問と意見は、たとえどんなに「初歩的」、思弁的、あるいは「ばかげた」ものであろうと、奨励、歓迎され、敬意をもって扱われた。そこでは多くの議論、推測、そして解釈、大問題と小さな細部への取り組み、多くの行き詰まり、偶然のひらめきが、等式や手描きのグラフやイラストでいっぱいの黒板を背景に展開した。ジムとブライアンは辛抱強く私の生物学の家庭教師を務めて、自然選択、進化と適応、適応度、生理学そして解剖学の概念世界を教えてくれたが、私はそのすべてについて、恥ずかしいくらい無知だった。多くの物理学者同様、私はニュートンやアインシュタインよりもダーウィンのほうが偉いと考える専門科学者がいることを知って愕然とした。私自身の思索においては数学と定量分析がきわめて重要だから、とても信じられなかった。だが生物学に真剣に取り組み始めて、ダーウィンの記念碑的偉業に対する評価は極度に高まった。それでも、ニュートンやアインシュタインのさらに偉大な業績よりも、ダーウィンを上に見るなんて、いまでも理解に

苦しむと言わざるを得ない。

私のほうでは、複雑な非線形的数学方程式と応用物理学の論証を、比較的単純で直観的な計算と説明に還元しようとしていた。結果はともかく、このプロセス全体が素晴らしい充実した経験だった。特に私は、なぜ自分は科学者であることが好きなのかという、根源的な興奮を思い出させてもらえたことが嬉しかった。学んで、考えを展開し、重要な問題は何かを見つけ出すという挑戦と、時には洞察と答えを提案できるのが楽しいのだ。極度に微視的なレベルで、自然の基本法則を解明しようと苦闘する高エネルギー物理学では、問題はだいたいわかっており、努力の大半は非常に専門的な計算を行える才覚に費やされる。生物学では、それがほぼ逆だった。解明したい問題がそもそも何で、そのために何を考えるべきで、計算すべき意味ある量は何かをつきとめるのに何ヵ月もかけたが、それが終われば実際の専門的計算は比較的ストレートだ。

私たちの成功の決定的要因は、物理学と生物学の密接な共同研究が明らかに必要な、積年の基本問題の解明に対する熱心な取り組みに加え、ジムとブライアンが傑出した生物学者でありながら、かなり物理学者的な考え方をして、問題に取り組む際に基本原則に基づいた数学的枠組みの重要性をしっかり認識していたことにある。同じくらい重要なのは、すべての理論とモデルが程度の差こそあれ概算でしかないと認識していたことだ。ついつい見失いがちなのは、どんなに成功した理論でも限界と制約があるということだ。別にそれらがまちがっているということではなく、単に適用範囲には限りがあるということだ。その標準的な事例は、古典的なニュートンの法則だ。ニュートンの法則による予測が現実と本格的に乖離するのは、原子スケールの非常に小さい距離か、光速スケールの非常に大

きな速度の場合に限られる。そしてその乖離が、微視的なものを説明するための量子力学の革命的発見、そして光速レベルの超高速を記述する相対性理論をもたらした。ニュートンの法則はこれら二つの極端な領域以外なら、適用可能だし正しい。そしてここがおそらく非常に重要なところだ。ニュートンの法則をもっと広い領域まで修正、拡大することで、万物の仕組みに関する哲学的で概念的な理解が深く大きくシフトした。ハイゼンベルクの不確定性原理が述べる、物質そのものが根本的に確率的だという認識、そして時間と空間は固定された絶対的なものではないという認識といった革新的な考えは、古典的なニュートン的思考法の限界に取り組むことで生まれた。

こうした物理学の根本問題理解における革命が、小難しいだけの机上の空論だと思われないように、それが地球上のすべての人に重要な影響を与えていることは指摘しよう。量子力学は材料理解の基本的な理論的枠組みで、私たちが使うハイテク機械と装置の大半で重要な役割を果たす。特にそれはレーザーの発明を促し、その様々な応用は私たちの生活を変えた。バーコードスキャナー、光学ディスクドライブ、レーザープリンター、光ファイバー通信、レーザー手術など実に多くのものがレーザーの応用だ。同様に、相対性理論は量子力学と併せて、原子爆弾、核爆弾を生み出し、国際政治の力学を完全に変え、しばしば抑圧されて認識さえされないこともあるが、人間の存在そのものに対する絶え間ない脅威としてあらゆる人々にのしかかっているのだ。

すべての理論とモデルは、程度の差こそあれ不完全だ。それは常に、ますます精度の高い実験と観測データを、ますます広範な領域に広げることで、検証し確認されねばならない。そして、それを通じて理論を修正または拡張しなければならないのだ。これは科学的手法に不可欠な要素だ。実際、そ

れらの適用範囲や予測力の限界についての理解、そして例外、違反、失敗の絶え間ない探索が、さらに深い問題と挑戦を呼び起こし、科学の進歩と新しいアイデア、技術、概念の展開を絶えず刺激し続けるのだ。

理論とモデル構築における大きな課題は、そのシステムのまとまりの水準ごとの本質的力学を捉える、重要な数量を特定することだ。例えば太陽系について考えるとき、惑星の動きを決める最も重要な要素は明らかに惑星と太陽の質量だが、その色（火星は赤、地球は斑状の青、金星は白など）はどうでもいい。つまり惑星の色は、その動きの細かい計算にとって意味を持たない。同様に、携帯電話の通話を可能にしている人工衛星の細かい動きを計算する際に、その色を知る必要はない。

だがこれは明らかに、スケール依存の発言だ。地球を非常に近距離、例えば数百万キロ離れた宇宙ではなく、数キロ上空から見た場合、今度は色彩として知覚されたものが、地表現象の途方もない多様性の現れだというのがわかる。そこには山や川からライオン、大洋、都市、森林、そして私たちまで、すべてのものが含まれる。だからあるスケールでは意味を持たないものが、別のスケールでは大きな意味を持つこともある。観察の課題は、それぞれの水準で系の支配的な動きを決める、重要な変数を抽出することだ。

物理学者たちは、このアプローチの第一段階の定式化のために、「トイ・モデル」と呼ぶ概念を提案した。この戦略は複雑な系を、その主要な動きを決める少数の支配的な変数で示される、本質的要素の抽出により簡略化しようというものだ。この古典的な例は、気体は固くて小さいビリヤードの球のような分子でできているという、一九世紀に提案されたモデルだ。その分子はすばやく動いてぶつ

かりあい、容器の表面に分子が衝突することで、圧力とされるものの元になっている。温度と呼ばれるものも同様に、分子の平均運動エネルギーとされる。これはひどく単純化したモデルで、細部は厳密には正確とはいえないが、圧力、温度、熱伝導性、粘性といった、気体の本質的で巨視的に大ざっぱな性質を初めてうまく捉えて説明した。だからこれは、気体だけでなく液体や物体についての、現代的で著しく詳細かつ正確な理解へと発展するための出発点となった。それは、この基本モデルを洗練させ、最終的に高度な量子力学まで組み込むことで実現したのだった。現代物理学の発展に大きく貢献した、この単純なトイ・モデルは「気体運動論」と呼ばれ、史上最も偉大な物理学者二人によって別々に提案された。電気と磁気を電磁気学に統合し、電磁波の予測で世界に革命をもたらしたジェームズ・クラーク・マクスウェルと、統計物理学とエントロピーの微視的理解をもたらしたルートヴィッヒ・ボルツマンだ。

トイ・モデルの考え方と関係のある概念が、理論の「ゼロ次」近似という考えで、正確な結果の大まかな概算をするために、単純化した仮定を置くのだ。例えば、「二〇一三年のシカゴ大都市圏人口のゼロ次推定値は一〇〇〇万だ」という発表のように、通常は定量的な状況で使われる。シカゴについてもう少し調べれば、「一次」推定とでも呼ぶべき、もっと正確で実数に近い人口九五〇万人という数値（国勢調査による正確な値は九五三七二八九）も出せる。もっと細かく調べれば、さらに正確な推計値九五四万人が得られるだろうし、これは「二次」推定となる。言いたいことはおわかりだろう。「次」が増えるごとに推定は高度なものとなり、細かい調査と分析に基づいて近似の精度や分解能が高まるわけだ。これからは、「大ざっぱ」と「ゼロ次」を同じ意味で使おう。

これがジムとブライアンと私が、共同研究に乗り出したときに検討した哲学的枠組みだ。まずは生命体の本質的特徴を捉える根本的な一般原則に基づいて、無数の1／4乗アロメトリック・スケーリング関係を理解するための、大ざっぱなゼロ次理論を構築できるだろうか？　そしてそれを出発点として、もっと精度の高い予測や高次の補正を定量的に引き出し、現実の生物システムの支配的な行動を理解できるだろうか？

後に、生物学者の大多数に比べ、ジムとブライアンはこのアプローチを評価するという点で、普通というよりむしろ例外的な存在だとわかった。ＤＮＡ構造の解明をはじめ、物理学や物理学者が生物学にもたらした大きな貢献にもかかわらず、多くの生物学者は理論と数学的理由づけに対して、概して不信感と低評価を持ち続けているようだ。

物理学は理論の発展と、それに特化した実験による予測と意義の検証の継続的な相互作用から莫大な恩恵を受けてきた。最大の例が、ジュネーブにあるＣＥＲＮの大型ハドロン衝突型加速器による、最近のヒッグス粒子の発見だ。これは何年も前から数人の理論物理学者により、物理学の基本法則の理解に不可欠な重要な要素として予測されていたが、この粒子を見つける専用設備を開発し、大きな実験チームを集めるまでに五〇年近くかかった。物理学者は理論「だけ」をやる「理論家」という概念を当然のものと考えているが、多くの生物学者はちがう。「本物」の生物学者は設備や助手、さらにデータを観察、測定、解析する専門家を備えた「実験室」または現場を持たねばならない。多くの物理学者のようにペンと紙とノートパソコンだけで生物学に取り組むのは、いささか素人じみていて、まったく不十分と考えられている。もちろん生物力学、遺伝学、進化生物学といった、それが当ては

まらない重要な生物学分野もある。ビッグデータと強力なコンピュータの使用がすべての科学にどんどん浸透し、私たちが脳と意識の理解、環境持続可能性、癌といった大問題に積極的に取り組むようになれば、この状況は変わるだろう。だが私は、遺伝子コードの研究でノーベル賞を受賞した著名な生物学者シドニー・ブレナーに同意する。彼は挑発的に、「科学技術は生命体をすべてのスケールで解析するツールを与えてくれたが、私たちはデータの海に溺れて、それを理解するための理論的枠組みを渇望している。（中略）残りのものを予測するために、私たちには理論と研究対象の本質のしっかりとした把握が必要なのだ」と述べている。ちなみに彼の論文は「生物学研究は危機に瀕している」という驚くべき宣告で始まっている。[*10]

多くの人が、生物学と物理学の文化的相違を認識している。[*11] それでも私たちは、この二つの分野が密接に融和して、生物物理学やシステム生物学など新たな学際的下位分野が生まれる、実に刺激的な時期にいる。今こそ、ダーシー・トムソンの挑戦に再び取り組む好機だ。「その場合でも、数学や物理学がどこまで人体の構造を説明できるかは、誰にも予測できない。エネルギーの法則、物質の性質（中略）化学（中略）すべてもってしても、魂は理解しきれないのと同様に、人体の説明には無力なのかもしれない。だが私としては、そうは思わない」。彼の壮大な目標を達成するには、密接な共同研究を含む、新たなツールとコンセプトが必要になりそうだが、多くの人がこの発言の趣旨に賛同するはずだ。私とジム、ブライアン、すべての同僚、ポスドクや学生たちとの、驚くほど喜びに満ちた共同研究が、この構想に少しばかり貢献できたと思いたい。

8. ネットワーク原則とアロメトリック・スケーリング則の起源

この生物学と物理学の文化の相互関係をめぐる寄り道の前に、私は生物学におけるスケーリング則の機械論的起源が、エネルギー、原料、情報を、動物の細胞やミトコンドリアといった生命体に充満する微細なサイトに供給する、多重ネットワークすべてに共通する数学的、力学的、組織的特性にあると主張していた。また生物ネットワークの構造はあまりに多様でスケーリング則の統一性とは対極にあるため、そうした一般的な特性は生物ごとに独自に進化した設計とは無関係なはずだと主張した。つまり哺乳類の循環系での管、植物と樹木での繊維、細胞内での拡散経路など、それを構築している材料を超えた、共通のネットワーク特性群があるはずなのだ。

一連の一般ネットワーク原則に関する系統立った説明の考案と、生物ネットワークの大きな多様性を超えた本質的特性の抽出は、実に大きな課題で、解決に何ヵ月もかかった。未知の領域に足を踏み込んで、新たな考えと問題に対する見方を発展させようとするときにはよくあることだが、ひとたび発見やブレークスルーが実現してしまえば、最終的な結果は自明に思えてしまう。こんなことに長い時間がかかるなんて信じられず、数日あれば解決できるはずではと思えてしまう。フラストレーションと非効率性、袋小路、そして時折訪れる発見の瞬間のすべてが、創造的過程には不可欠だ。どうやらそこには、考えが形成されるまでの自然な育成期間があるようで、創造はとにかくそういうものだと言うしかない。だがひとたび問題が明確になって解決されれば、それは極上の満足感と桁外れの興奮をもたらす。

アロメトリック・スケーリング則の起源についての説明を導出したときの集団体験もそうだった。ひとたび落ち着いたら、以下の一連の一般的なネットワーク特性を提案することになった。これは自然選択プロセスの結果として創発したと考えられ、それを数学に変換すると1／4乗スケーリング則が生まれる。これについて考えるとき、都市、経済、企業、法人でこれらに相当するものが何かを考えると役に立つかもしれない。それについてはまた後の章で詳しく述べる。

I. 空間充塡

空間充塡という概念の背後にある考えは、単純だし直観的にわかる。大ざっぱに言うと、ネットワークの触手は、137ページのネットワーク図にあるように、それが奉仕する系全体のあらゆる場所に広がらなければならないということだ。もっと具体的には、ネットワークの形状やトポロジーがどんなものだろうと、それはその生命体やサブシステムの、生物学的に活発なすべてのサブユニットに行き渡る必要がある。お馴染みの例でそれは明らかだ。私たちの循環系は典型的な階層的分岐ネットワークで、そこでは心臓が、大動脈から始まって規則的にサイズが小さくなる血管を通過して、最後に最小の毛細血管に至るまで、ネットワークの多くのレベルに血液を供給し、その後それが静脈ネットワーク系を通じて心臓に戻る。空間充塡とは単純に、ネットワークの端末ユニット、あるいは最終枝である毛細血管が、肉体の各細胞に十分な血液と酸素を効率よく供給できるよう、すべてに行き渡る必要があるという考えだ。実際、毛細血管に必要なことは、細胞に十分近接して、酸素を効率良く毛細

血管壁や細胞の外膜を通じて拡散させることだ。

非常に似たかたちで、都市のインフラ・ネットワークも空間充塡的だ。例えば、公共ネットワーク——ガス、水道、電気——の端末ユニットや端点は、最終的に都市を構成するすべての多様な建物に供給しなければならない。道路の下の水道管と家をつなぐパイプ、主幹電力線につながる電線は、毛細血管に似ている。この場合の家は細胞にあたると考えられる。同様に、端末ユニットとみなせる企業の被雇用者の一人一人には、CEOや経営陣とつなげる複合ネットワークを通じた資源（例えば賃金）と情報の供給が必要だ。

Ⅱ. 端末ユニットの不変性

これは単に、いま考察した循環系の毛細血管など、あらゆるネットワーク設計の端末ユニットは、生命体のサイズに関係なく、ほぼ同じ大きさと特徴を持っているという話だ。端末ユニットは、エネルギーと資源が交換される、配送と送信地点だから、ネットワークの決定的な要素だ。その他の例として、細胞内のミトコンドリア、肉体における細胞、植物や樹木の葉柄（最端末の枝）がある。個体が新たに生まれて成体に成長するまで、あるいは様々なサイズの新生物種が進化するあいだ、この端末ユニットが一から作りなおされたり、大きく再構成されたり、スケールが変わったりすることはない。例えば哺乳類の毛細血管は、子供でも成人でも、ネズミ、ゾウ、あるいはクジラでさえ、体の大きさの非常に大きな幅と多様性にもかかわらず、基本的にみな同じだ。

この端末ユニットの不変性は、自然選択の倹約性という文脈で理解できる。毛細血管、ミトコンドリア、細胞などは新しい種のネットワークに対応する、「出来合い」の基本構成要素の役割を果たし、その種にあわせてスケールしなおされる。個別設計における端末ユニットの不変性が分類上の生物綱を特徴づける。例えば、すべての哺乳動物は共通の毛細血管を持つ。ゾウ、ヒト、そしてネズミといった、綱の中の異なる種が持つネットワーク形態は、密接に関係しあっているが、その大小で区別される。この観点から、分類群間のちがい、例えば哺乳類、植物、魚類のちがいは、それらに付随する様々なネットワークの端末ユニットの特性のちがいが特徴だ。よって、すべての哺乳動物は似たような毛細血管とミトコンドリアを持ち、すべての魚もそうだが、哺乳動物と魚類では、それらのサイズも全般的特徴もちがう。

同様に、都市の建物にサービスを提供し維持しているネットワークの電源コンセントや蛇口といった端末ユニットもまたおおむね不変だ。例えば、あなたの家のコンセントは、世界中のどこでも、どの建物でもその大小にかかわらず、基本的に同じだ。細かいデザインは地方によって小さなちがいがあるかもしれないが、おおむね同じサイズだ。ニューヨークのエンパイア・ステート・ビルディングやドバイ、上海、サンパウロのその他多くの同様のビルは、あなたの家よりも高さが五〇倍以上かもしれないが、中のコンセントと蛇口は非常によく似ている。もしコンセントのサイズが単純に建物の高さに比例してスケールしていたら、エンパイア・ステート・ビルディングの典型的なコンセントは、家庭用のものの五〇倍以上大きく、わずか数センチではなく、高さ三メートル、幅一メートル以上になる。そして生物界と同じく、蛇口や電源コンセントといった基本的な端末ユニットは、新しい建物

を設計する度に、その建物がどこのどんな大きさだろうと、新たに考案しなおされたりはしない。

Ⅲ．最適化

最後の前提条件は、進行中の自然選択過程に内在し、すさまじく長期にわたり展開してきた、持続的な多数のフィードバックと調整メカニズムによって、ネットワーク性能は「最適化」したというものだ。例えば、人間を含む哺乳動物の心臓が血液を循環系に送り出すために使うエネルギーは、平均では最小化されている。つまりその設計と様々なネットワーク制約のなかで、これ以上はないほど小さい。少しちがう言い方をしよう。進化により生まれたかもしれず、不変の端末ユニットで空間充填された循環系の構造と力学の無限の可能性のなかで、実際に進化して、すべての哺乳動物に共通しているものは、心拍出量を最小限に抑えているのだ。ネットワークは、平均的個体が生命を維持し、日常生活を送るために必要なエネルギーを最小限に抑えて、性交、生殖、子孫を育てるために利用可能なエネルギー量を最大化するように進化してきた。子孫の最大化は、「ダーウィン適応度」と呼ばれているものの表現で、平均的個体による次世代の遺伝子プールへの遺伝的貢献だ。

ここから、都市や企業の動態と構造も同じような最適化原則による結果なのかという疑問が、当然起こってくる。それらの複合ネットワーク・システムのなかで最適化されているものがあるなら、それは何か？　都市は社会相互作用を最大化するため、あるいは移動時間を最短化して輸送を最適化するために組織化されているのか、あるいは最終的に都市は各市民と企業の資産、利益、富を最大化し

たいという野望に突き動かされているのか？　これらの問題については第8、9、10章で再び取り組む。

最適化原則はニュートンの法則、マクスウェルの電磁理論、量子力学、アインシュタインの相対性理論、あるいは素粒子大統一理論などすべての基本的な自然法則の核心だ。それらの近代における定式化は、エネルギーと多少は関係している作用量と呼ばれる量が最小化される、一般的な数学的枠組みだ。すべての物理法則は、「最小作用の原理5」から導き出すことができる。それは大まかに言って、時間とともに進化する過程でシステムがとり得る、あるいは従う可能性があるすべての形態のなかで、物理的に実現されるのは、作用量が最小のものだということだ。その結果、ビッグバン以来の宇宙の力学、構造、時間発展、ブラックホール、携帯電話メッセージを携帯電話に送る人工衛星、さらにそのメッセージ自体、すべての電子、光子、ヒッグス粒子、そしてまさにそれ以外の物理的なものすべてが、こうした最適化原理に規定されている。生命だって同じでは？

この問いで、単純性と複雑性のちがいをめぐる、以前の議論に話は戻る。ほぼすべての物理原則が、単純性の傘下にあることを思い出そう。なぜかと言えば、どれもニュートンの法則、マクスウェル方程式、アインシュタインの相対性理論など、ごく少数のコンパクトな等式で簡潔に表せるからで、そのすべては最小作用原理で定式化できて、エレガントに導出できる。これは科学の冠たる成果の一つであり、私たちを取り巻く世界の理解と、現代技術社会の目をみはるような発展に大きく貢献している。生命体、都市、企業であろうと、複雑適応系の大ざっぱな力学と構造も、そのような原則から同じように定式化して導出できるのではないか？

ここまでで述べた三つの前提条件は、大ざっぱな平均の話として理解すべきだという点は認識しよう。説明しておこう。ヒト一人の肉体にあるほぼ一兆の毛細血管にはいろいろ差があるはずだし、またしてある分類綱のすべての生物種を見れば多少の差はあるはずだから、厳密に言えば毛細血管が不変なわけがないと思った人もいるだろう。だがこの多少の差は、相対的なスケール依存で考える必要がある。要するに、毛細血管に見られる差は、体のサイズの何桁にもわたる大きな差に比べれば非常に小さいということだ。例えば、哺乳動物の毛細血管の長さが二桁くらい変動するとしても、これは体重の一億桁の差に比べればとても小さい。同様に、樹木の葉の手前の最後の枝である葉柄、あるいは葉の大きさ自体ですら、小さな苗木から樹高三〇メートルかそれ以上の成木まで、比較的小さな差しかない。これはあらゆる木の種にも当てはまる。樹高と重量の変化の係数は膨大で、葉も大きさは様々だがその係数は比較的小さい。ある木の樹高が別の木よりも二〇倍高くても、葉の直径が二〇倍大きいわけではない。結果として、既定の構造内の端末ユニットの変動量は、比較的小さな二次的効果だ。同じことが他の前提条件にあり得る変動にも当てはまる。ネットワークは厳密には空間充塡的ではなかったり、厳密に最適化されていなかったりするかもしれない。こうした偏差と変動による補正は、さっき論じた意味での「高次」の影響と考えられている。

これらの前提が構造と組織、生物ネットワーク力学についてのゼロ次の大ざっぱな理論の根底にあって、これを使うとどんなサイズでも平均的に理想化された生命体と呼んだものについて、多くの基本的特質を計算できる。この手口を使って、代謝率、成長率、樹高、細胞内のミトコンドリア数といった量を計算するには、これらの前提を数学に置き換える必要がある。目標は理論の結果、意味合い、

予測を見極めて、それらをデータや観察と突き合わせることだ。数学の詳細は、考察対象の個別ネットワークの種類で決まる。以前論じたように、ヒトの循環系は心臓の鼓動が駆動する管ネットワークで、植物と樹木は脈動のない一定の静水圧力が駆動する細い繊維束ネットワークだ。理論の概念的枠組みの基盤となっているのは、これらの物理的デザインが完全にちがっても、どの種類のネットワークにも同じ三前提からの制約があることだ。**空間充塡、不変の端末ユニット、システム内に液体を送り込むために必要なエネルギーの最小化**の三つだ。

この手口の実行は、概念的にも技術的にもかなり苦労した。細部をすべて解決するのにほぼ一年かかったが、最終的に代謝率のクライバーの法則と、さらに四分の一乗スケーリング全般が、最適化された空間充塡的な分岐ネットワークの力学と形状から生じることが示せた。おそらく最もやりがいがあったのは、マジックナンバー4が、どこからどうやって生じたのかを示したことだった。[*12]

これからの数節で、これらすべてがどうやって生じるかを示す数学を一般用語に翻訳し、身体の驚くべき機能と、私たちがすべての生命体のみならず、まわりすべての物理世界といかに密接に関係しているかについての洞察をお分けしよう。これは類まれな体験だから、あなたも私と同じくらい、それを魅力的でワクワクするものと感じてほしい。森林、睡眠、進化速度、老化、死の必然性といった、その他の各種の問題への取り組みにこの枠組みを広げるのも、同じくらいやりがいがある。これについては後の章で再び触れる

9．哺乳動物、植物、樹木における代謝率と循環系

以前説明したように、私たちを生かしている代謝エネルギーの基準通貨たるＡＴＰ分子を絶えず供給し続けるには、酸素が不可欠だ――私たちが絶えず呼吸するのはこのためだ。吸入された酸素は毛細血管で満たされた肺の表層膜に運ばれ、そこで血液に吸収され、心臓血管系を通じて送り出され、細胞に供給される。酸素分子は血液細胞の鉄分に富むヘモグロビンと結合し、これが酸素を運ぶ役目を担う。血液が赤いのは、鉄が空気中で酸化して錆びるのとまったく同じ、酸化プロセスによる。血液は細胞に酸素を運び終えると、赤色を失って青くなる。心臓と肺に血液を戻す静脈が青いのはそのためだ。

よって、酸素が細胞に運ばれる速度、そして同じく血液が循環系を通じて送り出される速度が、代謝率の尺度となる。同様に、酸素が口を通じて吸入され呼吸系に取り込まれる速度も代謝率の尺度だ。これら二つの系はしっかり結びついているので、血流速度、呼吸数、代謝率はすべて比例し、単純な線形関係にある。だから哺乳動物なら体の大きさにかかわらず、心拍数は呼吸一回につきおよそ四回だ。この酸素供給システムの密接な結合のため、心臓血管系と呼吸系は代謝率の決定と抑制に重要な役割を果たす。

循環系の血管を通じて血液を送り出すためのエネルギー使用速度は「心拍出力」と呼ばれている。このエネルギー消費は、血液が心臓を出て最初に通過する動脈である大動脈を通って、血管系の複数のレベルを下って、細胞への供給に使う微細な毛細血管までの長い道中で、どんどん狭くなる血管を流れる際の粘性抵抗、あるいは摩擦を克服するために使用される。円筒パイプに似たヒトの大動脈は、

長さ約四五センチメートル、直径約二・五センチメートルだが、それに対して毛細血管は太さ約五ミクロンで、髪の毛よりも細い[*13]。シロナガスクジラの大動脈は直径約三〇センチメートルだが、その毛細血管はヒトの毛細血管とほぼ同じサイズだ。これはこうしたネットワークにおける端末ユニット不変の好例だ。

液体は太い管よりも細い管を通すほうがずっと大変なので、ヒトの心臓が消費するエネルギーのほとんどは、ネットワーク終端の最も細い血管に血液を通すために使われる。濾し器でジュースを作るのに少し似ているが、この場合の濾し器は約一〇〇億個の穴でできている。一方で、ヒトの血液の大半は動脈など、ネットワークの中の太めの管の中にあるが、そこに血液を流すためのエネルギーは、比較的小さい。

私たちの理論の基本的前提の一つは、ネットワーク形状は心拍出力、つまり系に血液を送るのに必要なエネルギーを最小化するよう進化してきたということだ。心臓など脈動ポンプによって稼働するネットワークすべてには、毛細血管など細い血管を流れる血液の粘性抵抗以外にも、別のエネルギー損失があり得る。これは脈動性から生じるちょっとした影響で、性能最適化から生じた、心臓血管系の設計の素晴らしさの良い例だ。

血液は心臓を出ると、心臓の鼓動が生み出す波運動で大動脈を流れる。この波の周波数は一分間約六〇回の心拍数と同期している。大動脈は二つの動脈に枝分かれしており、血液はこの分岐点にくると一部は片方の管に、残りがもう片方に、共に波のような動きで流れる。波の一般特性として、障害物に当たると反射する。鏡が最も明らかな例だ。光は電磁波で、鏡に映る像は、あなたの体から出た

光波が鏡面で反射したものにすぎない。他の卑近な例として障壁で反射する水の波や、音波が硬い表面で反射するこだまがある。

同じように、大動脈を流れる血液の波動は分岐点にくると一部は反射し、残りが枝分かれした動脈に送られる。これらの反射は、心臓がそれに逆らって血を送り出さねばならないということだから、非常に悪い影響をもたらしかねない。さらに、この効果は血液が血管階層の下層に行くにつれてずっと拡大する。なぜなら同じ現象が各分岐点で起こり、心臓が消費するエネルギーの大半が、これらの幾重もの反射の克服に費やされるからだ。このままだと非常に非効率な設計となり、心臓への莫大な負荷とエネルギーの膨大な無駄をもたらす。

この潜在的な問題を回避し、心臓の仕事を最小化するために、循環系の形状はどの分岐点でもまったく反射がな**い**ように進化してきた。この実現方法についての数学と物理学は少しばかり複雑だが、結果は単純かつ明解だ。理論的にはどの分岐点でも、枝分かれ先の**管の断面積合計が、入って来る分岐前の管の断面積と同じなら、反射は起こらない**。

例として、単純な枝分かれした管が断面積の同じ二本の管に分かれる場合を考えよう（実際の循環系ではほぼそうなる）。分岐前の管の断面積が二平方センチメートルだとしよう。反射をなくすには、分岐後の管の断面積はそれぞれ一平方センチメートルでなければならない。いずれの管の断面積もその半径の二乗に比例するので、この結果を表すもうひとつの方法は、分岐前の管の半径の二乗は、分岐後の各管の半径の二乗の二倍でなければならないというものだ。ネットワークを下っても、反射によるエネルギーロスがないようにするには、**後続の管の半径は常に、2の平方根（$\sqrt{2}$）を係数にし**

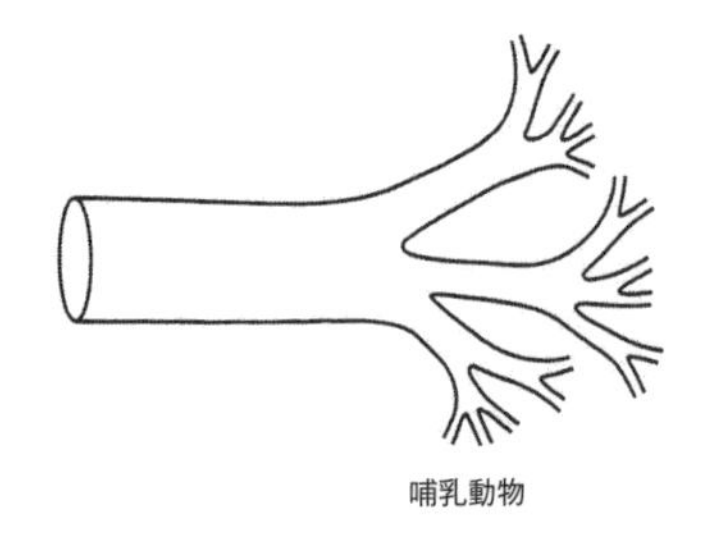

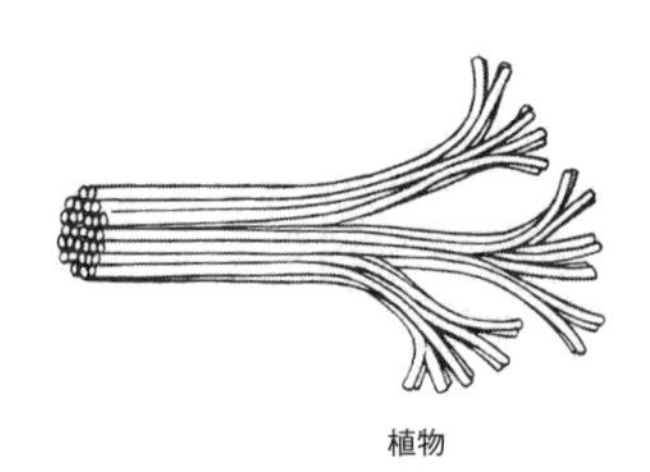

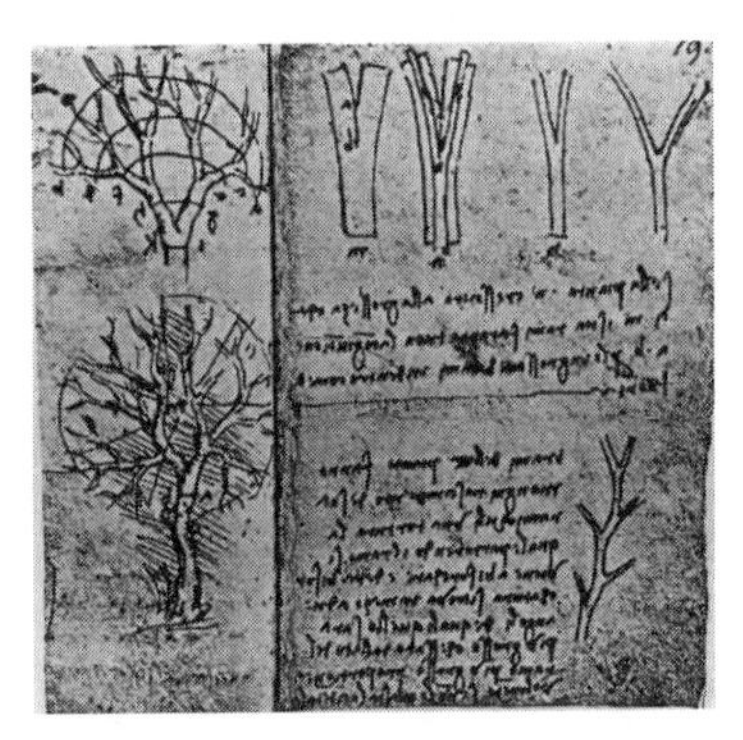

哺乳動物の階層的に分岐した管構造（左）と草花と樹木の管の繊維束構造（右）。「明示された」一連の繊維は、物理的分岐構造をしている。いずれの場合も分岐のどの階層で切って断面積を総計しても、結果はネットワーク全体で同じ値になる。（下図）ダ・ヴィンチのノートのページを見ると、彼は樹木の面積保持分岐を知っていた。

て減少するという規則的な自己相似型でスケールする必要がある。

実際ヒトの循環系は、このいわゆる「面積保持分岐」によって構築されており、全哺乳動物でも同じ法則が詳しい測定によって立証されている——そして多くの草花と樹木についても同じだ。草花や樹木は脈打つ心臓を持たないから、これは当初かなり意外だった——それらの管内の流れは一定で脈動しないのに、管は脈動する循環系とまったく同じようにスケールする。しかし木を、幹から始まって枝まで連続して広がる繊維の固い束と考えれば、断面積がどの階層でもずっと保持されていなければならないのは明らかだ。上図では

この繊維束構造を哺乳類の管構造と対比して示した。面積保持分岐による興味深い結論として、幹の断面積はネットワークの終端のすべての小さな枝（葉柄）の断面積の総計と同じになる。驚いたことに、レオナルド・ダ・ヴィンチはこれを知っていた。彼がこの事実を明示したノートの重要なページを転載しておく。

この単純な幾何学的図は、なぜ樹木が面積保持分岐を順守するのか示しているが、実は単純化しすぎている。しかし面積保持は、樹木についてのずっと現実に近いモデルからも導ける。これは前に述べた空間充塡と最適化というネットワークの一般原則に加え、風による揺れに対し、折れることなくたわむ弾性により抵抗力を維持するという生物力学的制約を考えればいい。こうした分析を見ると、哺乳動物同様に草花と樹木も、代謝率の3／4乗法則を含むあらゆる面で、個体の中だけでなく、物理的設計がまったくちがう種同士ですらスケールすることを示している。[*14]

10．ニコラ・テスラ、インピーダンス整合、直流／交流についての余談

ヒトの循環系の最適設計が、樹木や草花と同じように、面積保持分岐法則に従ったものだというのは実に美しい。脈動ネットワークの分岐点における波の無反射条件が、国の送電網での効果的な長距離送電用設計と基本的に同一なのも、やはり納得がいく。

この無反射条件は、「インピーダンス整合」と呼ばれている。それは人体のみならず、日々の生活で重要な役割を果たしている非常に幅広い技術領域に、多数応用されている。例えば電話網は、長距

離通信線における反響を最小化するために、整合インピーダンスを利用している。ほとんどのスピーカー・システムと楽器は、インピーダンス整合の仕組みを持っているし、中耳の骨は、鼓膜と内耳のインピーダンスを整合させている。これまで超音波検査を受けたことがあれば、看護師か検査技師が、プローブを当てて動かす前に、ぬるぬるしたジェルを肌に塗るのを知っているはずだ。これは潤滑が目的だと思っているかもしれないが、実はインピーダンス整合のためだ。ジェルなしでは、超音波検出時のインピーダンスが整合しないために、すべてのエネルギーが皮膚で反射して体の中に入らないから、検査目的の器官や胎児にほとんど届かない。

「インピーダンス整合」という言葉は、社会相互作用の重要な様相を伝える、非常に有用な比喩となる。例えば、社会、企業、集団活動、とりわけ結婚や友情といった関係では、社会ネットワークが円滑、効果的に機能するには、集団や個人間で情報が忠実に伝達される良好なコミュニケーションが必要だ。片方が聞いていない場合のように、情報が消散したり、「反響」すると、インピーダンス不整合でエネルギーが失われるのと同様に、情報は忠実に、あるいは効率的に処理されず、必然的に誤解が生じる。

主要動力源として電気への依存が高まると、長距離送電が一九世紀以降かなり切迫した問題となった。当然トーマス・エジソンはこれをどうやって成し遂げるかを考えた、主な人物の一人だった。そして彼は、直流（ＤＣ）送電の大主唱者となった。電気には主に二つの種類があることはご存じだろう。エジソンお気に入りの、電気が川のように連続して流れる直流（ＤＣ）と、海の波、あるいは動脈の血液のように脈動する波となって流れる交流（ＡＣ）だ。一八八〇年代まで、すべての商用電流

はDCだった。これは一つにはAC電力モーターがまだ発明されていなかったこと、そしてまた一つにはほとんどの送電が比較的短距離だったせいだ。しかし、特に長距離なら交流送電を選ぶ十分な科学的根拠があった。その最たるものが、電力損失を最小化するために、私たちが循環系で行っているように、脈動性と送電網の分岐点でインピーダンス整合を利用できることだった。

一八八六年のカリスマ的発明者であり未来主義者でもあるニコラ・テスラによる、交流誘導モーターとトランスの発明が転換点となり、「電流戦争」の火蓋が切られた。アメリカではこれはトーマス・エジソン・カンパニー（後のゼネラル・エレクトリック）とジョージ・ウェスチングハウス・カンパニーの大乱戦を意味した。皮肉なことに、テスラはエジソンのために直流送電を完成させようと、出生地セルビアからアメリカに来ていたのだった。彼はこの仕事に成功したのに、もっと優れた交流システムの開発へと移り、やがてその特許をウェスチングハウスに売却した。最終的に交流が勝利を収め、今や世界の送電で支配的になったが、直流は二〇世紀にかなり入っても存続していた。私はイギリスの直流電力の家で育ったが、地域が交流に切り替わって二〇世紀に仲間入りをしたときのことはよく覚えている。

ニコラ・テスラについては、なによりもその名前がかっこいい高級電気自動車を製造する、華々しい自動車メーカーに乗っ取られたので、聞き覚えがあるだろう。最近まで、物理学者と電気技術者以外はみんなも彼のことを忘れていた。生前は電気工学技術における大きな偉業だけでなく、かなり狂気じみた考えと斬新なショーマンシップで有名で、『タイム』誌の表紙すら飾った。稲光、殺人光線、電気刺激による知能向上をめぐる研究と考察、写真のような記憶力、睡眠も親密な人間関係も不要に

見えること、そして中央ヨーロッパ風の訛りによって、彼は「マッドサイエンティスト」の原型となった。その特許で大儲けしたのに、彼はそれを研究資金に注ぎ込み、一九四三年ニューヨークで死んだときは極貧だった。彼の名は過去二〇年で大衆文化における大復活を遂げ、その集大成として、かの自動車メーカーに使われることとなったわけだ。

11　代謝率、心拍、循環系に話を戻す[*15]

これまでの節で論じた理論的枠組みは、心臓血管系がトガリネズミからシロナガスクジラまで、生物種を超えてスケーリングしていることを説明した。やはり重要なこととして、平均的個体のなかでも大動脈から毛細血管までスケーリングしていることも説明した。だから何か得体の知れない理由で、平均的なカバの循環系における一四番目の血管分岐について、その半径や長さ、血流量、心拍数、速度、血圧などを知りたくなったら、この理論で答えがわかる。実際、この理論はあらゆる動物のあらゆるネットワーク支流のあらゆる量について答えてくれるのだ。

血液がネットワークのなかで次第に細い血管へと流れるにつれ、ますますエネルギー消耗をもたらす粘性抵抗が次第に重要になってくる。このエネルギー損失の影響で、ネットワーク階層を下るにつれて波が弱まり、最終的に血流は脈動性を失って定流になる。言い換えると、太い血管で脈動だった血流の性質は、細い血管での定流へと変化する。脈を感じられるのが、大動脈だけなのはこのためだ——細い血管には鼓動の痕跡はほとんどない。送電用語で言うと、血流の特性は下位ネットワークへ

と進むにつれ、交流から直流へと変わるということだ。

　だから血液が毛細血管にたどり着くころには、粘性のためもはや脈動せず、流速も非常に遅くなる。秒速わずか約一ミリメートルまで減速しているが、心臓を出たときの秒速四〇センチメートルと比べて実に遅い。低速のおかげで血液が運ぶ酸素も、毛細血管の壁を超えて効率的に拡散し、迅速に配送されて細胞に供給されるだけの時間がもらえるので、これはとても重要だ。興味深いことに、理論によればネットワークの両端、毛細血管と大動脈における速度は、すべての哺乳類で同じはずで、実際の観測値もそうなっている。この毛細血管と大動脈との非常に大きな速度差は、すでにご存じだろう。肌に刺し傷を受けても、血液は毛細血管から非常にゆっくりと流れ出るだけでダメージは小さいが、大動脈、頸動脈、大腿動脈のような主幹動脈を切ると、血が噴出してわずか数分間で死んでしまう。

　だが本当に驚くのは、血圧もまたすべての哺乳類で、サイズにかかわらず同じと予測されることだ。だからトガリネズミの心臓の重さは、塩二五粒とほぼ同じわずか一二ミリグラムで、大動脈の直径はわずか〇・一ミリメートルでほとんど目に見えないのに対し、クジラの心臓の重さは車のミニクーパーとほぼ同じ約一トンで、大動脈の直径は約三〇センチメートルだが、両者の血圧はほぼ同じだ。これは実に驚くべきことだ——トガリネズミの小さな大動脈壁、動脈壁にかかる非常に大きな圧力を、クジラはおろか、あなたや私の血圧と比べてみよう。この可哀想な生物がわずか一、二年で死んでしまうのも無理はない。

　血流の物理特性を最初に研究したのは博学者トマス・ヤングだ。一八〇八年、血流速度が動脈壁の密度と弾性にどのくらい左右されるのかを示す公式を導き出した。彼の先駆的論文は、心臓血管系が

どのように機能しているかの理解と、心臓血管系疾患の精査と診断のための脈波と速度の測定にとって、非常に重要だった。例えば、私たちは歳をとるにつれ、動脈は硬化してその密度と弾性が大きく変化し、それによって血流と脈拍速度に予想通り変化が起こる。

心臓血管系研究以外にも、ヤングはまったくちがう分野での核心をついた発見で有名だ。彼は、色は固有の波長を持つという、光の波動説確立でおそらくいちばん有名だ。だが言語学とエジプト象形文字の初期研究にも貢献している。現在ロンドンの大英博物館に収蔵されている有名なロゼッタ・ストーンを、最初に解読した業績も含まれる。この卓越した男にぴったりの賛辞として、アンドリュー・ロビンソンは「すべてを知っていた最後の男：ニュートンのまちがいを証明し、私たちの視覚を解明し、病人を治し、ロゼッタ・ストーンを解読するなど天才的な業績を挙げた、多才な無名人トマス・ヤング」と題したヤングの活き活きとした伝記を書いている。私もヤングには甘くなる。彼は、私の生地タウントンからわずか数キロメートルの、イングランド西部サマセット州のミルバートン生まれだからだ。

12. 自己相似とマジックナンバー4の起源

循環系を含め、ほとんどの生物ネットワークが「フラクタル」という不思議な幾何学的特性を示す。たぶんこの話はご存じだろう。簡単に言うと、フラクタルとは、あらゆるスケール、つまりどんな拡大レベルでもほぼ同じに見える物のことだ。古典的例は、次ページに示した、カリフラワーやブロッ

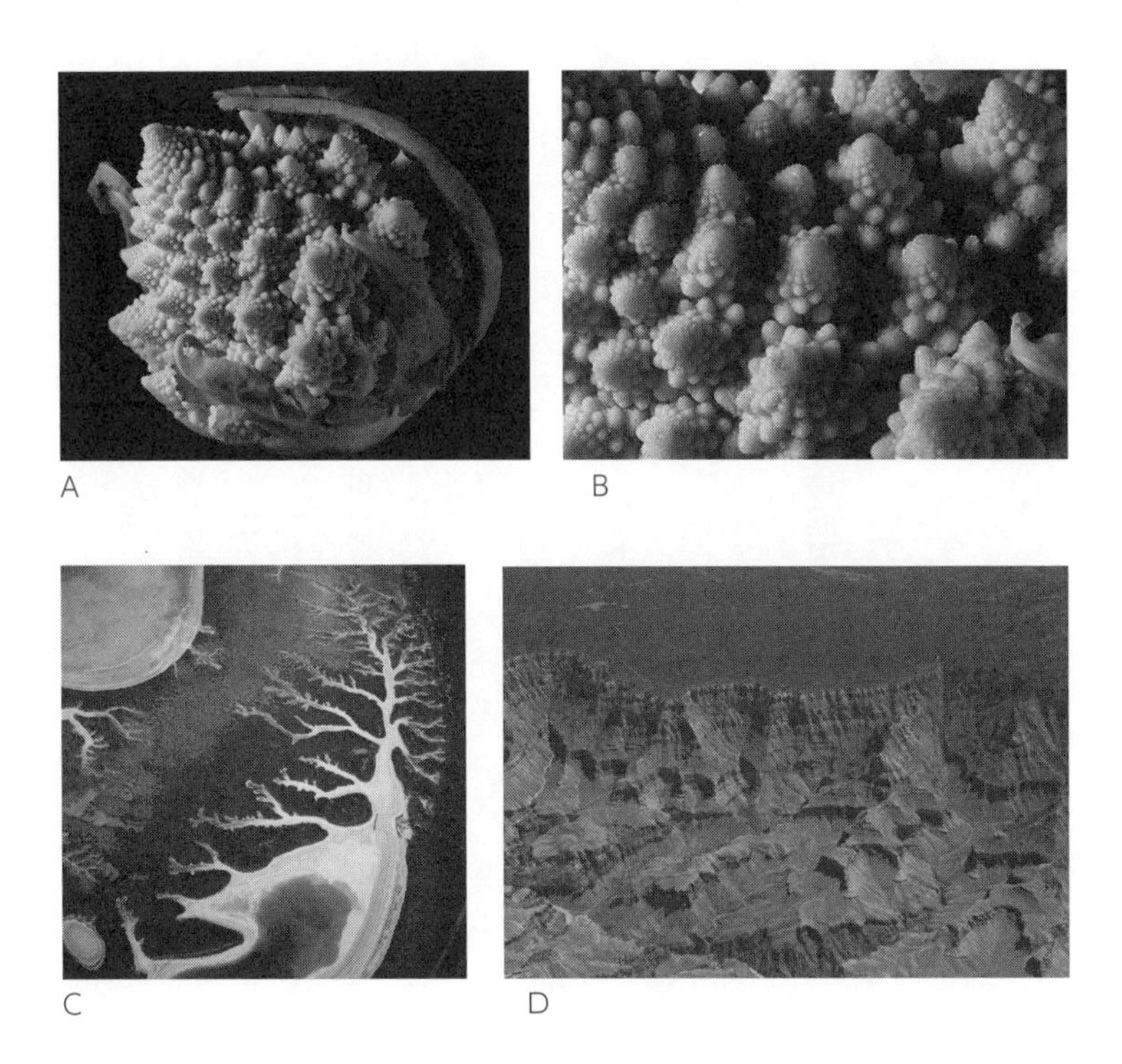

古典的フラクタルとスケール不変の例：どの例でも、絶対スケールはなかなかわからない。

(A) と (B)：別々の解像度で見たロマネスコ・カリフラワーは自己相似性を示している。

(C)：カリフォルニアの干上がった河床。冬の樹木、枯れ葉、循環系との相似は明らか。

(D)：グランドキャニオン。私の自宅までの泥道の、大嵐後の流水による侵食の痕と言われてもわからない。

コリーの先端部分だ。フラクタルは物質界のどこにでも見られ、肺や生態系から都市、企業、雲や川まであらゆるところに表れる。本節では、その正体、意味あい、べき乗スケーリング則との関係、そしてこれまで論じてきた循環系での表れを詳しく述べよう。

ブロッコリーを細かく割ると、どのかけらもオリジナルのサイズを小さくしたものに見える。全体のサイズにスケールを戻すと、各片はオリジナルと見分けがつかない。その小さなかけらをもっと小さなかけらに割ると、それもまたオリジナルのブロッコリーの縮小版に見える。このプロセスを何度繰り返しても、基本的に同じ結果、すなわち各サブユニットがオリジナル全体の縮小版になるようなものを想像しよう。別の言い方をしようか。ブロッコリーのどの大きさのかけらの写真を撮っても、それをオリジナルと同じ大きさに引き伸ばせば、その引き伸ばし版とオリジナルの区別はなかなかつかないということだ。

これは通常目にするもの、例えば顕微鏡を使ってどんどん解像度を上げると、全体とは質的にちがった新しい構造がどんどん詳細に明らかとなるのとは、大ちがいだ。明らかな例は、組織のなかの細胞、物質のなかの分子、あるいは原子のなかの陽子だ。ところがその対象がフラクタルなら、解像度が上がっても新しいパターンや細部は表れない。同じパターンが何度も繰り返される。もちろんこれは理想化された説明であって、実際は様々な解像度レベルのイメージはごくわずかにちがっており、いずれ再帰的反復は終わって新しいパターンが表れる。ブロッコリーをどんどん小さく分割すれば、いずれはブロッコリーの幾何学的特質を失って、結局その組織、細胞、分子の構造が見えてくる。

この反復現象は、「自己相似」と呼ばれる、フラクタルの一般的特質だ。ブロッコリーが示す反復

的スケーリングに似ているのは、並列した鏡による無限反射像、あるいは次々と規則的にサイズが小さくなる、入れ子状のロシアのマトリョーシカ人形だ。この概念が作り出されるはるか前に、自己相似は『ガリヴァー旅行記』の著者であるアイルランド人風刺作家ジョナサン・スウィフトによって、次の風変わりな四行詩で詩的に表現されている。

自然主義者の観察では、ノミには
もっと小さいノミがついていて血を吸い
そのノミももっと小さいノミに噛まれる
そしてさらにこれが無限に続く

これはこれまで論じてきた階層ネットワークでも同様だ。そのようなネットワークから一片を切り取って適切に拡大すると、結果的にオリジナルとまるで同じようなネットワークができる。局所的にはネットワークの各レベルは、基本的に隣りあう水準を拡大縮小して複製したものだ。この明白な例は、脈動する循環系でのインピーダンス整合で見た。そこでは面積保持分岐によって、血管の半径が連続する分岐ごとに、一定の係数（$\sqrt{2}=1.41\cdots$）で縮小していた。だから例えば一〇段階の分岐で分かれた血管の半径を比較すると、$(\sqrt{2})^{10}=32$倍になる。ヒトの大動脈の半径は約一・五センチメートルなので、これは一〇回分岐した血管の半径が約〇・五ミリメートルだということだ。
血液は下位ネットワークへと進むにつれて、脈動から非脈動へと変わるので、ヒトの循環系は実際

には連続的な自己相似でも厳密なフラクタルでもない。粘性が優勢となる非脈動領域では、拡散する動力の総量を最小化しようとすると、血管の半径が脈動領域のような2の平方根（$\sqrt{2}=1.41\cdots$）ではなく、2の立方根（$\sqrt[3]{2}=1.26\cdots$）という一定比率で小さくなる自己相似が生じる。だから循環系のフラクタル特性は、大動脈から毛細血管へと移るとき、血流特性の脈動から非脈動への変化を反映して、微妙に変化する。一方で樹木は、半径が面積保持比である$\sqrt{2}$で連続的に細くなり、同一の自己相似を幹から葉までほぼ維持している。

ネットワークがあらゆるスケールで、生命体の全身に資源を送り届けねばならないという空間充塡条件の結果として、血管長も自己相似的でなければいけない。三次元空間を満たすには、血管が分岐ごとに一定係数$\sqrt[3]{2}$で短くなる必要があり、これは半径とはちがい、脈動、非脈動領域両方を含むネットワーク全体で有効だ。

個体内でネットワークがこれらの単純な規則に従ってスケールすることを見極めたので、パズルの最後のかけらは、これが体重のちがう様々な生物種全体にどうつながるかを究明することだ。これはすでに見てきた、ネットワークの総量――すなわち体内の血液の総量――は肉体そのものの体積、つまりその体重に比例しなければならないという、エネルギー最小化原則のさらなる結果だ。言い換えると、血液量はどんなサイズだろうと、体の大きさに比例する。樹木ならこれは、管ネットワークが樹木そのものを構成しているので明白だ――その枝の間に肉のようなものがどこにも存在しないので、ネットワークの大きさが樹木の大きさになる。[*16]

ネットワークの体積は、すべての血管や枝の体積総和と同じで、これらはその長さや半径がわかれ

ばすぐ計算できるから、個体内ネットワークの自己相似は体のサイズと結びつけられる。それは長さの立方根スケーリング則と半径の平方根スケーリング則の数学的相互作用から生じ、血液量の線形スケーリングと端末ユニットの不変性による制約を受けるため、1／4乗のアロメトリック指数をすべての生命体にもたらしている。

結果としてマジックナンバー4は、通常はそのネットワークで資源輸送を受けている体積を表す三次元の実質的な拡張として、ネットワークのフラクタル性から生じた付加的次元が追加されたものとして登場したわけだ。これについてはフラクタル次元の一般概念を論じる次章で述べるが、ここではとりあえず、自然選択はエネルギー配分最適化のために、フラクタル系の数学的驚異を巧みに活用して、生命体を標準的な三次元ではなく、四次元内のように運営させてきたと言っておく。この意味で、偏在する数4は、実のところ3+1なのだ。より一般的には、これはそのネットワークが奉仕する空間の次元に1を足したものということだ。だから、私たちが暮らしているのが（ひも理論の信奉者である友人たちが言うように）11次元の世界だったら、マジックナンバーは11+1=12で、私たちは1／4ではなく、1／12べき乗則について論じていたはずだ。

13　フラクタル：境界伸張の不思議な例

数学者は昔から、数学と物理学の基礎を成してきた古典的ユークリッド幾何学の標準的境界におさまらない幾何学があることを認識していた。多くの人が、これまで好き嫌いを問わずさらされてきた

伝統的な枠組みは、すべての線と表面はなめらかで連続的だと暗黙のうちに想定している。現代のフラクタル概念に内在する、不連続性としわくちゃ性という概念をもたらした新しい考えは、純粋数学の興味深い形式的な拡張とみなされたが、現実世界で特に大きな役割を果たすとはあまり思われていなかった。ところが話は逆で、しわくちゃ性、不連続性、粗さ、自己相似性——一言で言うとフラクタル性——は、実は私たちが暮らすこの複雑な世界のいたるところに見られる性質なのだという重要な洞察を成し遂げたのが、フランスの数学者ベノワ・マンデルブロだった。*17

今にして思えば、偉大な数学者、物理学者、哲学者たちがこの洞察を二〇〇〇年以上も見逃してきたのは本当に驚くべきことだ。多くの偉大な躍進同様に、マンデルブロの洞察は今ではほぼ「当たり前」に思えるし、彼の指摘が数百年前のものではないとは信じられない。なんといっても「自然哲学」は古来、人間の知的試みの主要分野だし、誰もが今やカリフラワー、血管網、水流、川、山脈などすべてをフラクタルとして理解することに慣れ親しんでいる。だがそれらの構造やまとまりの規則性を一般化して考えた人はいなかったし、それを記述する数学用語も、ほぼ誰も考えなかった。おそらく重い物のほうが「明らかに」早く落下するという、アリストテレスのまちがった仮定同様に、古典的ユークリッド幾何学の体現するなめらかさというプラトン的理想は、私たちの精神にあまりに根深くしみついているので、それが現実世界の例に当てはまるか実際に検証する人が登場するにはずいぶん時間がかかったのだろう。その人こそ、イギリス人の類まれな博学者ルイス・フライ・リチャードソンで、マンデルブロのフラクタルの発明へとつながる基礎をほぼ偶然に築いた人物だ。リチャードソンがそこにたどり着いた経緯は非常に興味深いもので、それについて少し述べよう。

マンデルブロの洞察は、様々な解像度の大ざっぱなレンズを通して見ると、私たちを取り巻く世界の大半の、途方もない複雑性と多様性の根底に、単純性と規則性が隠れている、というものだ。さらに、自己相似とその奥底にある再帰的スケーリングを説明する数学は、これまでの章で論じたべき乗スケーリングのものと同じだ。つまりべき乗スケーリングは自己相似とフラクタル性の数学的表現なのだ。結果として、動物は種全体だけでなく、幾何学と体内ネットワーク構造の動態という点で個体内でもべき乗スケーリング則に従っているため、人間も含む動物すべては自己相似フラクタルを体現しているのだ。

ルイス・フライ・リチャードソンは数学者、物理学者、気象学者で、四六歳のときに心理学でも学位を取得している。一八八一年生まれ、キャリア初期に天気予報の現代的手法に大きく貢献した。彼は流体力学の基本方程式（船のモデリングを論じたときに紹介したナビエ＝ストークス方程式）を使った、気象計算モデルに、気圧、気温、濃度、湿度、風速の変化といったリアルタイムの気象データで持続的フィードバックを掛けて拡大、更新するという考えに先鞭をつけた。彼はこの手法を、現代的な高速コンピュータが発達する以前の二〇世紀初頭に思いついたが、手計算だからひどく時間がかかり、限られた予測力しかなかった。それでも、彼が開発した手法と全般的な数学技法は、科学的な予報の基礎を提供し、まさに今現在の数週間後までの比較的正確な天気予報提供の雛形となった。高速コンピュータの出現により、世界中から収集された膨大な量の地域データのリアルタイムの更新と相まって、天気予報能力は大きく改善した。

リチャードソンとマンデルブロは共に、経歴が少し変わっている。どちらも数学の素養はあったが、

ありがちな学者人生ではない。クエーカー教徒だったリチャードソンは、第一次世界大戦時に良心的兵役拒否者だったため、その後は大学での学術職には一切つけなくなった。現代の私たちから見るとかなり懲罰的なルールだ。そしてマンデルブロは七五歳で初めて終身教授の地位を得て、イェール大学史上最年長で終身在職を得た教授になった。おそらく世界の見方を革新するには、主流研究の外で研究に取り組んだリチャードソンやマンデルブロのように、部外者で一匹狼である必要があるのかもしれない。

リチャードソンは第一次大戦前に英国気象庁に勤務し、戦後もそこに戻ったが、数年後に気象庁がイギリス空軍を統括する航空省の傘下に入ったとき、再び良心的理由から辞職した。彼の平和主義への深い思いと、それにより主流学界の周辺に追いやられたことが、彼の最も興味深く重要な研究結果、すなわち長さの計測はみかけほど単純ではないという結論につながり、私たちの日常世界でのフラクタルの役割を気づかせたというのは、なんだか風変わりながらも納得がいく。その発見への道筋を理解するには、彼の他の偉業に少し寄り道する必要がある。

情熱的な平和主義に刺激されて、リチャードソンは、戦争と国際紛争を最終的に防止する方策を考案するため、それらの起源を解明する定量的理論を開発するという野心的な計画に着手した。狙いは、他ならぬ戦争科学の開発だった。彼の主な理論は、紛争の力学は主に国の軍備増大速度で決まり、その持続的蓄積が戦争の主要な原因だというものだ。彼は兵器の集積を、歴史、政治、経済、文化を反映しつつも、それらを超越した集合的な集団社会心理の力の代用指標と考えていた。その心理こそが、不可避的に紛争と不安定をもたらすのだ。リチャードソンは化学反応力学と伝染性疾患の拡散を理解

するために開発された数学を使って、各国の軍備がその他のあらゆる国の軍備拡大に応えて、果てしなく拡大する軍拡競争をモデル化した。

彼の理論は戦争の根本原因、つまりなぜ人が集団として紛争解決に、力や暴力を使うのか説明しようとはしない。むしろ軍拡競争がどのようにエスカレートし、壊滅的な戦争をもたらすかを示そうとしていた。あまりに単純化しすぎた理論だったが、その分析をある程度はデータと対比させるのに成功した。もっと重要なのは、戦争の起源についてデータと対比可能な別の枠組みを定量的に提示し、それがデータと対比できたということだ。さらにそれにはどのパラメーターが重要かを示せるという利点もあり、とりわけ平和な状況が達成、維持されるシナリオも提供できた。従来のもっと定性的な紛争理論とはちがい、彼の理論では指導層の役割、文化、歴史的対立、個別の出来事や人間は明示的な役割を果たさない。[*18]

検証可能な科学的枠組みを作りたいと望むリチャードソンは、戦争と紛争に関する大量の歴史データを収集した。それらを定量化するために、彼は「命を懸けた争い」と呼ぶ一般概念を導入し、死をもたらす人間間の暴力紛争とそれを定義した。戦争は命を懸けた争いの具体例だが、個人による殺人も同じだ。彼はその大きさを、結果として生じる死者数で定量化した。個人による殺人の場合、命を懸けた争いの大きさは指数1となり、第二次世界大戦では五〇〇〇万以上だが、その正確な数値は、民間の犠牲者数の数え方によって変わってくる。彼はそこから大胆に飛躍して、個人から始まってギャングの暴力、市民暴動、小さな紛争と拡大し、両大戦にまで至る、ほぼ八桁に及ぶ争いに連続性があるかを考えた。これらを同じ軸上に並べようとすると、以前すべての地震、あるいは哺乳類の代謝

率を単純な線形スケールに当てはめようとしたときと同じ課題が生じた。現実問題としてそれは不可能で、命を懸けた争いの全分布を見るには対数目盛を使うしかない。

よって地震のマグニチュード同様、リチャードソン・スケールも単一の殺人のゼロから始まって、二つの大戦の八桁までの数字となる（八桁は死者数一億人を表す）。このあいだに、犠牲者一〇人の小さな暴動の指数1、一〇〇人の戦闘員が殺された小規模紛争の指数2がある。当然、指数7の戦争はごく少数しかないが、指数0や1の争いは無数にある。命を懸けた争いの数を縦軸、その規模を横軸で対数目盛表示してみると、それは代謝率のような生理学的量を動物の大きさに比して示したときと同じ、ほぼ直線になった（図1参照）。

つまり戦争の頻度分布は単純なべき乗スケーリングだから、紛争はほぼ自己相似していることが示される。[*19] この注目に値する結果に基づくと、ゾウがおおむねネズミをスケールアップしたものであるのと同様に、大ざっぱにいえば大戦は小さな紛争の拡大版でしかないという驚くべき結論が出る。戦争や紛争に内在する途方もない複雑性の根底には、すべてのスケールで機能する共通の力学があるらしい。この結果は最近の戦争やテロ攻撃、さらにサイバー攻撃にも当てはまることを、最近の研究が立証している。[*20] こうした規則性を解明する一般理論はまだ開発されていないが、国の経済、社会的行動、競争力に特徴的なフラクタル的ネットワークを反映している可能性がとても高い。いずれにしても、戦争についての究極理論があるなら、それはこの事実を説明できなくてはならない。

ここでやっと、ルイス・リチャードソンの物語の要点にやってきた。彼は紛争のべき乗スケーリングを、戦争に関する潜在的な系統的規則性のひとつとみなし、そこから人間の暴力を支配する一般法

則を見いだそうと考えた。そして理論を発展させようとする過程で、隣接する国家間に戦争が起こる可能性は、両国間の国境の長さに比例するという仮説を立てた。自身の理論を検証しようという情熱に駆られて、彼は国境の長さがどのように測定されているのか把握しようとした……そしてそこで偶然フラクタルを発見したのだ。

自分の考えを検証するために、彼は国境の長さに関するデータ収集に着手し、公表データにかなり変動があることを知って驚く。例えば、スペインとポルトガルの国境の長さは、九八七キロメートルとされているときもあれば、一二一四キロメートルとなっているものもあり、同様にオランダとベルギーの国境も三八〇キロメートルとしているものもあれば、四四九キロメートルというのもある。このような大きな差は、測定ミスとは考えにくい。その当時、測量はすでに大きく発達、確立して、正確な科学になっていた。例えば、エベレストの標高は一九世紀には誤差一メートルほどで測定されていた。国境の長さが数百キロメートルもちがうなど、ずいぶん変な話だった。明らかに何か別のことが起きていた。

リチャードソンの研究以前には、長さ測定手段はまったく当たり前のこととみなされていた。考え方はあまりに単純で、どう見てもまちがえようがなさそうだ。では長さを測るプロセスを検証してみよう。居間の大まかな長さを測りたいとしよう。これは単純に、一メートルの棒を端から端まで（まっすぐに）当てていき、壁から壁まで何回当てたか数えればいい。それが六回だったら、部屋はおおむね長さ六メートル。後でもう少し正確な値が必要になったら、一〇センチ定規というもっと細かい分解能で測ろう。慎重にそれを端から端まで当てて、部屋全体でちょうど六三回当てられたら、部屋

の長さのもっと正確な測定値は63×10センチメートル、すなわち六三〇センチメートル、あるいは六

・三メートルになる。当然、答えに求める精度によって、このプロセスを何度も繰り返せばいい。部屋をミリ単位で測れば、その長さは六・二八九メートルとかになるわけだ。

実際には、定規を端から端まで当てたりしないのが普通で、適切な長さの巻き尺などの測定器具を使って、こんな退屈な作業は端折る。だが原理はまったく同じだ。巻き尺などの器具は、単に一メートルとか一〇センチとかいった基準長の短い定規を並べてつなげたものにすぎない。

この測定プロセスにおける暗黙の前提は、対象がなんであれ、分解能を上げるると、結果はその居間の長さと呼ばれる、その居間の客観的属性と思われる正確な固定値にどんどん収束するということだ。この例では、分解能が増すにつれて、その長さは六から六・三メートルという具合に、六・二八九メートルに近づいた。この明確に定義された長さへの収束はあまりに当たり前のことで、実際、リチャードソンが伸張する国境や海岸線の不思議に偶然気づく一九五〇年までの数千年間、問題にされることはなかった。

ではここで、隣接する国の間の国境の長さ、あるいはある国の海岸線の長さを、いまざっと説明した標準的な手順に従って測定すると想像しよう。非常に大まかな値がほしいなら、一〇〇マイルの線分を端から端まで当ててその全長をカバーすることになるだろう。この分解能では、国境はその線分約一二回分より少し余ったので、その長さはだいたい一二〇〇マイル超だ。もっと正確な測定をするために、今度は一〇マイルの線分を使って長さを測ろう。居間の例で述べた通常の「測定法則」に従

うと、線分一二四回分となって、もっと優れた推定値一二四〇マイルが得られる。分解能を一マイルにすればもっと高分解能の値が得られ、その場合一二四三回分、一二四三マイルとなる。必要とする精度の数値を得るために、どんどん高い分解能を使ってこれを続ければいい。

だがリチャードソンが細かい地図でノギスを使ってこの標準的な反復手順を実施したところ、大変驚いたことに、これがまったく当てはまらなかった。実際には、分解能を上げ、期待精度を高めると、特定の値に収束するどころか、国境はどんどん長くなっていったのだ！ 居間の長さとはちがって、国境と海岸線の長さは、暗黙のうちに何千年も仮定されてきた測定の基本法則に反して、ある固定値に収束するのではなく、ますます長くなる。同じく驚いたことに、リチャードソンはこの長さの増大が規則性を持つことを発見した。彼が様々な国境と海岸線の長さと、使った分解能とを対数目盛でグラフ化したところ、多くの他の場面で目にしてきた、べき乗スケーリングを示す直線になった（図14参照）。これは非常に奇妙だった。なぜならそれは従来の考えとは裏腹に、これらの長さが測定に使う単位のスケールによって変わり、その意味では測定対象の客観的特性ではないことを示唆しているからだ。[*21]

では一体どういうことなのだろうか？ ちょっと考えれば、話はすぐにわかるだろう。居間とはちがい、ほとんどの国境と海岸線は直線ではない。というよりも、それらは曲がりくねった曲線で、それはその地形によるものか、政治、文化、あるいは歴史によって「恣意的」に決定されたかのいずれかだ。測量でやっているのは実質的に、一〇〇マイルの物指しを海岸線や国境の二点に当てることで、これは明らかにその間にある多くの蛇行や細かい曲がりをすべて見逃している（図13参照）。だがか

図13

単位 = 200km
長さ = （約）2,400km

単位 = 100km
長さ = （約）2,800km

単位 = 50km
長さ = （約）3,400km

図14

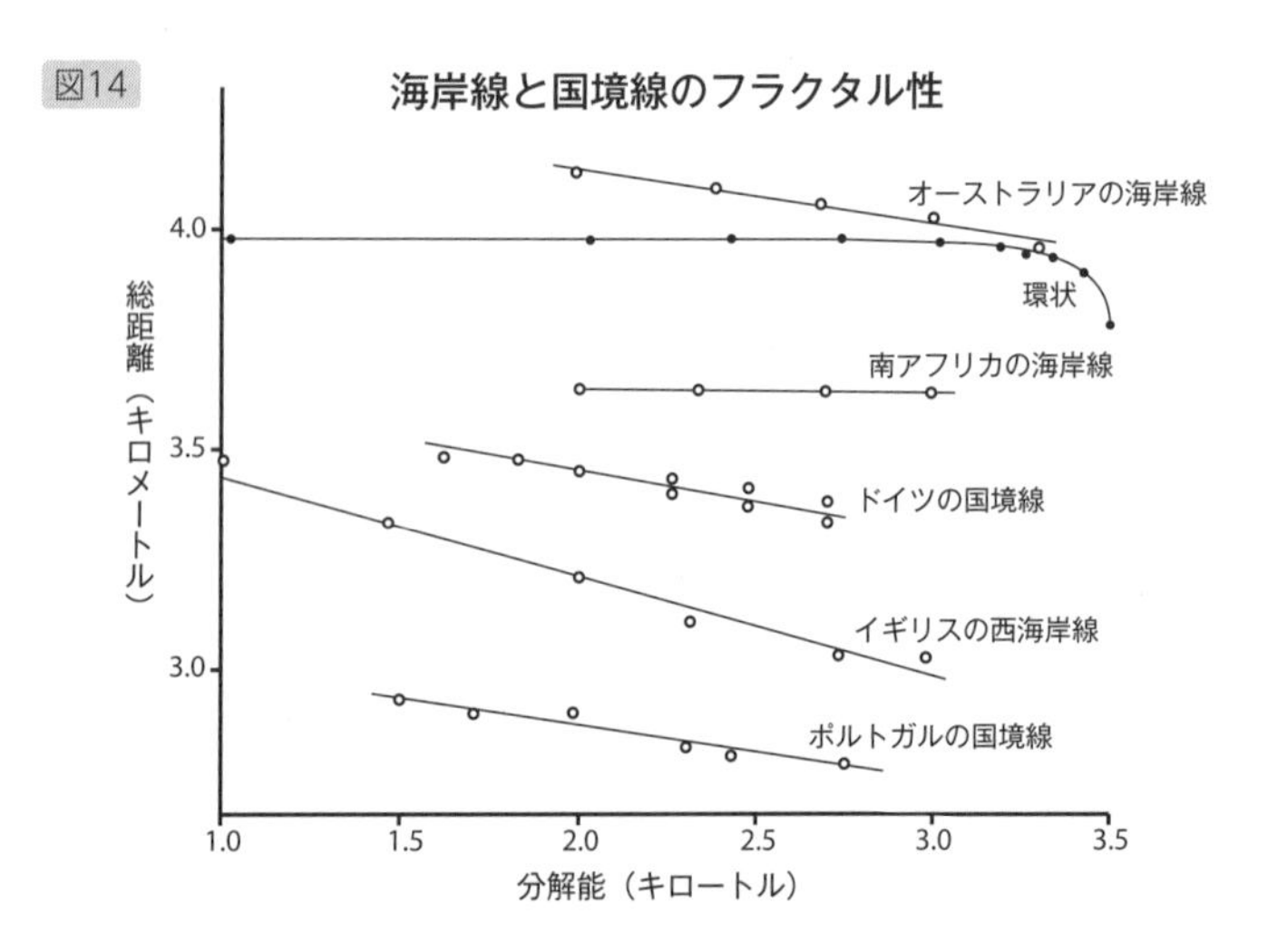

海岸線を様々な分解能で測定（イギリスを例に）（図13）。グラフの例が示すように、長さは分解能に比してべき乗則に従って系統的に増大する（図14）。グラフの傾きは海岸線のフラクタル次元を示す。曲がりが多いと、傾きは急になる。

わりに長さ一〇マイルの定規を使うと、一〇マイルよりもスケールが大きくて、見逃していたすべての蛇行や細かい曲がりまで計測される。分解能が上がると、細かいところまで見えて、細かい曲がりも拾え、このため粗い一〇〇マイルの定規で得たものより、必然的に大きな推定値になる。同様に一〇マイルの定規は、一〇マイルよりも小さい蛇行や細かい曲がりを捕らえきれないが、分解能を一マイルに上げればそれらも検出されて、長さはさらに増大する。リチャードソンが研究対象にした蛇行や細かい曲がりの多い国境や海岸線について、測定した長さが分解能に比してなぜ増大するかは容易に理解できる。

増大は単純なべき乗則に従うので、これらの国境はつまり自己相似フラクタルだ。言い換えれば、あるスケールにおける曲がりやねじれは、別のスケールにおける曲がりやねじれを平均して拡大縮小したものだということだ。小川の岸の侵食が、大きな川による侵食の縮小版や、グランドキャニオンの縮小版のようにさえ見えると驚くかもしれないが、それは幻想ではなく実際にそうなっているのだ（164ページ参照）。

これは素晴らしい話だ。スケールの大ざっぱなレンズを通して見ると、自然界の圧倒的な複雑性の根底には、驚くべき単純性、規則性、統一性が潜んでいることを再確認できる。リチャードソンはこの奇妙で革新的な、非直観的性質を、国境と海岸線の調査のなかで発見してその原因を解明したが、その比類なき一般性と広範囲に及ぶ意義を完全には認識していなかった。さらに大きな洞察を成し遂げたのが、ベノワ・マンデルブロだ。

リチャードソンの発見は、科学コミュニティからほぼ完全に無視された。これはそれほど驚くにあ

たらない。比較的マイナーな学術誌で発表された上に、戦争の起源を探求する研究のなかに埋もれてしまったからだ。一九六一年に発表された彼の論文は呆れるほど曖昧模糊とした「近接性問題：命を懸けた争いの統計付記」という題で、専門家ですらこれが何についての論文かほとんどわからない代物だった。これが非常に重要なパラダイム・シフトの先駆けだなんて、誰がわかるものか？

うん、ベノワ・マンデルブロにはわかった。彼はリチャードソンの研究を掘り起こしただけでなく、その深い重要性を認識できた点で、大きな称賛に値する。一九六七年、彼は著名な学術誌『サイエンス』に、もっとわかりやすい「イギリスの海岸線の長さは？　統計的自己相似とフラクタル次元」というタイトルの論文を発表した[*22]。これはリチャードソンの発見を発展させ、考えを一般化したことにより、彼の研究に光を当てた。のちにフラクタル性として知られるしわくちゃ性は、リチャードソンの対数グラフでの直線の傾きで定量化される。傾きが急ならば、曲線はしわくちゃだ。これらの傾きは単純に長さを分解能に関連づける、べき乗則の指数で、代謝率を生命体の質量に関連づける指数３／４と同じだ。円のような、非常になめらかな普通の曲線では、この傾き、あるいは指数はゼロだ。なぜなら居間の例と同じように、分解能が上がっても長さは変わらず、確定値に近づくだけだからだ。でもギザギザのしわくちゃな海岸線の傾斜はゼロではない。例えば、イギリス西岸では〇・二五だ。壮大なフィヨルド、小さな湾と入り江にどんどん枝分かれする多層的な湾と入江を持つ、しわがもっと多いノルウェーのような海岸線では、値はとてつもなく大きい〇・五二になる。一方で、南アフリカの海岸線はその他のいかなる海岸線ともちがって、傾きはわずか〇・〇二で、なめらかな曲線に近いことをリチャードソンは発見している。ちなみに、最初にこの「差異」問題に対する興味をそそっ

たスペインとポルトガルの国境について、彼は傾きを〇・一八としている。図14を参照しよう。

これらの数の意味を一般用語で理解するには、測定分解能が二倍になったと想像してみよう。すると例えばイギリス西岸の測定値は約二五パーセント増え、ノルウェーは五〇パーセント増える。これは莫大な影響だが、わずか七〇年前にリチャードソンが偶然見いだすまでは完全に見過ごされていた。だから測定を有意義にするプロセスのなかで、分解能を知ることが全プロセスにとって決定的かつ不可欠だ。

教訓は明白だ。**一般的に言って、測定長の値を、使った分解能のスケールを示さず引用しても意味がない**。原理的に言って、単位なしに長さが五四三とか、二七とか、あるいは一・二八九一七六だとかと言うのと同じくらい無意味だ。それがマイルなのかセンチメートルなのかオングストロームなのか知る必要があるのと同様に、測定に使われた分解能も知る必要がある。

マンデルブロは、べき乗則の指数（傾き）に一を加えたものと定義された「フラクタル次元」の概念を導入した。これにより、南アフリカ海岸のフラクタル次元は一・〇二、ノルウェーは一・五二等々となる。一を加えるのは、フラクタルという考えを、第2章で論じたような通常の次元の概念とつなげるためだ。なめらかな線の次元は一、なめらかな表面の次元は二、そして体積の次元が三だったことを思い起こしてほしい。南アフリカの海岸はなめらかな線に非常に近いので、フラクタル次元は一に非常に近い一・〇二だが、ノルウェーのフラクタル次元は一・五二と一よりずっと大きいので、なめらかな線からずっと遠い。

この極端な例として、線が凹凸だらけで入り組んでいて、一面をきれいに満たしているとしよう。

するとそれは線だから「通常」は一次元だが、スケーリング特性としてはまるで面積のごとく機能しているため、フラクタル次元は二となる。この興味深い実質的付加次元増加は、空間充填曲線の一般的特性であり、これについては次章で再び触れる。

自然界にはなめらかな物などほとんどない——ほとんどの物がしわくちゃで、不規則で、ぎざぎざしていて、非常に多くの場合自己相似的だ。森、山脈、野菜、雲、海面を思い浮かべればいい。だからほとんどの物体には絶対的な客観的長さはなく、測定について述べるときは分解能の引用が重要になる。ではなぜこれほど基本的で、今ではほぼ当たり前と思われていることに気づくまで、二〇〇〇年以上かかったのか？　これには二重の原因がありそうだ。それは私たちが自然界との密接なつながりから次第に切り離されたことと、生物学的性質を決定してきた自然の力からどんどん遠ざかったことで生まれたものだ。言葉を発明し、規模の経済を巧みに利用することを覚え、コミュニティを形成して人工物を作り始めることで、人間は日常世界の形状とその周辺の環境を効率的に変えた。人間が造り上げた人工物の設計と製造には、原始的な壺や道具であれ、現代の洗練された自動車、コンピュータ、摩天楼であれ、直線、なめらかな曲線、なめらかな表面を使ったし、目指した。これは定量測定の発展と数学の発明に鮮やかに形式化して反映された。これはとりわけユークリッド幾何学の理念的パラダイムに、はっきり表れている。これは私たちが、他の哺乳類から社会的なホモ・サピエンスに進化する過程で、自分たちのまわりに作り上げた人工物の世界に適合した数学なのだ。

この人工物の新世界では、私たちは必然的に世界をユークリッド幾何学——直線、なめらかな曲線、なめらかな表面——のレンズを通して見る習慣がつき、生まれ落ちた一見ぐちゃぐちゃで、複雑で、

ややこしい環境世界に、少なくとも科学者や技術者としては目をつぶっている。そうしたものは、ほぼ芸術家と作家の想像力に任された。この新しい、規則的な人工世界では計測が中心的役割を果たしているが、それはユークリッドの洗練された単純性を保持しているため、分解能といった面倒な問題は考えなくていい。この新世界では長さは長さであって、それっきりだ。だが身の回りのすぐそこにある「自然」界は、そうではない。それは非常に複雑でよじれ、しわくちゃ、ぎざぎざが支配している。マンデルブロが簡潔に述べているように「なめらかな形は野生では非常に稀だが、象牙の塔や工場ではそれが非常に重要だ」。

すでに一九世紀初めから、数学者たちはなめらかではない曲線や表面について考察していたが、それは自然界にそのような形が多いせいではなかった。単に新しい考えと概念の探求で、ユークリッドの聖なる教義に反する一貫性ある形態を定式化できるかという、主に学究的興味からくるものだった。

これに対する答えはイエスで、マンデルブロはこれに乗じる絶好の立場にいた。リチャードソンとはちがい、マンデルブロは古典フランス数学の正式な伝統のなかで教育を受けており、抽象的でひどくよじれた非ユークリッド的曲線と表面に詳しかった。彼の偉大な貢献は、リチャードソンが発見したことをしっかりとした数学的基礎に載せられることを示し、学術数学者たちが戯れつつも「現実」とは無関係に思われていた不気味な形が、実際には現実と大いに関係があること――場合によれば、ユークリッド幾何学よりもずっと深く関わっているかもしれないこと――を示したことだ。

おそらくもっと重要なことは、これらの考えが国境や海岸線の考察をはるかに超え、計測可能なすべて、時間や頻度にまで一般化できると彼が気づいたことだ。例えば人間の脳、くしゃくしゃに丸め

た紙、稲妻、河川ネットワーク、心電図（ＥＫＧ）や株式市場など時系列データまで含まれる。例えば金融市場の取引一時間の変動パターンは、平均すると一日、一ヵ月、一年、一〇年間の変動と同じだ。これらはお互いの単なる非線形的スケール版になっている。ダウ平均株価の一定期間の典型的なグラフを見せられても、それがここ一時間のものなのか、過去五年間のものかはわからない――急落、上昇、急騰の分布は、時間枠とは無関係にほぼ同じだ。言い換えると、株式市場の動きは自己相似的フラクタルパターンで、すべての時間スケールにわたり、その指数、または同じことだがフラクタル次元によって定量化できるべき乗則に従い、自分自身を反復している。

この知識があれば、すぐに大儲けできるのではと思うだろう。確かにこれは株式市場の隠された規則性への新たな洞察を与えはしたが、残念ながら平均的な大ざっぱな意味でしか予測力はなく、個別株の動きについて特別な情報を与えてはくれない。それでもこれは様々な時間スケールの市場の動きを理解する重要な要素だ。これは「経済物理学」と呼ばれる金融の新しい学際的下位分野の発達を刺激し、投資会社が物理学者、数学者、コンピュータ科学者を雇い、新たな投資戦略開発にこのようなアイデアを活用する動機になっている。[*23] その多くの人々は大成功したが、その成功に彼らの物理学、数学がどのくらい貢献したかは定かでない。

同様に、心電図に見られる自己相似は、心臓の状態を判断する重要な基準になり得る。心臓が健康であれば、心電図もそれだけなめらかで規則的になると思っていたかもしれない。つまり健康な心臓のフラクタル次元は、疾病を持った心臓よりも低いということになる。だが答えはまったく逆だ。健康な心臓の心電図はぎざぎざ、凹凸が多く、比較的高いフラクタル次元を持つが、疾患を持った心臓

の心電図はなめらかで値も低い。実際、最も深刻なリスクを抱えた心臓の心電図のフラクタル次元は一に近く、これといった特徴がなくなめらかだ。こうして、心電図のフラクタル次元は、心臓疾患やその健康状態を定量化する、強力な補完的診断ツールとなり得る。*[24]

健康で頑強だと、多様で大きな変動、すなわち心電図等における大きなフラクタル次元となる理由は、そういったシステムの回復力と密接に関係している。過度に硬直し制約されているということは、どんなシステムでも必ず受ける、不可避的な小さい衝撃や動揺に耐えるために必要となる、調整のために不可欠なだけの十分な柔軟性がないということだ。人の心臓が日々晒されているストレスと緊張を考えてみよう。その多くは予想がつかない。それらに対応して自然に適応できるかどうかは、長期的な生存に大きな意味を持つ。これらの絶え間ない変化と衝突は、精神だけでなく脳を含むすべての器官が、柔軟性と弾力性の両方を持たねばならないということで、つまり大きなフラクタル次元が要る。

これは少なくとも隠喩としては、個人を超えて企業、都市、国家、生命そのものにまで拡張できる。多様性を持ち、多くの代替・順応可能な要素を持つというのが、このパラダイムのもうひとつの表現だ。自然選択は多様性のおかげで繁栄し、多様性を生み出す。回復力のある生態系は種の多様性も大きい。成功している都市は雇用や事業の種類も多く、成功した企業は多様な製品ラインナップと、市場変化に対応して変化、順応、再考案する柔軟性を持った人材を備えているのは、偶然ではない。これについては第8章と第9章で、都市と企業について考えるときにさらに論じよう。

一九八二年、マンデルブロは大きな影響力を持つ、非常に読みやすい準一般向けの『フラクタル幾

何学』を出版した。[*25] これは、科学と自然界両方でフラクタルがいたるところにあることを示し、フラクタルへの関心を沸騰させた。おかげでフラクタル探究の一大ブームが生じ、いたるところでそれを発見し、その次元を計測し、それらの不思議な特性が驚くほど風変わりな幾何学的形をもたらしていることを示している。

マンデルブロは、フラクタル数学に基づいた比較的単純なアルゴリズム規則が、驚くほど複雑なパターンを生み出せることを示した。彼をはじめ多くの人々が、興味深い幻惑的なパターンだけでなく、驚くほど現実味のある山脈や風景のシミュレーションを作った。これは映画、メディア産業に熱狂的に受け入れられ、今やスクリーンや広告で目にするものの多くは、「リアル」な戦闘シーンだろうと、壮麗な風景や未来的ファンタジーだろうと、フラクタル・パラダイムに基づいている。『ロード・オブ・ザ・リング』、『ジュラシック・パーク』、『ゲーム・オブ・スローンズ』は、フラクタルについての初期研究と洞察がなければ、リアルなファンタジーとしてかなりショボいものになっていただろう。

フラクタルは音楽、絵画、建築にさえ登場する。楽譜のフラクタル次元は、ベートーベン、バッハ、モーツァルトといった作曲家の特徴や特性の定量化に使えるとされ、ジャクソン・ポロックの絵のフラクタル次元は、偽物を本物から区別するのに使われた。[*26]

フラクタルを説明、定量化するための数学的枠組みはあっても、なぜそれらが広く表れるのかを機構的に理解したり、その次元を計算したりする、根本的な物理原則に基づいた基本理論は開発されていない。なぜ海岸や国境はフラクタルで、その驚くべき規則性を生じさせ、ごつごつしたノルウェー

の海岸線に対して、比較的なめらかな南アフリカの海岸線をもたらした力学は何か？　そしてこうしたまったくちがう現象を、株式市場、血管系、心電図の動きと結びつけている共通原則と力学は何か？

　フラクタル次元は、こうした系を特徴づける多くの指標の一つにすぎない。こういった単一の測定基準を、みんな驚異的なまでに絶対視したがる。例えば、ダウ平均株価はアメリカ経済の全体状況の絶対的指標としてほぼ妄信的に受け入れられているし、体温は通常私たちの総合的な健康状態の指標として使われる。もっといいのは、そうした指標をもっといろいろ持つことだ。例えば毎年の健康診断から得られる各種の数字や、経済状況のもっと広い状態をつかむために経済学者が作り出す各種指標などだ。だがさらに良いのは、なぜ様々な指標がそのサイズなのかを機構的に理解し、それらの変化を予測するための、一般化された定量理論と概念的枠組みを持ち、それを動学モデルで補完することだ。

　この意味で、代謝率のスケーリングを示すクライバーの法則がわかっても、あるいは生命体が従うその他あらゆるアロメトリック・スケーリング則がわかっても、それは理論ではない。それらの現象的法則はむしろ、生命の系統的で包括的な特性を明らかにしてまとめる、膨大なデータの上手な要約だ。それらを分析的に、ネットワークの幾何学や力学といった根底にあるわずかな一般原理から導き、その粒度をますます細かくすることこそ、その起源に関する深い理解をもたらし、他の新しい現象への対処と予測を可能にする。次章ではネットワーク理論がそのような枠組みを提供している様子を明らかにし、精選したいくつかの例でその要点を説明する。

最後に一つ。マンデルブロは、フラクタルの機構的起源の理解には驚くほど興味を示さない。フラクタルの途方もない普遍性を世界に知らしめた後、彼の情熱はその物理的起源よりも、むしろ数学的説明に注がれた。フラクタルは自然の魅力的な特質であり、私たちはその普遍性、単純性、複雑性、そして美しさに感嘆すべきなのだ、というのがその態度らしい。それらを説明し利用するための数学は開発すべきだが、その生成の根本原理にあまり深入りしてもしょうがない、というわけだ。一言で言えばそれらに物理学者というよりは数学者として取り組んだということになる。彼の偉大な発見が、物理学界と科学の主流派の間では、本来受けるべきだったはずの評価が不十分だった理由の一つがこれかもしれない。おかげで彼は、多くの分野で広く認知され、多くの名誉ある賞を受賞したにもかかわらず、ノーベル賞は逃している。

第４章　生命の第四次元：成長、老化、そして死

生命を支えているネットワークは、ほぼすべて自己相似フラクタルに近い。前章では自然とこれらフラクタル構造の起源が、最適化や空間充塡といった包括的な幾何学、数学、物理原則の帰結であることを説明し、それによってあらゆる種をまたぐネットワークのスケール同様に、平均的個体内でのスケールの導出へと話をつなげた。

その議論のほとんどは循環系に集中していたが、同じ原理が呼吸器系や草花、樹木、昆虫、細胞にも当てはまる。実際、この理論は、同じネットワーク原理がまったくちがう進化を遂げた設計のシステムのなかで、似たようなスケーリング則をもたらすのに成功しているのがすごい点だ。ちがう分類綱のすべてに存在する１／４乗スケーリングの起源を説明できるだけでなく、例えばなぜ大動脈は樹木の幹と同じようにスケールするのかといったことも示せる。そうした量の多くがこの理論で計算可能だ。『サイエンス』誌と『ネイチャー』誌に発表された元論文から転載した以下の表では、その予測力の広がりを示す見本を示した。循環系、呼吸器系、植物、森林コミュニティ系の多くの測定値予測を、実測結果と比較している。ご覧の通り、おおむね見事な一致ぶりだ。

同じ原理に基づいていても、実際の数学と力学は、ネットワーク構造の差を反映して、通常はケー

表 1　**心臓血管系**

量	予測値	観測値
大動脈	3/8 = 0.375	0.36
大動脈圧	0 = 0.00	0.032
大動脈血流速度	0 = 0.00	0.07
血液量	1 = 1.00	1.00
循環時間	1/4 = 0.25	0.25
循環距離	1/4 = 0.25	データなし
心拍一回出量	1 = 1.00	1.03
心拍数	−1/4 = −0.25	−0.25
心拍出量	3/4 = 0.75	0.74
毛細血管数	3/4 = 0.75	データなし
有効半径	データなし	データなし
ウオマスリー数	1/4 = 0.25	0.25
毛細血管密度	−1/12 = −0.083	−0.095
血中酸素親和力	−1/12 = −0.083	−0.089
全抵抗	−3/4 = −0.75	−0.76
代謝率	3/4 = 0.75	0.75

表 2　**呼吸器系**

量	予測値	観測値
気管半径	3/8 = 0.375	0.39
胸膜内圧力	0 = 0.00	0.004
気管内気体速度	0 = 0.00	0.02
肺気量	1 = 1.00	1.05
肺体積流量	3/4 = 0.75	0.80
肺胞容量	1/4 = 0.25	データなし
呼吸量	1 = 1.00	1.041
呼吸頻度	−1/4 = −0.25	−0.26
損失力	3/4 = 0.75	0.78
肺胞数	3/4 = 0.75	データなし
肺胞半径	1/12 = 0.083	0.13
肺胞表面積	1/6 = 0.167	データなし
肺表面積	11/12 = 0.92	0.95
酸素拡散力	1 = 1.00	0.99
総抵抗	−3/4 = −0.75	0.70
酸素消費率	3/4 = 0.75	0.76

表 3　植物脈管系の生理解剖学的変数のスケーリング指数値予測

量	植物質量の関数	幹、茎の半径の関数	
	指数	指数	
	予測値	予測値	観測値
葉数	3/4（0.75）	2（2.00）	2.007
枝数	3/4（0.75）	−2（−2.00）	−2.00
管数	3/4（0.75）	2（2.00）	データなし
幹長	1/4（0.25）	2/3（0.67）	0.652
幹半径	3/8（0.375）		
通道組織面積	7/8（0.0625）	7/3（2.33）	2.13
管半径	1/16（0.0625）	1/6（0.167）	データなし
通道性	1（1.00）	8/3（2.67）	2.63
葉の通道性	1/4（0.25）	2/3（0.67）	0.727
流体流速		2（2.00）	データなし
代謝率	3/4（0.75）		
圧力勾配	−1/4（−0.25）	−2/3（−0.67）	データなし
流体速度	−1/8（−0.125）	−1/3（−0.33）	データなし
分岐抵抗	−3/4（−0.75）	−1/3（−0.33）	データなし

スごとに大きく異なる。これら様々な系がどのように同じ原理群を利用しているかはいちいち説明しないが、どの例でも結果はかなり似ており、1／4乗スケーリングが創発している。

実に満足のいく結果ながら、ひっかかる問題が残っている。なぜ同じ1／4乗指数がちがうネットワークのそれぞれから現れてくるのか？　なぜ、こっちは例えば1／6乗で、あっちは1／8乗とかにならないのだろう。言い換えれば、この同じ原理一式を様々な構造と力学を持った様々なネットワーク系に適用したとき、同じスケーリング指数を示すようにさせているものは何か？　1／4がほぼあらゆる生命体群に確実に出現するようにしてくれる力学を超えた、追加の設計原理があるのだろうか？　これは、とりわけなぜこの普遍的作用がバクテリアのような、階層的な分岐ネットワーク構造がそれほど明確ではないシステムにまで拡張されるのか理解するにあたり、重要な概念的問題となる。

1．生命の四次元

これに答える一般的な議論のためには、自然選択はエネルギー損失最小化に加え、代謝能力最大化も引き起こしたことを認識しよう。なぜなら、生命を維持再生するエネルギーと素材は代謝で作り出されるからだ。[*1]これは資源とエネルギーが運ばれる、表面積の最大化によって達成されてきた。こうした表面は、実際にはネットワークのすべての端末ユニットの総表面積だ。例えば、代謝エネルギーのすべては、細胞に燃料を送るために、毛細血管の全表面積を通して送り込まれる。樹木の代謝が、光合成のためにそのすべての葉を通じて集めた太陽光からのエネルギーと、その根系のすべての端末

繊維を通じて土から吸収した水の伝送に左右されているのとまったく同じだ。だから端末ユニットは不変なだけでなく、資源環境とのインターフェースなので、毛細血管など体内だろうと葉のように体外だろうと、非常に重要な役割を果たす。後で見るようにこのエネルギー交換の出入り口としての中心的役割は生命の多くの面で重要となり、睡眠時間や寿命まで左右する。

自然選択はこれら端末ユニットの総有効表面積を最大化して代謝出力も最大化するために、空間充填ネットワークのフラクタル性を利用している。幾何学的にはフラクタル的構造が持つ多層型の持続的な分岐や小鈍鋸歯状により、情報、エネルギー、資源の流れる表面積が最大化され、こうした生命に不可欠な要素の輸送を最適化している。そのフラクタル性によってこうした実効表面積は、見かけの物理的大きさよりもずっと大きくなっている。この点について説明するために、人体から注目すべき例を幾つか挙げてみよう。

人間の肺はフットボールほどの大きさしかなく、容量五から六リットルだが、酸素と二酸化炭素が血液によって交換される呼吸系の端末ユニットである肺胞の総表面積は、ほぼテニスコートの大きさに匹敵し、すべての気道の全長は約二五〇〇キロメートルで、ロサンゼルスからシカゴ、あるいはロンドンからモスクワまでの距離にほぼ等しい。もっと驚くのは、循環系のすべての動脈、静脈、毛細血管を端から端まで伸ばすと、その全長は一〇万キロメートル、地球を二回りと半分、あるいは月への距離の三分の一以上……そのすべてがヒトの身長一五〇から一八〇センチメートルの中にすっぽりと収まっている。実に見事で、またもや驚くべき人体の特性だ。自然選択は物理学、化学、数学の驚異を徹底的に活用している。

この注目すべき現象は、海岸線と国境についてリチャードソンが発見し、マンデルブロがまとめた話、つまり長さと面積は必ずしも見かけ通りではないという極端な例だ。前章で説明したように、空間充塡的な十分多数のしわくちゃな線は、面積のようにスケールする。そのフラクタル性が、実質的に追加の次元を与えているのだ。第2章で論じたように、その伝統的ユークリッド次元の値はいまだに線を示す1だが、フラクタル次元は2だ。つまりそのフラクタル性が最大で、まるで面積のようにスケールするということだ。同様に面積も十分しわくちゃなら、まるで体積のように作用して、実質的に追加の次元を得る。そのユークリッド次元は面を示す2だが、フラクタル次元は3だ。

身近な例で、これははっきりする。シーツを洗濯するとしよう。省エネしたいし、お金と時間も節約したいから、洗濯機をいっぱいにできる数の汚れたシーツが溜まるまで数週間待つ。その時が来たら洗濯槽をいっぱいにするために、できるだけ多くのシーツを詰め込む。このとき通常は、体積は面積よりも早くスケールすることを思い出そう。だから洗濯機の形を保ったまま、すべての長さを二倍にして、サイズを二倍にすると、その体積は八倍（2^3）になり、表面積は四倍（2^2）になる。するとついつい単純に、シーツは基本的にすべて面積で、つまりは二次元だから（厚さは無視する）、洗濯機のサイズを二倍にすればシーツは四倍入ると思ってしまうだろう。だが容量いっぱいになるようシーツを槽に詰め込めば、その容量は八倍なので、実際には四倍ではなく、八倍のシーツが入るのは明らかだ。つまり三次元の洗濯機に詰めた二次元のシーツの総有効面積は、面積ではなく体積のようにスケールし、この意味で面積を体積に変えたことになる。

なぜそうなるかと言えば、なめらかなユークリッド的表面、つまりシーツをクシャクシャに丸め、

たくさんのしわと凹凸を作ってフラクタル化したからだ。実際、しわのサイズ分布は古典的べき乗則に従う。大きなしわはごくわずかだが、小さなしわはたくさんあり、その数はべき乗則分布に従う。これはくしゃくしゃに丸めた紙のボールによる実験で実証されている。[*2] 現実には、空間全体を充填するように、すべてのシーツを完全にくしゃくしゃにして洗濯機に詰め込んだり、それを言うなら紙を丸めたりすることもできないが、かなり近いことならできる。そしてそれは計測されたフラクタル次元が実際3よりもわずかに小さいことに反映されている。それに、あまりにぎゅっと圧縮すると、洗濯機でうまく洗濯できないから、完全にくしゃくしゃにしたくはないだろう。

だが交換表面を最大化しようとする自然選択の力に促されて、生物ネットワークは最大限の空間充塡を達成し、その結果二次元的なユークリッド表面積ではなく、三次元的体積としてスケールしている。このネットワーク性能の最適化から生じた追加次元が、生命体の機能をあたかも四次元で作用しているかのように見せている。これが1／4乗の幾何学的起源だ。なめらかで非フラクタルなユークリッド的物体なら、古典的な指数1／3でスケールするが、こうした生物ネットワークはこのために指数1／4でスケールする。生物は三次元空間を占めているが、その内部の生理機能と組織は四次元のように働く。

よって多くの生物ネットワークが、解剖学的設計もちがうし、使う力学シナリオもちがうのに、断面積保持型の分岐を見せるのは、偶然ではない。生命史のなかでたった一度しか進化していない遺伝子コードとはちがい、第四の追加次元を持つフラクタル型分配ネットワークは、あちこちで何度も生まれたのだ。例えば樹木から海綿動物までの葉、えら、肺、消化管、腎臓、ミトコンドリアの表面積、

そして多様な呼吸器系、循環系の分岐構造などがある。だからこそ、バクテリアのような単細胞生物でさえこれを利用して1／4乗スケーリングを示すのだ。

1／4乗スケーリング則はおそらく、代謝の生化学的プロセス、遺伝子コードの構造と機能、自然選択のプロセスと同じくらい、普遍的で生物固有だ。生命体の大部分が、代謝率では3／4、そして内部時間や距離では1／4に非常に近い指数でスケールする。これらはそれぞれ体積充塡フラクタル型ネットワークの実効表面積と線形次元の最大値と最小値だ。これは、非常に多様な生物の形と機能を生み出すために、このフラクタルを主題にして変化を利用してきた自然選択の力を如実に示している。だがこれはまた、こうしたすべての生命体が一連の共通の1／4乗スケーリング則に従うよう強制する、代謝プロセスへの厳しい幾何学的、物理的制約の証拠でもある。フラクタル幾何学は、文字通り生命に追加の次元を与えてきた。

これとはまったく対照的に、人造の人工物とシステムは、自動車、家、洗濯機、あるいはテレビなど何であれ、性能の最適化にフラクタルの力を使ったものはほとんどない。非常に限られた範囲で、コンピュータやスマートフォンといった機器がこれを活用しているが、人体の仕組みと比べれば実に未発達だ。一方で、都市、そして限定的だが企業といった、有機的に発達してきた人間工学システムは、無意識のうちに自己相似フラクタル構造を進化させ、それがその性能を最適化させる傾向を見せている。これについては第8、9章でさらに論じる。

2．なぜアリ・サイズの小さな哺乳類はいないのか？

理想的な数学的フラクタルは「永遠」に続く。反復的自己相似は、極小から無限に大きいものまで制約なしに無限に続く。だが現実の生命には明らかに制限がある。ブロッコリーは、いずれその自己相似性を失って、内在する組織、細胞、最終的には分子構成の構造と組織があらわになってしまう。関連する問いとして、哺乳類はもはや哺乳類でなくなってしまう前に、どこまで縮小拡大できるのだろう。つまり哺乳類の最大、最小サイズを決定するものは何か？　あるいはそんな制限はないのかもしれない。だったらなぜ、体重わずか数グラムのトガリネズミよりも小さな、あるいは体重一億グラム以上のシロナガスクジラよりも大きな哺乳類はいないのか？

答えはネットワークの細かい性質と、構造物の最大サイズには制限があるという、ガリレオが最初に主張した考えに基づく生理的制約との相互作用にある。ほとんどの生物ネットワークとはちがって、哺乳類の循環系は単一の自己相似フラクタルではなく、二つのちがったフラクタルが混合したものだ。それは血液が大動脈から毛細血管まで流れる過程の、大部分が脈動している交流から、大部分が非脈動性の直流への流れの変化を反映している。血液の大半は交流が支配的なネットワーク上部の血管にあって、代謝率の3／4スケーリング則をもたらしている。

分岐は交流モードから直流モードへと連続的に変化しているが、その移行領域は比較的狭く、その場所（これは毛細血管を基準にどのくらいの分岐で起こるかで示す）は体のサイズとは無関係で、よってすべての哺乳類で同じだ。言い換えればすべての哺乳類で、流れの大半が直流のように一定の非脈動となる分岐レベルは、おおむね同数で一五になる。哺乳類のなかでサイズが大きくなって何が変

わるかといえば、流れが交流のような脈動性である部分のレベル数が増える。例えば、人間では七から八、クジラで約一六から一七、トガリネズミではわずか一か二だ。血管のインピーダンス整合のおかげで、血液をそれらに送り込むために必要なエネルギーは比較的小さいので、それが多いほどよい。心拍出力の大半は、非脈動領域のずっと小さな血管へ血を送り込むのに使われ、そのレベル数はすべての哺乳類でほぼ同じだ。ということで相対的に言って、心臓エネルギーの大半を喰うネットワークの割合は、哺乳類のサイズが大きくなるにつれ減少し、またもや大きな哺乳類が小さな哺乳類に比べて効率的なことがわかる。クジラが細胞一つに血液を供給するために必要なエネルギーは、トガリネズミのわずか一〇〇分の一だ。

さて動物のサイズがどんどん小さくなっていくと想像しよう。するとそれにあわせて、脈動波を保持できるだけの大きさを持つ断面積保持分岐の数は減り、やがてネットワークは直流のような、非脈動交流の血流しか保持できない転換点に達する。その段階に至ると、主動脈でさえあまりに細くてきつくなり、動脈波を保持できなくなる。そのような血管では、血流波は血の粘性によって過度に減衰し、体内に伝搬できなくなって、血流は家の排水管を流れる水のような、完全に一定の直流になる。心臓の鼓動が生み出した脈動波は、動脈に入るとすぐに減衰してしまうことになる。

すると実に異様なことになる。そんな動物は鼓動する心臓を持っていながら、脈がない！　単に異様ではすまず、もっと重要なこととしてインピーダンス整合の利点を完全に失って、大量のエネルギーが循環系のすべての血管で消散するために、非常に非効率的な設計になってしまう。この効率損失は、代謝率のスケール方法に反映されている。計算してみると、この動物の代謝率は古典的な３／４

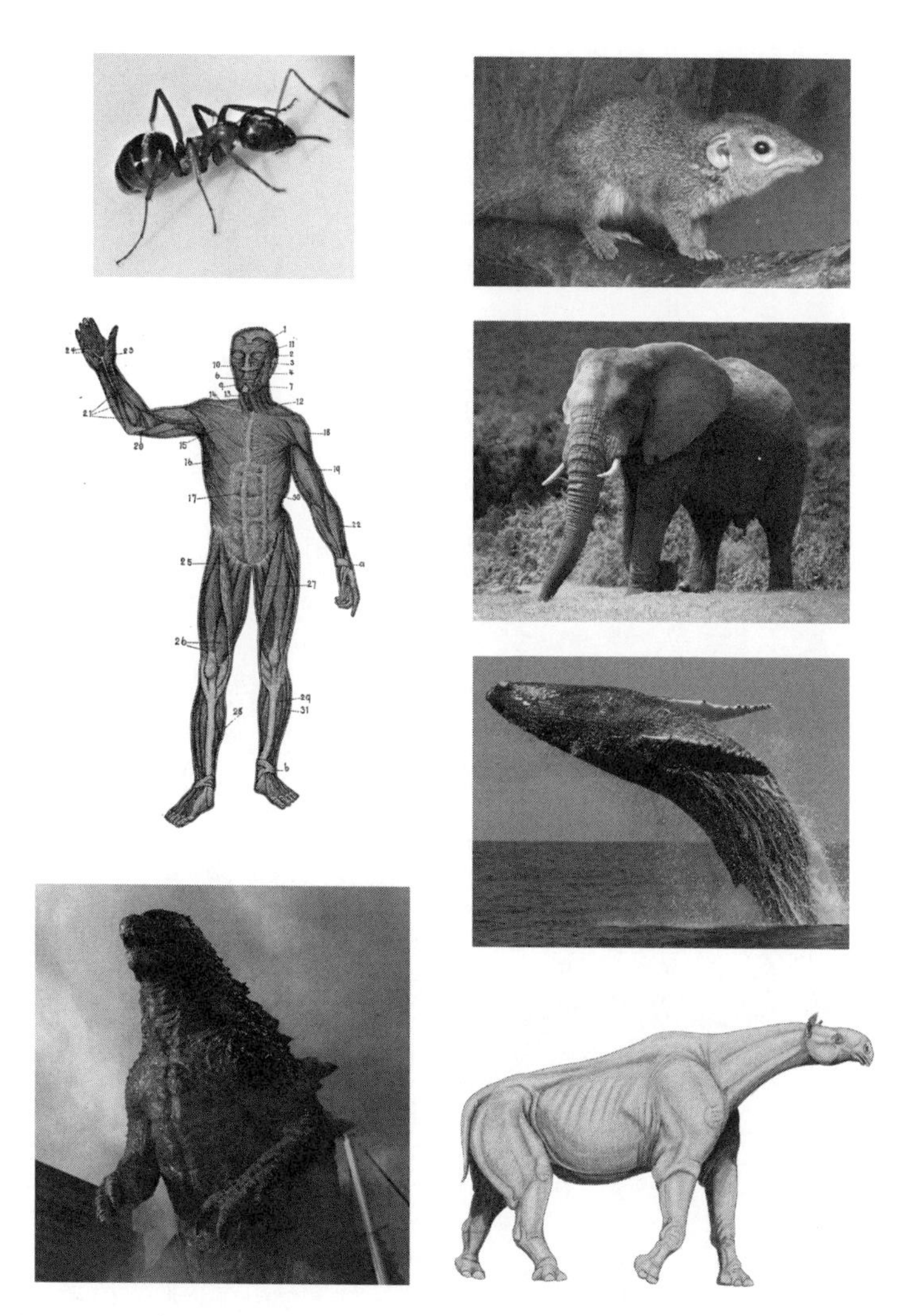

哺乳類のサイズは2gのトガリネズミ（右上）から、20,000kgのシロナガスクジラまで及ぶ。なぜ2mgのアリや200万kgのゴジラ・サイズの哺乳類はいないのか？　右下の動物は2,000kgのパラケラテリウムで、史上最大の陸生哺乳類だ。

乗スケーリング則に従う代わりに、線形スケール——すなわち体重に正比例——しており、規模の経済の優位性を失ってしまう。この純粋な直流の場合、組織一グラムを支えるために必要な力は、サイズにあわせて1／4乗スケーリングで系統的に減らす代わりに、サイズと無関係に同じままだ。その結果、サイズ増大による進化上の優位性はなくなる。

この議論は、循環系が脈動波を最低でも最初の二つの分岐レベルまで保てるだけの大きさを持った哺乳類しか進化できず、それが最小サイズ存在の根本的な理由となっていることを示している。[*3] この理論は、その転換点がどこで生じるか計算する数式を導くのに使える。その実際の値は血液の濃度や粘性、動脈壁の弾性といった一般的な量に左右される。計算してみると、最小はわずか二グラムほどになり、これは最小の哺乳類として知られるエトルリアトガリネズミの体重とだいたい同じだ。この動物は体長わずか四センチメートルで、手のひらに簡単に乗る。その極小の心臓は一分間に一〇〇〇回以上——一秒に約二〇回——鼓動して、人間はおろか、もっと驚いたことにシロナガスクジラと同じ血圧と血流速度で血液を送り出している。そしてこのすべてが、長さわずか二ミリで、髪の毛よりもずっと細い太さ1／5ミリの極小の大動脈を通過する。以前述べたように、この可哀想な生き物の寿命が短いのもむべなるかな。

3．ではゴジラ・サイズの巨大哺乳類は、なぜ存在しないのか？

これはガリレオが挙げた、好奇心をそそる重要な問いの一つだ——もちろん彼はゴジラなどという

怪物を持ち出しはしなかったが。動物の体重は肢の支持力よりも急速に重くなるので、設計、形、素材が同じなら、サイズが大きくなるとその動物は自重で潰れてしまうという、一見単純に思える考えを元に彼の主張が構築されていたことを、第2章から思い出してほしい。これは動物、植物、建物のサイズには限界があり、それが成長と持続可能性の限界を考える雛形だということを的確に示している。

だが実際にこの主張を実装し、動物の最大サイズを定量的に推定するには、ガリレオが思い描いた静的状況を超えた、詳細な生物力学的分析が必要になる。最も大きな力学的圧力は、動作中、とりわけ走っているときに起こる。走るというのは多くの動物にとって、生存に不可欠だ。これまで存在したなかで最大の陸生哺乳類は、現在のサイの祖先とでも言うべきパラケラテリウムで、体長約一〇メートルで体重は二〇トン（二万キログラム）もあった——200ページに絵を示した。最大の陸生動物はおそらく巨大恐竜で、全長二五メートル以上、体重は五〇トンを超えていた。これよりも大きいものがいたような証拠もあるが、骨のかけらしか出土しておらず、構造と骨格についての大幅な推測に基づいている。恐竜のなかには、あまりに大きすぎて、莫大な体重を支えるために、半分水の中で暮らすしかないものもいたという推測さえあるが、しっかりとした裏付けはない。これが事実であろうとなかろうと、サイズの限界を拡大するには、動物は重力の重荷から自らを解放して海に帰る必要があったという推測と、自然につながってはいる。

重力と戦う必要がないなら、ガリレオの主張は意味がなくなり、これまで存在した最大の動物が現在も生きていて、現代人の出現までは、この惑星の広大な大洋で繁栄していたのもうなずける。なか

でも最大なのが巨体のシロナガスクジラで、全長三〇メートル、体重は悪名高いティラノサウルスの二〇倍以上も重い二〇〇トン近くある哺乳類だ。これよりも大きな哺乳類が、今後の進化で現れる可能性はあるか？　確かに海の動物にも、陸生動物同様に生物力学的、生態学的制約が働いている。その莫大な代謝率を支えるのに必要な、膨大な量の食料を得るために、クジラは長距離をかなり速く泳ぐ必要がある。その代謝率は一日ほぼ一〇〇万キロカロリー、あるいは人間のほぼ四〇〇倍に相当する。水棲生命体の最大サイズを定量的に決めるために、これらの制約を数学と物理学に取り込むのは、陸生動物の場合よりもずっと困難で、信頼できる推定値はまだない。

だがこれから示すように、最大サイズには生態的なバイオメカニクスを超えたさらなる制約がある。すべての細胞に十分な酸素を供給するという根本的必要性から生じた制約だ。だからこれはネットワーク供給システムの形状と力学に左右される。これを使って最大ボディサイズをざっと推定する手法を示すために、単純化した議論で説明しよう。

ネットワーク理論の専門的な結果として、毛細血管など端末ユニット間の平均間隔は、体重に対して指数１／12（＝0.0833……）のべき乗でスケールする。これは他に類を見ない小さな指数で、体の大きさに対して非常にゆっくりと変化するということだ。サイズ増大と共にネットワークがきわめて徐々に広がって、まばらになるわけで、実際にそうなっている。例えば、巨木の上部は小さな木よりも広がっているし、葉の平均間隔はこれに伴いサイズに応じて非常にゆっくりと増大する。同様に、シロナガスクジラはトガリネズミよりも一億（10^8）倍重いが、毛細血管の平均間隔はわずか（10^8）$^{1/12}$＝4.6倍ほどしかない。

毛細血管は細胞に奉仕するので、ネットワークの間隔が開くということは、サイズの増大と共に隣りあう毛細血管間にある、奉仕すべき組織がどんどん増えるということだ。よって平均すると、各毛細血管は系統的に奉仕する細胞が増える。これは以前論じた規模の経済拡大のもう一つの表れだ。だがこれには限界がある。不変ユニットである各毛細血管は、決まった量の酸素しか供給できない。だから単一の毛細血管でまかなうべき細胞集団が大きくなりすぎると、一部はどうしても酸素が足りなくなる。専門的には「低酸素状態」と呼ばれる状態だ。

細胞への供給のため、酸素が毛細血管壁を通って組織の中へと拡散する物理現象に、一〇〇年以上も前に初めて定量的に取り組んだのが、デンマークの生理学者アウグスト・クローグで、彼はこの研究によりノーベル賞を受賞している。細胞があまりに離れると、維持に必要な酸素が十分残らなくなってしまうから、酸素を拡散できる距離には限界があることに彼は気がついた。この距離は最大クローグ半径と呼ばれる。これは毛細血管の全長を取り囲むさや状の想像上の円筒の半径で、そこにまかなうべき細胞がすべて含まれる（参考までに、毛細血管は長さ約〇・五ミリメートルで、これはその直径の約五倍だ）。これをもとに、毛細血管の間隔が大きくなりすぎて重篤な低酸素を起こさずに、どこまで大きくなれるか計算できる。これによると最大サイズ推定値は約一〇〇トン（訳注／原文はキロ、おそらくまちがい）で、最大のシロナガスクジラとほぼ同じだ。どうやらこれが哺乳類の限界らしい。

毛細血管と細胞の接点の巧妙さが持つ他の重要な意味合い、例えば成長、老化、それに続く死への影響を探る前に、ゴジラ問題に少しだけ戻ろう。これまでの議論から、もしもゴジラが生命圏の他の

生物と多少なりとも似ているなら、やはり想像上の存在でしかあり得ないのは明らかだ。もしもゴジラがガリレオ流に自重で潰れないとしても、その細胞の大半に酸素を供給できないから、生きられない。もちろん、スーパーマンのようにまったく別の材料でできていて、そのためにゴジラは映画で描かれているように機能できて、自立と可動性に関わる莫大な圧力を支えられるし、体内ネットワークがその細胞らしきものに十分な栄養を供給できるのかもしれない。

これまで論じてきた考えを使い、ゴジラが私たちと同じように機能するために、そのゴジラの構成材料がどんなものでなければならないか推定できる。例えば、ゴジラが機能するために必要な肢の圧縮強度、「血液」の粘性、組織の弾力性の見積もりはできる。だがそれをやってみても、あまり役に立ちそうには思えない。複雑な適応系だから、パラメーターや設計を少しでもいじったら、まったく意図せぬ結果が生じかねず、あまり意味がなさそうだからだ。そんな獣でも生存可能と考える前に、無数のあらゆる相互接続性と、そのような変化がもたらす細かい結果について、かなり慎重かつ幅広く考える必要がある。これはＳＦを支配する他の設計やシナリオについて恣意的な想像をする際に、通常は無視されている課題で、無視せざるを得ないのもわかる。それでも、事実や科学の制約を受けない空想は、想像の素晴らしい訓練になり得るし、場合によっては私たちの抱える大きな問題についての、創造的でとっぴな考え方を刺激する。つまり空想するなというのではなく、何であれやたらに結論にとびついたり、その空想を実行に移したりする前に、科学的事実について留意しておこうということだ。

ジャーナリストからゴジラの体重、睡眠時間、歩行速度などの様々な特性について尋ねられたとき、

私はお堅い専門家然として、科学者なら誰でも知っているように、ゴジラは生存できない、話はそれでおしまい、と即答した。だが人の楽しみを潰してよろこぶ、おたくの親玉にはなりたくなかったので、根本的な科学を無視して、アロメトリック・スケーリング則に沿って、ゴジラが動物の一種でしかないと仮定した場合の生理学的、生活史的特徴について計算してみようと伝えた。根本的に筋の通らない話ではあるが、やってみるとおもしろい頭の体操になった。ではゴジラの「事実」について述べておこう。

最新版ゴジラは全長一〇七メートル、重さに換算すると約二万トンで、最大のシロナガスクジラの約一〇〇倍だ。この巨大な組織全体を維持するには、代謝率約二〇〇〇万キロカロリーに相当する、二五トンの食料を毎日食べる必要がある。これは人口一万人の小さな町が必要とする食糧だ。重さ約一〇〇トン、直径約一五メートルの心臓は、二〇〇万リットルの血液を体の隅々まで送り込む必要がある。しかしそれと平衡させるために、心拍数は毎分わずか二回強、私たちと同じ血圧を保っている。ちなみに大きさで言えば、心臓だけでシロナガスクジラまるまる一頭分に相当する。この膨大な量の血液が流れる大動脈は直径約三メートルで、人が楽にその中を立って歩ける。ゴジラは寿命最長二〇〇年、一日の睡眠時間は一時間以下だ。相対的に言うと、その脳は体重の〇・〇一パーセント以下で、人間の約二パーセントに比べてとても小さい。だからといってゴジラがバカだということではなく、すべての神経、生理機能の実行にそれだけしか必要ないということだ。その生活のあまり芳しいとはいえない部分として、ゴジラは一日あたり小さなプールの水に相当する約二万リットルのおしっこを排出する必要があり、まるまるトラック一台の積載量にあたる約三トンのうんちをする。ゴジラ

の性生活の推測は、ご想像におまかせする。

ゴジラの歩行、走行速度の推測は、そういった動物につきものの生物力学的矛盾が原因で、さらに憶測だらけとなる。だが他の動物からそのまま推定すると、歩行速度は控えめに見積もって時速約二九キロメートルで、ゴジラが攻撃的になれば、普通の人間が逃げるのはかなり難しい。しかしこれで、すべての大きな問題点が浮き彫りになる。その脚の直径は約二〇メートル、大腿部はさらに太くておそらく三〇メートル近くになる。つまり潰れないためには、ゴジラの体の大半が脚になってしまうから、今のデザインは実現不可能だ。さっき強調したように、このような大きさの動物が進化するには、新しい材料とおそらく新しい設計原理が必要になる。

自然選択がすでにこの壮大な進化過程に着手しており、そのような巨大「生命体」を設計させるために、まずは十分に知的な存在として人間を選択したのだ、と考えることはできる。なんといっても地球には今や、その「自然」界よりも著しく大きい「樹木」、「鳥」、「クジラ」が存在する——私たちはそれらを摩天楼、飛行機、船と呼んでいる。ただし、いまだに恐竜よりも大きな動く陸生「動物」は進化させられずにいる。その一方で、人間を含むどんな「自然」生命体よりも、早く移動、計算、記憶する「生命体」を創り出した。それが成功しすぎて、人間ができることなら何でも代わりにできるサイボーグを創り出しつつあると多くの人が信じているほどだ。この驚くべき成果にもかかわらず、それらすべて、これまでのところせいぜい自然界の祖先のできの悪い模倣にすぎない。多くの人は、たとえそれらが多くの特徴を従来の生命と共有していても、それらを「生命体」と呼ぶべきかどうかさえ疑問視するだろう。

だが、人間のある発明はこのプロセスを通じて進化してきたもので、従来の自然選択がこれまで生み出してきたものに匹敵する。それが都市だ。都市は明らかに有機性を持ち、従来の生命体と多くの共通点がある。代謝、成長、進化、睡眠、老化、疾病、損害、自己修復などだ。一方で、ほとんど繁殖せず、簡単に死ぬこともない。加えて、サイズは架空のゴジラと比べても、桁外れに大きい。ゴジラは全長せいぜい一〇〇メートル単位で、一日二〇〇〇万キロカロリー、あるいは一〇〇万ワットしか代謝しないのに対し、ニューヨークは幅二四キロメートル以上で、代謝も一〇〇億ワットを優に超える。この意味で、都市はこれまで進化したなかで最も驚くべき規模の「生命体」だ。第7章と第8章は、「自然」に進化した生命体とのちがいを含む、都市の幾つかの特質についての理解に充てる。これをもたらした、新しい材料と設計原理は何だろう?

4. 成長

誰でも成長のことは知っている。みんなそれをきわめて個人的なレベルで経験したし、自然の不可欠で普遍的な特質と認識している。だがそれを、典型的なスケーリング現象として考えるのは、あまり馴染みがないはずだ。すでに述べたように、種を超えた生命体特有のスケーリングを説明するときに使ってきた「アロメトリック」という言葉は、ジュリアン・ハクスレーが種内部における成長によって、そのような特質がどう変化するかを説明するために作った用語だ。生物学者は個体発生、「オントジェネシス(ontogenesis)」という言葉を、卵子の受精に始まって誕生を経て成熟へと向かう、

成長中の個体内で起こる発達過程を表すのに使う。この言葉の「*onto*」という部分はギリシャ語の「存在」という言葉から来ていて、「*genesis*」は「起源」を意味するので、オントジェネシスやオントジェニー（ontogeny）は、私たちがどうやって今の自分になったかを研究するという意味も含まれる。

成長は、エネルギーと資源の絶え間ない供給がなければ起こらない。食べて、代謝し、代謝エネルギーがネットワークを通じて細胞に運ばれ、そこで一部が修復と維持にまわされ、一部は死んだものと置き換えられ、一部が新しい細胞を作り出して、それが全体のバイオマスに加えられる。この一連の出来事は、211ページの図で記号化したように、生命体、都市、企業、果ては経済であろうと、あらゆる成長の起こり方を示す雛型だ。大まかに言うと、入ってくるエネルギーと資源は、一方で様々な保守と修繕に分配され、もう一方で細胞、人、インフラといった新しい存在の創造に割り振られる。これはエネルギー保存則の表明に他ならない。入ってきたものは何であれ、作用して生み出すものの様々なカテゴリーへの割り振りとして計上しなければならない。二つの大分類の下にはっきり組み込めたり、もっと適切な場合には独立に扱ったりする、繁殖、運動、廃棄物の産出といった、活動のサブカテゴリーがある。

人生でときどき不思議に思う、人間の成長パターンで興味深いことの一つは、なぜ私たちは、人生を通じて食べ続け、代謝し続けているのに、最終的に成長を止めてしまうのかというものがある。相対的に安定したサイズに達すると、生命体の一部のように、さらにどんどん組織を足して成長を続けないのはなぜか？　もちろん、加齢、あるいは食生活やライフスタイルの変化に伴うもの、そして私

たちの多くが神経質になる体重増加、あるいは腹が出てくるといった、それほど劇的ではないもっと小さなサイズと形の変化はあるが、これらは出生に始まって成人すると終わる、「個体発生成長」という基本問題ほどは重要ではない。ここではこれら副次的でより小さな変化のどれも取り上げないが、これから論じる枠組みは、原理的にはそれらにも当てはまり得る。

かわりに個体発生成長に専念して、生命体の年齢変化に伴う重量変化が、ネットワーク理論から自然に導かれること、とりわけ人間が成長を止める理由を説明できることに焦点を絞ろう。*4 すべての哺乳類などの動物は、ヒトと同じ成長軌跡をたどる。生物学者はそれを魚、草花や樹木に典型的に見られる、成長が死ぬまで無限に続く「無限成長」と区別して、「限定成長」と呼んでいる。これから示す理論は一般原理に基づいているので、どちらの種類の成長も説明できる統一的な枠組みとなる。以下では主に限定成長に話をしぼるが、データと分析結果を見ると、無限成長する生命体は安定サイズに達する前に死ぬのだという考えも立証していると言っていいだろう。

代謝エネルギーの供給は、既存細胞の維持と新細胞の創造に割り振られるので、新組織創出に使われるエネルギーの割合は、代謝率と既存の細胞維持に必要な割合の差にすぎない。この後者は、既存の細胞数にそのまま比例し、よって生命体の重さと共に線形に増えるが、代謝率は指数3／4乗の線形未満で増える。これらサイズ増加に伴う両者のスケール差は、成長で中心的役割を果たしているから、ここでそれがどんな意味合いを持っているか確実に理解してもらうために、その論点を示す単純な例を挙げよう。生命体のサイズが二倍になったとしよう。細胞数は二倍になり、その維持に必要なエネルギー総量も二倍になる。だが代謝率（エネルギー供給）は $2^{3/4}=1.682$ 倍にしかならない……こ

流入代謝エネルギー

↓

維持（修復と置換）

＋

新たな成長

代謝エネルギーが全般的維持と新たな成長に割り振られる成長過程の、エネルギー収支を図式化した方程式。

れは2よりも小さい。維持に必要なエネルギーは供給可能な代謝エネルギー量よりも速く増えるので、成長に利用可能なエネルギー量は系統的に減り、最終的にゼロになって、成長が止まる。つまり人間の成長が止まるのは、サイズ増大につれて維持と供給のスケールが一致しないからだ。

状況をもっと機械論的に理解してもらうために、もう少し解きほぐしてみよう。代謝率が線形未満の指数3／4乗でスケールするのは、ネットワークのヘゲモニーのせいだったことを思い出そう。さらに、ネットワークのすべての血流は、最終的にすべての毛細血管を通り、毛細血管は個体発生の間の各個体でも、またどの種で変わらないため（毛細血管は、ネズミ、ゾウ、そ

してその赤ん坊でも子供でも人間の大人とほぼ同じだ)、その数もまた指数3／4乗でスケールする。だから生命体が成長してサイズが大きくなると、各毛細血管は系統的に1／4乗スケーリングに従って、もっと多くの細胞に奉仕するしかない。成長を支配し最終的にその停止をもたらすのは、毛細血管と細胞間の重要な境界における、この不均衡だ。供給ユニット数が顧客(細胞)数増大による需要に追いつけないのだ。

これらすべては数式で表せるし、それを解析的に解けば、年齢と共にサイズがどう変化するかを予測するコンパクトな式ができる。それを使えば、なぜヒトは生まれてすぐに急成長を始め、次第に減速して、最終的に停止するのか、定量的に説明できる。成長方程式の素晴らしい特質のひとつは、それが平均総細胞数、細胞の作成に必要なエネルギー量、代謝の全般的なスケールといった、種を超えたごく少数の「普遍」パラメーターにしか依存していないことだ。これらがあらゆる動物の成長曲線を規定している。図15～18はそのような予測の見本で、似たようなパラメーターを持った同じ方程式によって、多種多様な動物(この場合、哺乳類二種、鳥、魚)の成長曲線が予測され、それが実際のデータとよく一致していることを示している。

成長の普遍性は、この結果を第2章で紹介した無次元量で表現すると、明確に示せる。無次元量は、測定単位に依存しない、スケール不変の変数の組み合わせだった。単純な例は二つの質量比で、これは単位がポンドであろうとキログラムであろうと値は同じだ。すべての科学法則は、こうした量の関係で表現できると強調した。だから図15～18のように、量が単位(この場合キログラムと日)によって変わるような、単なる年齢に対する重さのグラフ化ではなく、無次元質量変数を、適切に規定した

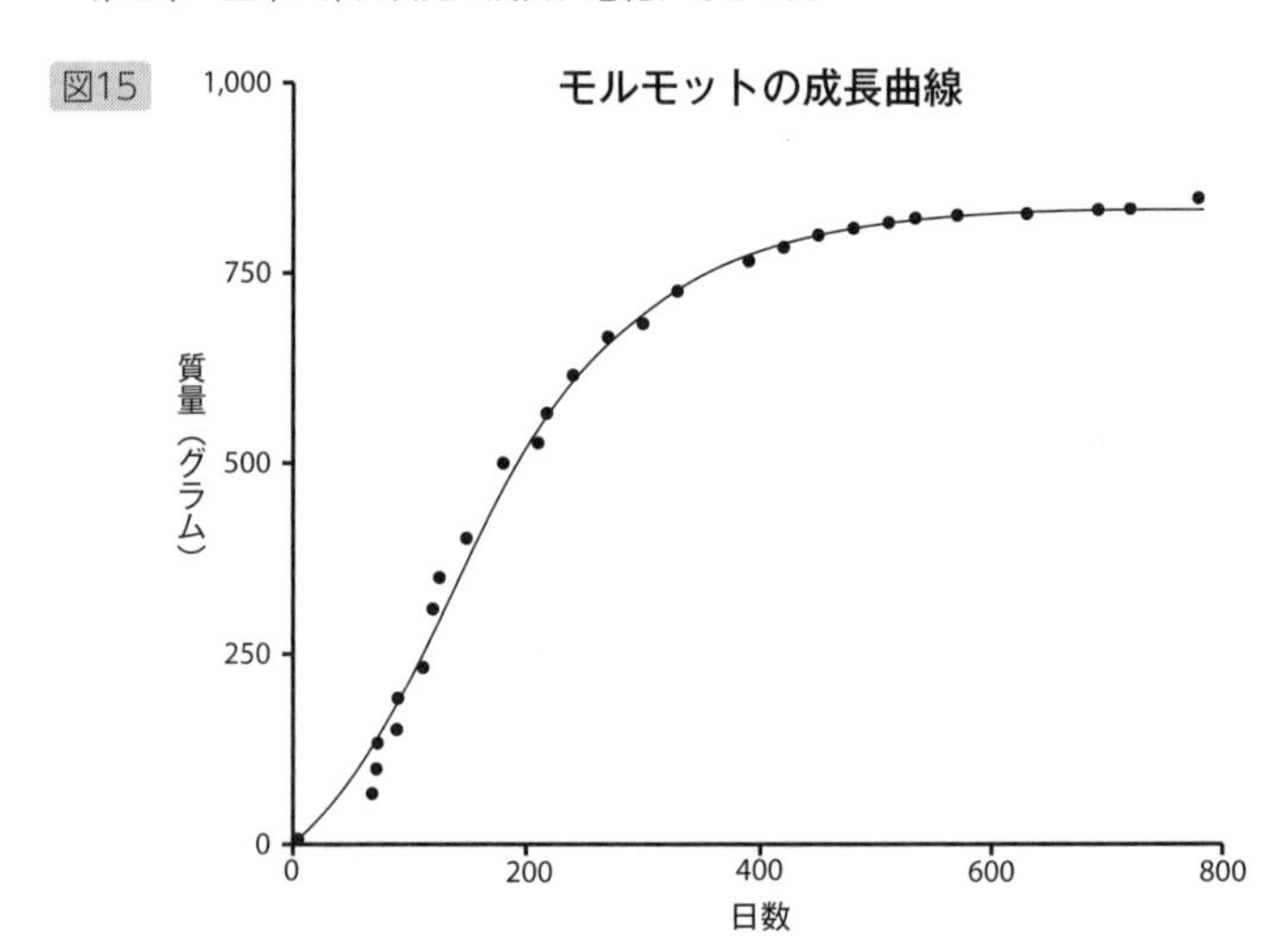
図15
モルモットの成長曲線
質量（グラム）
1,000
750
500
250
0
0
200
400
600
800
日数

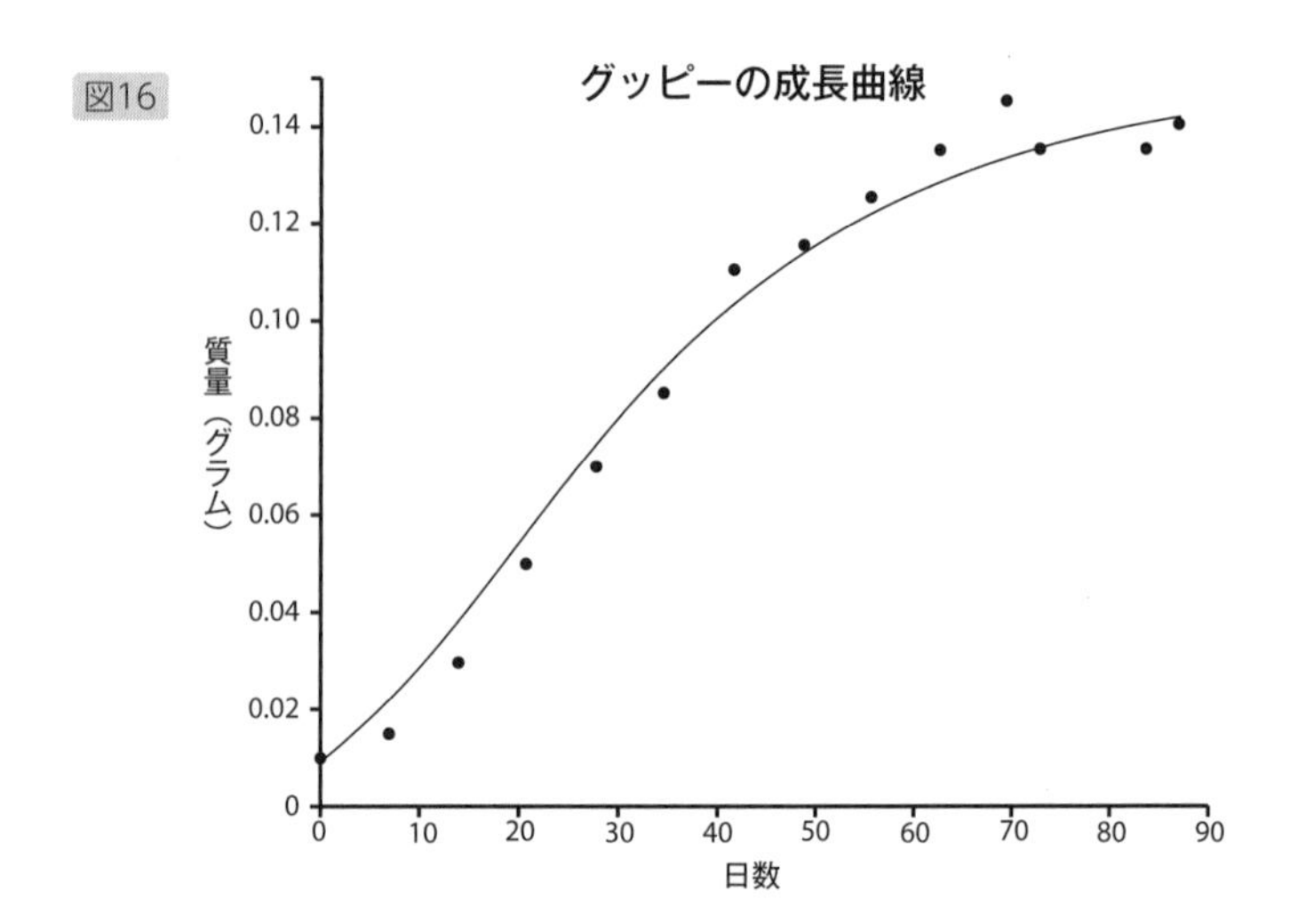
図16
グッピーの成長曲線
質量（グラム）
0.14
0.12
0.10
0.08
0.06
0.04
0.02
0
0
10
20
30
40
50
60
70
80
90
日数

図17

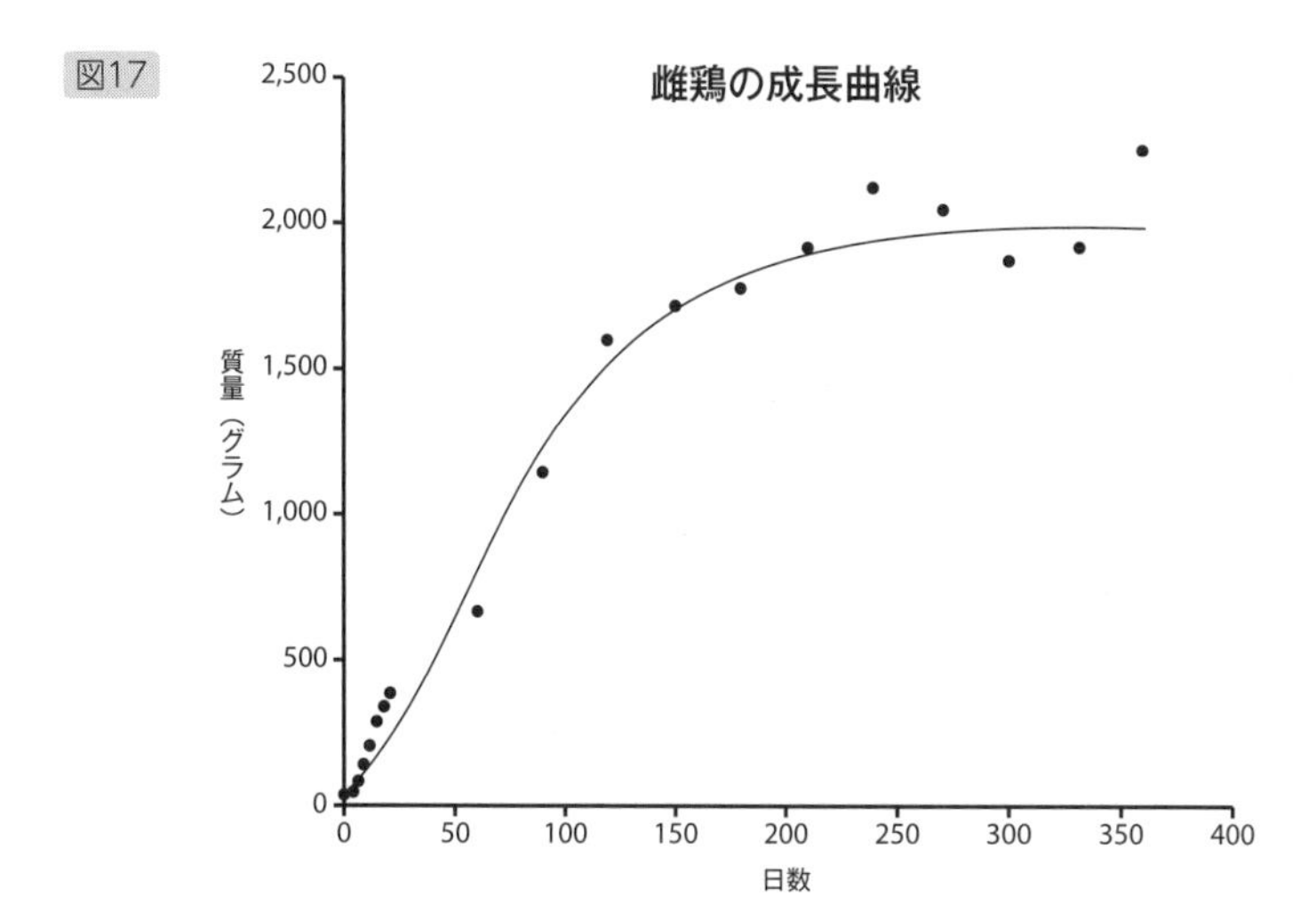

図18

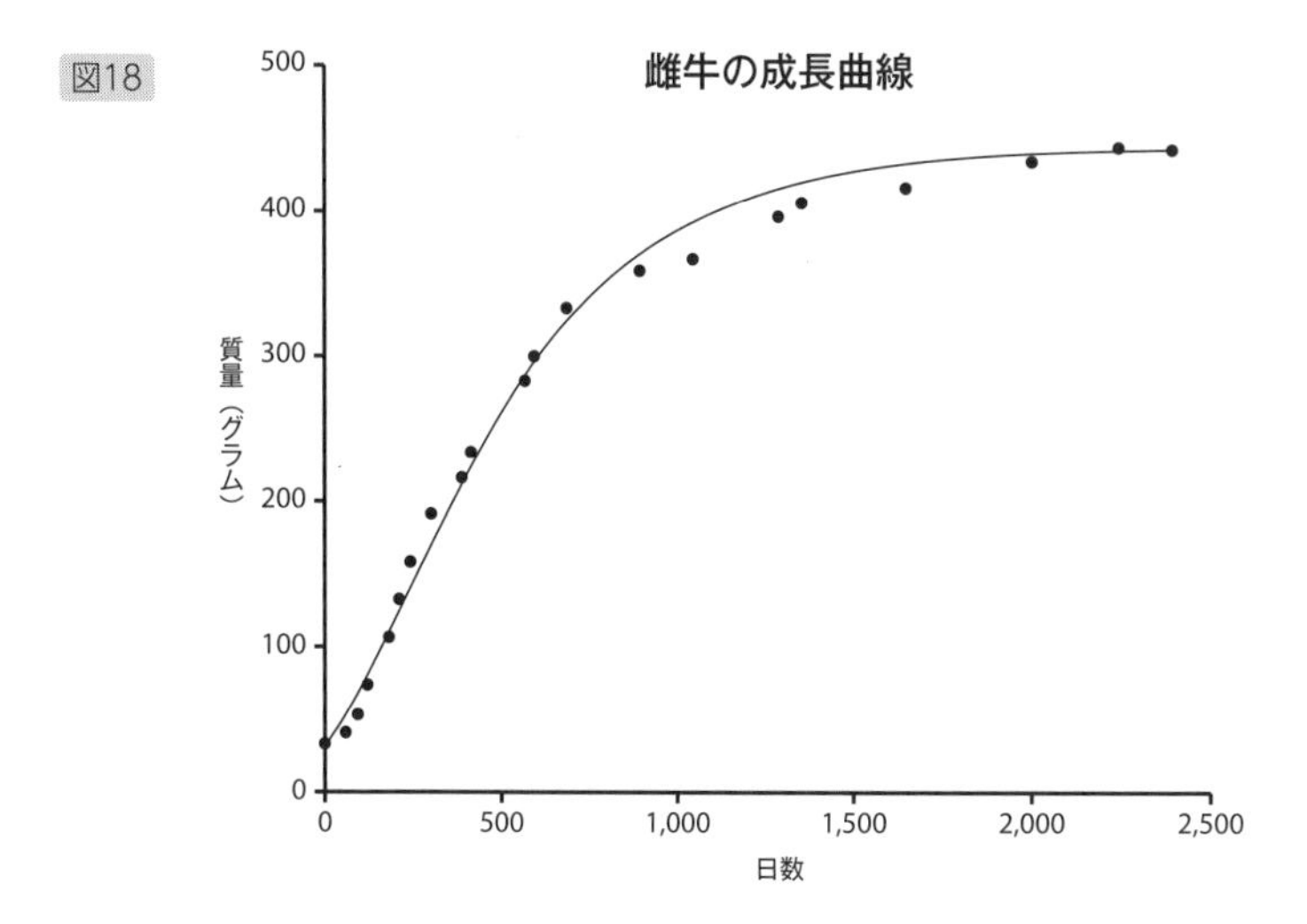

動物何種類かの成長曲線は、年齢と共にその重量が増え、成熟してやがて成長が止まることを示している。実線は本文で説明した一般理論による予測値を示している。

無次元時間変数に対してグラフ化すれば、すべての動物に当てはまるスケール不変曲線を描ける。こうした無次元量を定義する、実際の変数の数学的組み合わせは、理論で決まり、原論文に載っている。**よってこれらの無次元の組み合わせで書くと、すべての動物の成長曲線は単一の一般曲線にまとまる。**このレンズを通して見ると、すべての動物は図19〜21に示したように、同じ成長の軌跡をたどる。この理論を使うと、動物の空間、時間的次元をスケールしなおす方法がわかるので、それをやればすべてが同じ速度で同じように成長しているように見える。哺乳類、鳥、魚、甲殻類など、まったくちがう身体設計と寿命を持った多様な成長軌跡の幅広い標本が、理論的に数学的形状が予測された単一の曲線にまとまる。ご覧のようにこれはデータによって見事に裏付けられ、すべての動物の個体発生の根底にある、隠された共通の特徴と統一性を明らかにしている。そして理論がその理由を教えてくれる。成長は、まず何よりも細胞へのエネルギー供給によって決まり、これはネットワークのデザインを超えた普遍的特質に制限されているからだ。この理論は成長についての各種側面を導出できるが、なかでも代謝エネルギーの維持と成長への配分が年齢と共にどう変わるかを予測する。生まれたときはほぼすべてが成長に充てられ、維持への割り当ては相対的に小さいが、成熟が終わるとそのすべてが維持、修復、置換に充てられる。

この理論は拡張され、腫瘍、植物、昆虫、森林[*5]とアリやハチなど社会性昆虫コミュニティ[*6]の両方の成長を理解するために使われている。この後者への応用は、都市や企業といった人間組織の成長についての考え方の先駆となる。これについては第8章、第9章で考えよう。こうしたまったくちがう様々な系は、成長方程式の一般的なテーマ構造の変種を表している。例えば、腫瘍は寄生して、宿主

図19

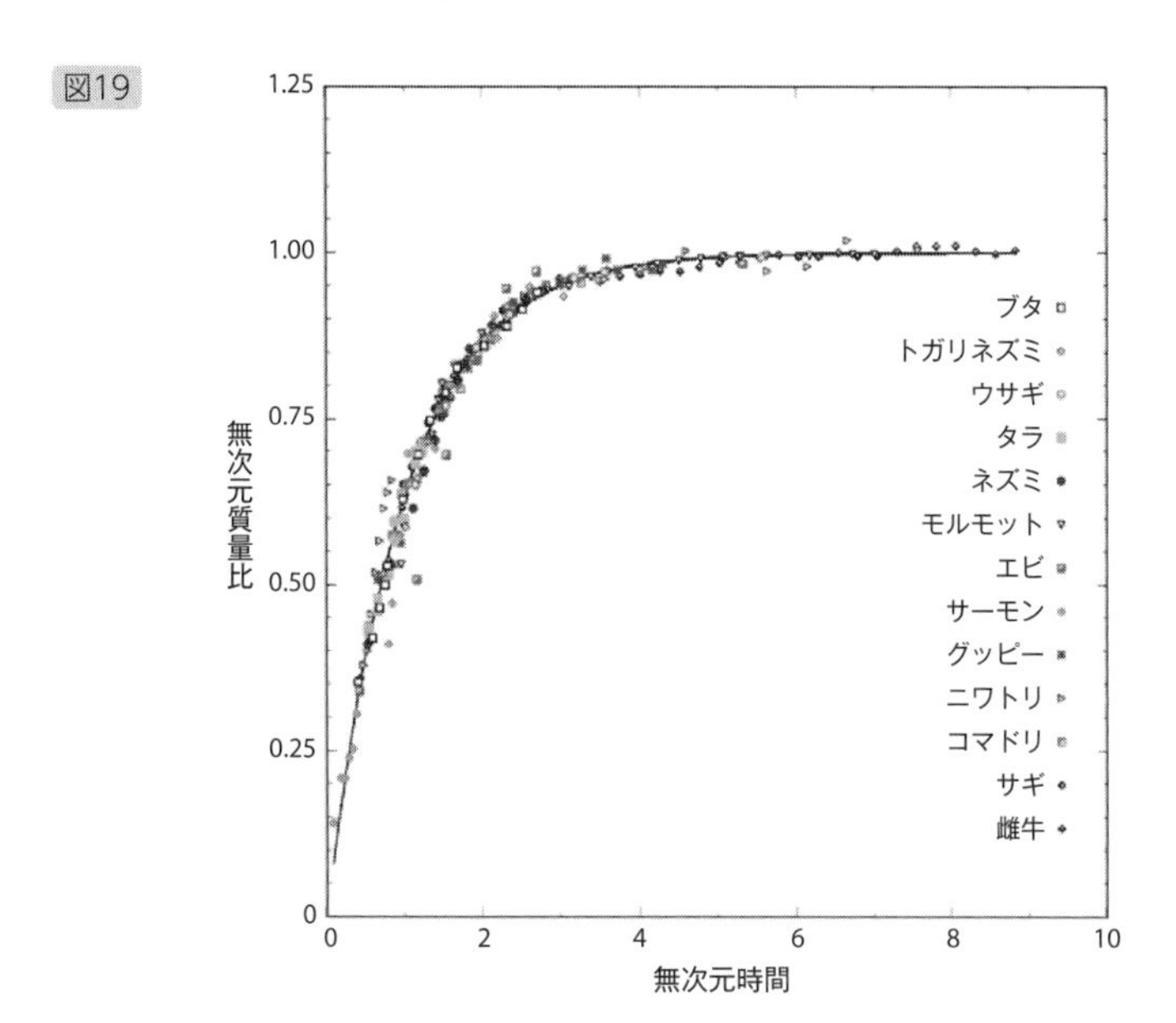
1.25
1.00
0.75
0.50
0.25
0
無次元質量比
0
2
4
6
8
10
無次元時間
ブタ
トガリネズミ
ウサギ
タラ
ネズミ
モルモット
エビ
サーモン
グッピー
ニワトリ
コマドリ
サギ
雌牛

図20

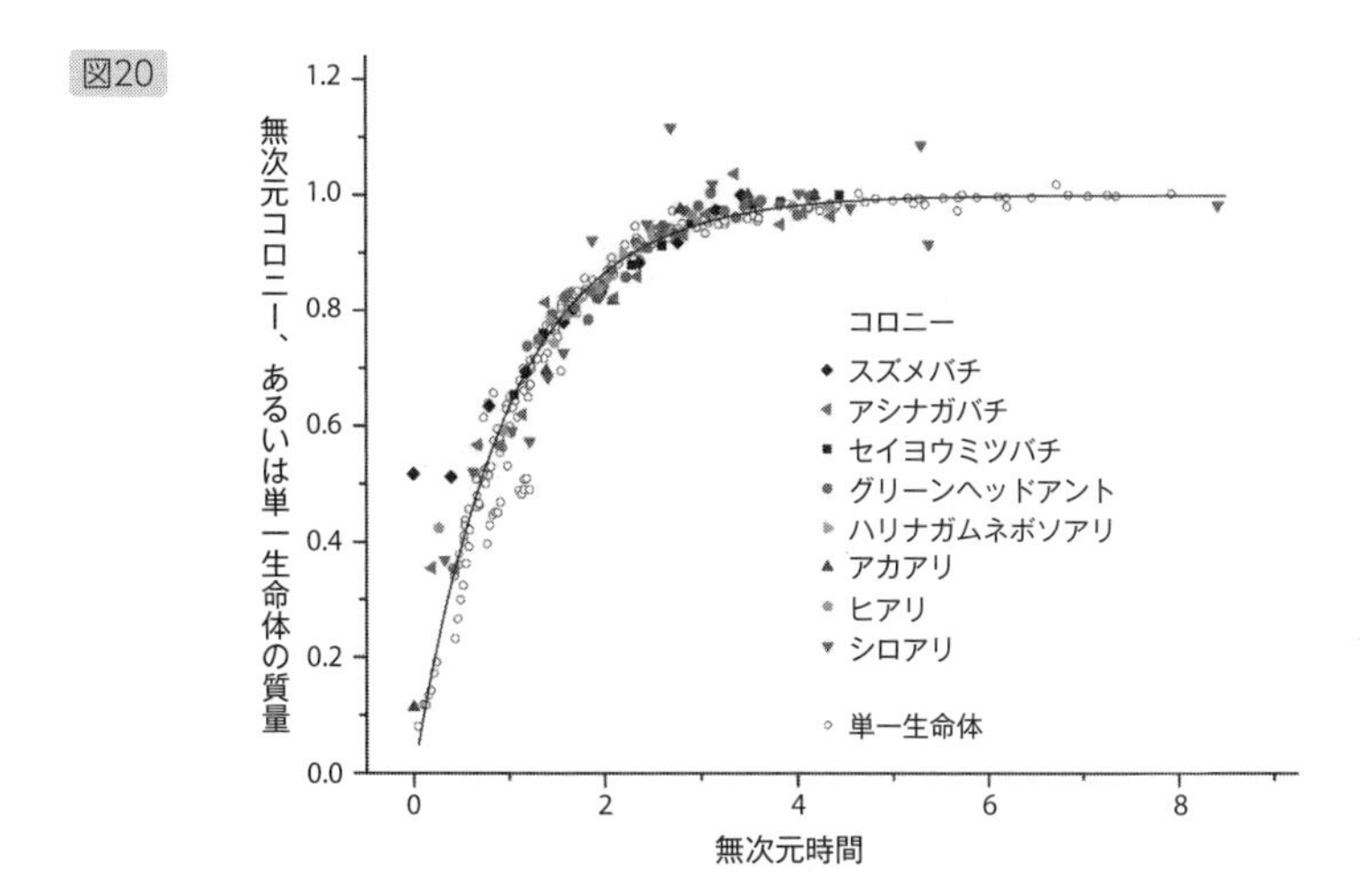
1.2
1.0
0.8
0.6
0.4
0.2
0.0
無次元コロニー、あるいは単一生命体の質量
0
2
4
6
8
無次元時間
コロニー
スズメバチ
アシナガバチ
セイヨウミツバチ
グリーンヘッドアント
ハリナガムネボソアリ
アカアリ
ヒアリ
シロアリ
単一生命体

図21

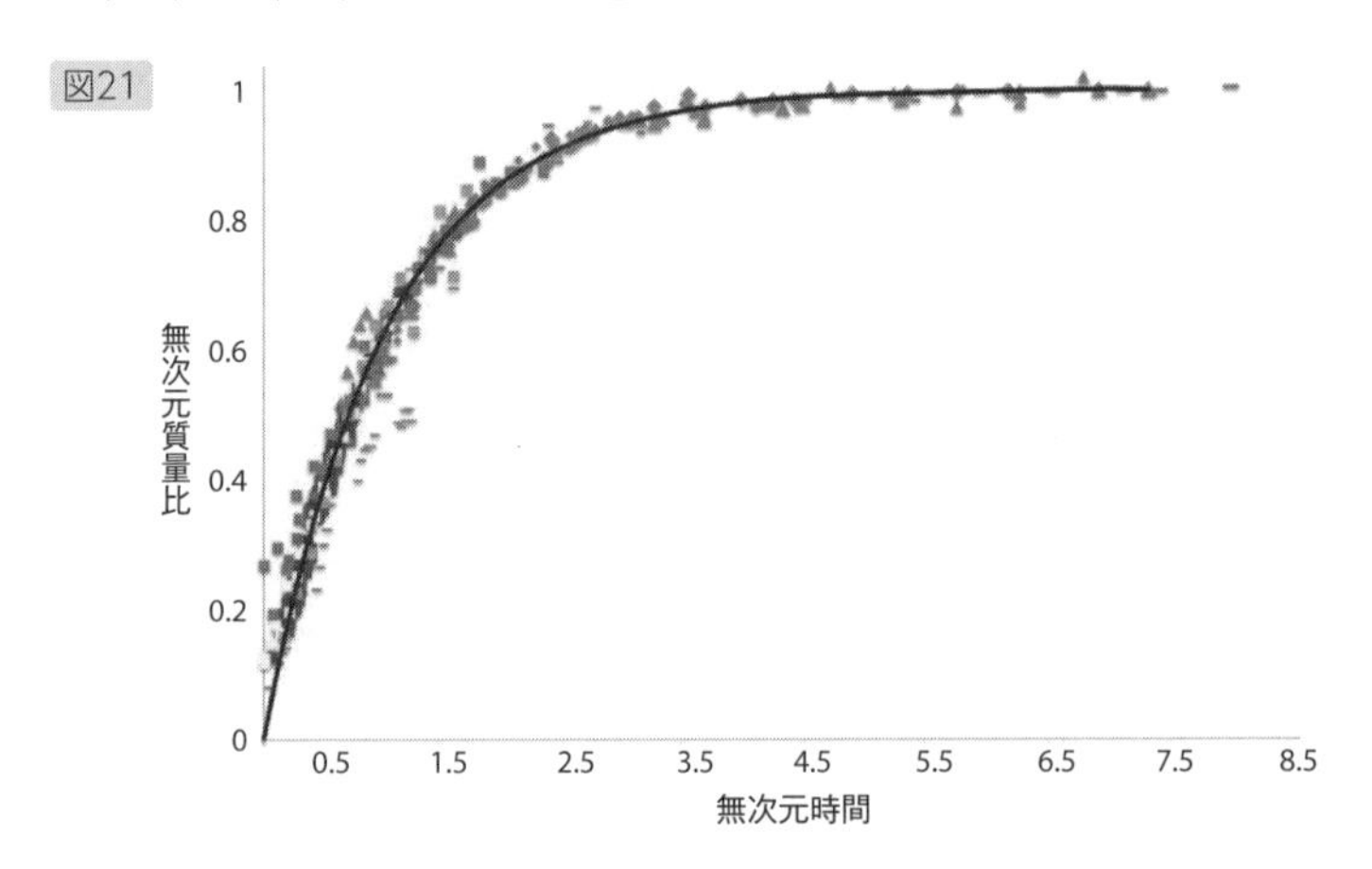

図22

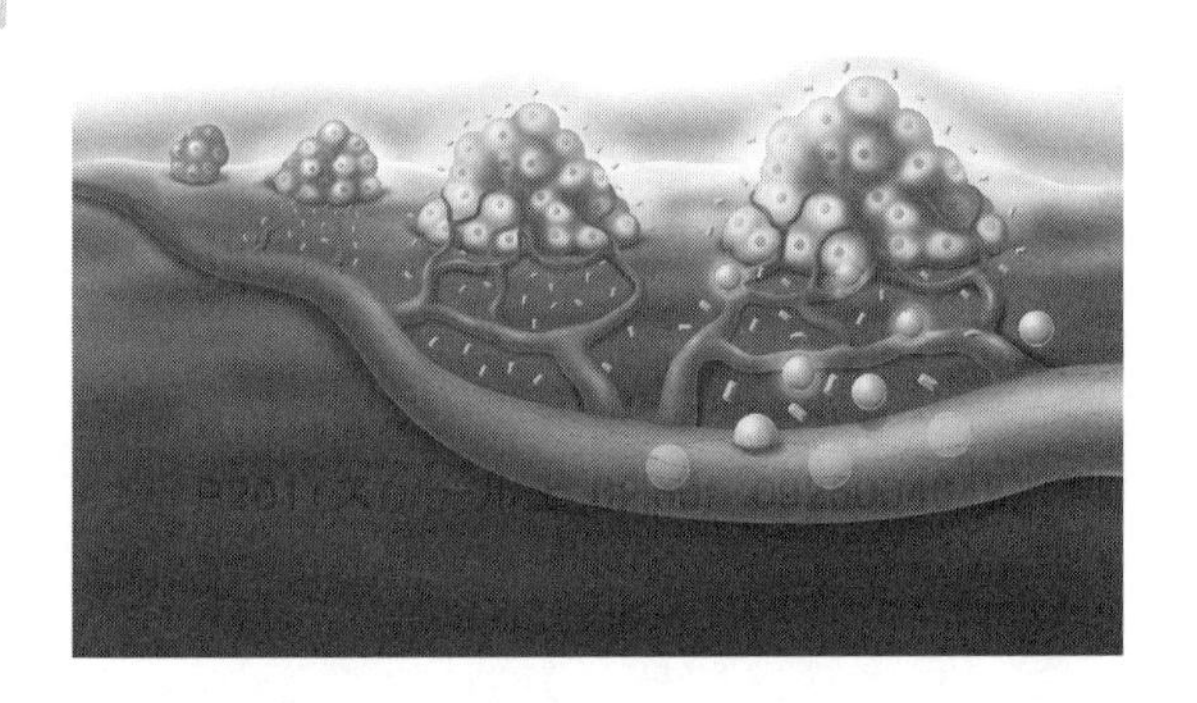

グラフを適切にスケールしなおすと、すべてが同じ速度で同じように成長していることがわかる。座標軸の実線も、理論から導出した推測値を示す実線も、三つのグラフすべてで一致している。（図19）鳥、魚、哺乳類の標本。（図20）昆虫と社会性昆虫コミュニティの標本。（図21）は（図19）と同じデータに腫瘍の標本を加えたもの。（図22）腫瘍ネットワークが宿主のネットワークからどのように栄養を得るかの図解。

から得た代謝エネルギーを成長のために使うので、それらの血管系と代謝率は、腫瘍自体のサイズだけでなく宿主のサイズにも左右される。[*7] これを理解すれば、マウス実験の結果を人間にスケールアップできるし、その基本的な性質だけでなく、治療の可能性についての洞察も得られる。[*8] これに対して樹木は、大きく成長すると物理構造の中で枯れた部分が増え、それは代謝エネルギーには関わらないが、力学的安定性に重要な役割を果たすという問題がある。[*9] 図19〜21は、これらすべてが程度の差こそあれ、普遍的な成長方程式に従っていることを示している。

理論との全般的一致は、実に嬉しい。だがそれにも増して、私はこのレンズを通じて明らかにされた、生命の類まれな統一性と相互接続性が、バールーフ・デ・スピノザが言う汎神論的な意味で、高揚させてくれるものだと感じている。アインシュタインはこう記している。「スピノザの追従者である私たちは、存在するすべての素晴らしい秩序と法則性のなかに神を見いだし、そして人と動物の中の法則性が明らかにされるにつれて、その魂にも神を見いだす」。[*10] 信念体系に関係なく、自分たちを取り巻く不可解で無秩序な世界の小さな一片でも、その驚異的な複雑性と見かけの無意味さを超えた、規則性と原理に従っているのだという認識には、何か至高の壮大さと力づけられる何かがあるのだ。

以前論じたように、成長理論のような分析モデルは、複雑な現実を意図的に過度に単純化したものだ。その効用は、自然の仕組みの基本的本質をどのくらい捉えているか、どのくらいそれらの仮定が妥当で、理論がしっかりしていて、そして単純性か説明力がどのくらいあって、内部の整合性が観察結果と一致しているかで決まる。理論は意図的に簡略化されているので、現実の生命体がモデル予測から多少なりとも外れるのは仕方ない。図19に見られるように、驚くほど良好な一致ぶりで、理想化

された成長曲線から大きく逸脱した重要な外れ値は比較的少ない。霊長類であるヒトもその外れ値の一つだ。例えば、体重からすると、私たちは「あるべき」期間よりも、成熟にかかる時間が長い。これは私たちが、純粋に生物的存在から高度に社会経済的な生物に急速に進化した結果だ。ヒトの実効代謝率は、本当に「生物的」動物だったときに比べて一〇〇倍も大きく、これはヒトの最近の生活史に非常に大きな影響を及ぼしている。私たちは成熟にかかる時間が長く、子孫は少なく、長生きするが、それはすべて社会経済活動によって効率的に上昇した代謝率と定量的に一致している。この人類史の魅力的な発達についてては、この考えを都市にどう適用するかを論じる際に戻ろう。

この節の重要なメッセージは、**線形未満スケーリングと、それに伴う最適化するネットワーク能力で生まれた規模の経済が、限りある成長とライフ・ペースの系統的減速をもたらす**ということだ。これが生物学を支配する力学だ。これが果てしない成長と加速するライフ・ペースにどう変換されたのか、そしてヒトの「社会」代謝率の途方もない増大とどう関係するかについては、第８章と第９章の焦点となる。

５．地球温暖化、気温の指数関数的スケーリング、そして生態系の代謝理論

ヒトは恒温動物、つまり体温がほぼ一定なので、生命のすべてに温度が非常に大きな役割を果たしていることを忘れがちだ。私たちは例外なのだ。今になってやっと、地球温暖化により、自然界と環境が温度の小さな変化にいかに敏感か、そしてそれがいかに脅威をもたらすか認識し始めた。恐ろし

いのは、この温度への感度が「指数関数的」だということを認識している人が、科学者のなかにさえほとんどいないことだ。この感度の原因は、あらゆる化学反応速度が温度に指数関数的に依存しているせいだ。前章で、代謝が細胞内のATP分子生産に由来していることを示した。だから代謝率は温度に対して、体重に対する場合のようなべき乗則ではなく、指数関数的にスケールする。代謝率——エネルギーが細胞へ供給される速度——は、すべての生物速度と時間の根本的な原動力であり、**受精、成長から死まで生命の重要な特性のすべては、温度に対する感度が指数関数的に高まる。**

ATP生産はほぼすべての動物で共通なので、この指数関数的な依存は、体重に対する1／4乗スケーリング同様に普遍的だ。その全般的スケールは、ただ一つの「普遍的」パラメーターで決まる。それは前章で論じた、酸化過程によるATP生産に必要な平均活性化エネルギーだ。これは化学反応に典型的な値のおよそ〇・六五eV（第2章で導入したエレクトロン・ボルト）で、多くの下位プロセスの平均だ。ここから、生命の全領域において成長、胚発生、長寿、そして進化プロセスといったことに関するすべての生物速度と時間は、たった二つのパラメーターによる共通普遍的スケーリング則で決まるという、素晴らしい結論が導き出される。体重への依存を左右する、ネットワーク制約に起因する数値1／4と、ATP生産の化学反応力学に起因する〇・六五eVだ。この結果を、少し別の方法でも言いなおせる。これらわずか二つの数で決まるサイズと温度について調整すれば、似たような代謝率、成長率、進化率を持った同一の普遍時計に、すべての生命体がかなりよい近似であわせて動くのだ。

この大ざっぱな体重と温度依存の、すっきりした定式化は、二〇〇四年に専門誌『エコロジー』で

発表した「生態代謝理論を目指して」という論文で、スケーリング研究のコンパクトな概要として導入したものだった。それはジム・ブラウンと当時のポスドク三名、ヴァン・サーベージ、ジミー・ギロリー、ドリュー・アレンとで共同執筆したものだった。ジムはすでにアメリカ生態学会から「生態学への素晴らしい貢献」に対して、最も誉れ高いロバートＨ・マッカーサー賞を正当にも授与されていた。年次大会の受賞スピーチで彼は私たちのスケーリング研究に触れ、これが共同論文のもとになった。それはスケーリング研究の一部分を要約したものにすぎなかったが、それ以降、「代謝生態理論」（ＭＴＥ）という言葉は一人歩きするようになった。

すでに述べた純粋アロメトリックな１／４乗体重依存に加えて、この代謝理論は植物、バクテリア、魚、爬虫類、両生類といった様々な生命体でも検証されてきた。例えば図23では、鳥、水棲外温動物（魚、両生類、動物性プランクトン、水生昆虫）の卵の胚発生時間を、温度に対して片対数グラフで示すことで、指数関数を直線化した。これらの時間は温度と体重の両方に依存するので、純粋に温度依存だけを表すために、データを１／４乗スケーリング則に従ってスケールしなおし、体重依存を取り除いている。見ればわかるように、こうすると直線になるはずだという予測と実際のデータが実にうまく一致し、温度に指数関数的に依存するという予測は裏付けられる。図24は、一連の無脊椎動物の寿命を絶対温度の逆数に対する関数にして、やはり体重調整してグラフ化したものだ。データがこのように、いささか複雑なやり方でグラフ化されている理由はちょっと専門的になる。厳密に言うと、基本的な化学反応論によれば、反応速度は実は絶対温度の逆数に対して指数関数的にスケールするとされる（ケルビンスケールとも呼ばれている）。その場合ゼロはマイナス二七三℃に相当する。温度

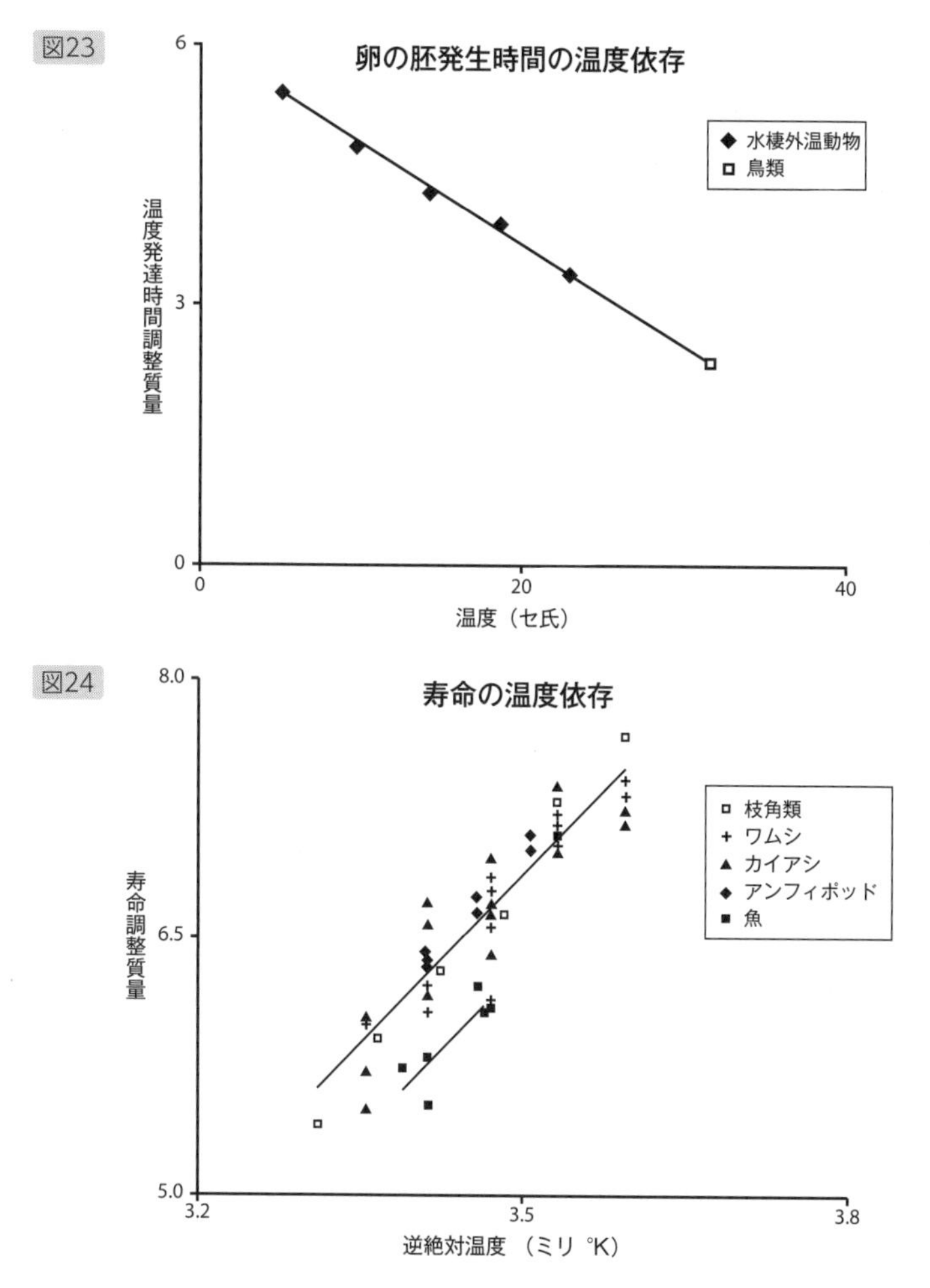

図23　鳥と水棲外温動物の卵の胚発生時間の温度に対する指数関数的スケーリング（単位はセ氏）を、質量依存を排除するために1/4乗スケーリング則に従って再スケールしたもの（本文参照)。これら「質量調整済み」時間は、水平軸に線形的に示された温度に対して、垂直軸に対数的に示されている。そのような片対数的グラフでは、指数関数は見ての通り直線として表れる。
図24　同様に質量調整済みのグラフは、様々な無脊椎動物の寿命が、温度に指数関数的に依存することを示している。本文中で説明した専門的理由によって、データは絶対温度（1,000分の1ケルビン）の逆数に対してグラフ化されているので、右に行くに従って、温度は実際には下がる。

への指数関数的依存という予測は、図23に示したように、通常のセ氏単位で表した場合でも、変化量が比較的少なければ近似としてかなり有効だということだ。

これがいかに見事なものかを強調したい。生命体の一生で最も重要な二つのイベント、誕生と死は、通常は独立したものと考えられているが、密接に関係しあっているのだ。これら二つのグラフの傾斜はまったく同一のパラメーター、ＡＴＰ分子生産に必要な平均エネルギーである〇・六五 eVによって決まる。これについては、このあとネットワーク力学に基づいた老化のさらに根本的な理論によって、この温度依存の機械論的原因が説明できることを論じる際に、もっと詳しく掘り下げよう。

覚えておいてほしい重要なメッセージは、これらのまったく別個の基本的な生活史イベントが、予想通り温度と体重の両方に応じてスケールするということ、さらに同じくらい重要なこととして、それに対応する指数関数を支配するパラメーターが同じだということだ。**つまり深いレベルで見れば、誕生、成長、死はすべて、代謝率を原動力とし、ネットワークの力学と構造に内包された、同じ根本力学に支配されているのだ。**

〇・六五 eVの活性化エネルギーが司る、ＡＴＰ生産の指数関数的依存は、単純に言い換えれば温度が一〇℃上がるごとに生産速度が倍になる。つまり比較的小さいわずか一〇℃の上昇によって、代謝率は倍になり、生命の速度も倍になるということだ。ちなみに、気温の低い朝にあまり虫を見かけないのはこのためだ――代謝率を上げるために、気温が上がるまで待つ必要があるのだ。

もっと重要な点として、わずか二℃の気温変化でも、成長率と死亡率に二〇から三〇パーセントの変化をもたらす。[*11] これは非常に大きく、私たちが抱える問題はここにある。現在も進行中だが、もし

も地球温暖化で二℃ほど気温が上昇するなら（今その方向に着実に向かっている）、すべてのスケールのほぼすべての生物の生きる速度が、二〇から三〇パーセントと途方もなく上がる。これはどう見ても見過ごせないことで、生態系に大混乱を引き起こしかねない。それは、ブルネルが巨大船グレート・イースタン号を建造しようとしたときの大飛躍に似ている。あれは大失敗に終わったが、その第一の理由は造船科学がまだ十分に発達していなかったことにあった。船は生態系と社会のきわめて深い複雑さと比べれば、非常に単純だ。もっと大きな事態を理解するための、包括的で体系だった科学的枠組みを持たないまま、そのような非常に大きな気候変動が、とりわけ農業生産への影響や、まして惑星の生態系全体に与える影響について、詳細な結果を、自信を持って予測できるかという点で、私たちの置かれている立場はブルネルと似ている。生態系代謝理論の開発は、この目標へ向かう小さな一歩なのだ。

最後に一つ。この根底にある物理と化学反応理論は、物理学者から化学者に転向し、一九〇三年にノーベル化学賞を受賞したスウェーデン人スヴァンテ・アウグスト・アレニウスが発展させて以降、ずっと昔から知られていた。彼はスウェーデン人初のノーベル受賞者の栄誉にあずかっている。アレニウスは非常に幅広い関心を持った男で、彼の目新しい考えや科学への貢献は、非常に大きな影響を与えた。

彼は地球上の生命の起源は、他の惑星からきた胞子だと真剣に唱えた人々の一人だ。いささか憶測に頼った理論だったが、驚くほど多くの支持者を得て、現在は「パンスペルミア説」として知られている。さらに重要なのは、彼が大気中の二酸化炭素濃度の変化が、温室効果によって地球の地表温度

をどのくらい変えるかを計算し、化石燃料の燃焼が重大な地球温暖化を引き起こすに十分なくらい大きいと予測した、最初の科学者だったことだ。実に驚異的なことだが、彼はそのすべてを一九〇〇年より前に行っている。つまり私たちは一〇〇年以上前から化石燃料燃焼のもたらす有害な結果の一部を科学的に理解し始めていたのに、ほとんど何も対応しなかったという意味で、これはかなり気の滅入ることだ。

6．老化と死

Ⅰ．狼の時刻の夜想

古代ローマ人によると、狼の時間とは陽がさす直前の、夜と夜明けのあいだの時間を意味する。人々はそれを悪霊が力と活力を高め、ほとんどの人が死に、ほとんどの赤子が産まれてくる時間、そして悪夢がやってくる時間と信じていた。[*12]

成長と同じく、死と老化も生命に不可欠な要素の一つだ。ほぼすべてのものが死ぬという事実は、進化プロセスで中心的な役割を果たしている。なぜならおかげで新たな適応、設計、イノベーションが生まれて花開くからだ。こうして見ると、生命体であれ企業であれ、個体の死は、単に「良い」だけでなく、きわめて重要だ――死ぬ側はそれがさほど嬉しくはないにしても。

これは意識の呪いだ。みな自分が死ぬと知っている。一生には終わりがあり、個々の存在には最終

的に不可避の終わりがやってくるという自覚の、ひどい重みを背負わされている生命体は他にはいない。バクテリアであろうと、アリ、シャクナゲ、サケであろうと、死について「心配」したりはしない。それどころか死を「知っている」生物はいない。それらは、自分たちの遺伝子を将来の世代へと伝え、適者生存への生き残りを懸けた果てしないゲームに明け暮れることで、絶え間ない生存競争に参加し、ただ生きて、死ぬ。私たちも例外ではない。だがここ数千年間に私たちは、進化プロセスの意識と良心として立ち現れて、死、思いやり、理性、魂、精神、そして神といった考えを宇宙に持ち込み、その意味について真剣に考えるという壮大な冒険を始めた。

私は一六歳のとき、ちょっとした天啓を経験した。学友の数人に、ロンドンのウェスト・エンドにあるアート・シアターに行って、当時インテリが褒めちぎっていた映画を観ようと誘われたのだ。それはイングマール・ベルイマンの驚異的な映画『第七の封印』だった。シェークスピア的壮大さと深淵さを持つ映画だ。中世の騎士アントニウス・ブロックの物語で、彼は十字軍の遠征からスウェーデンの故郷に帰る途中で、命を奪いにやってきた死神に遭遇する。不可避の運命から逃げるか、少なくともそれを遅らせるために、ブロックはチェスの対戦を持ちかける。彼が勝てば命は救われる。当然、彼は最終的に負けてしまうが、それはうかつにも告解司祭になりすました死神に騙されて、自身の魂を晒してしまったせいだった。この寓話的設定が、生きることの意味、あるいは無意味さと、その死との関係に関する不変の問題を、深く掘り下げる場となっている。何世紀にもわたって人々が取り組んできた、哲学、宗教的な話の核となる問題が、ベルイマンの才覚によって鮮やかに描かれていた。黒衣をまとった死が、シルエットだけのアントニウスとその取り巻きたちを引き連れて、遠い丘の上

を死の舞踏により避けられぬ運命へと導く印象的な最終シーンを、誰が忘れられようか？

純真で自覚のない思春期の一六歳に、この映画はどれほど影響を与えたことか。人生にはお金、セックス、サッカーよりも大事なことがあると本当に心から感じたのは、このときが初めてだったと思う。そして、形而上学や哲学思想の問題についての長きにわたる関心が始まった。私はソクラテスやアリストテレス、ヨブ記からスピノザ、カフカ、サルトルまで、そしてラッセル、ホワイトヘッドからウィトゲンシュタイン、アルフレッド・エイヤー、さらにコリン・ウィルソンまで、お決まりの面々が書いた本をすべて貪欲に読み始めた。ただし彼ら（なかでもウィト

ゲンシュタイン）が言っていることは、どれもほとんど理解できなかったが。だが私が学んだことは、非凡な男たちが本当に大きな問題に長いあいだ取り組んできたのに、実は答えはないということだった。単に問題が増えただけだった。

ほぼ六〇年後の今もこの映画が、晩年を迎えつつある少し疲れた七五歳の老人に、今やもっと繊細かつ痛烈かもしれないとはいえ、同じ強力な印象を与えるということが、ベルイマンの傑作の奥深さを物語っている。映画の決定的場面で、死神がきわめてまっとうにもアントニウスに尋ねる。「おまえは問いかけることを決してやめないのか？」。これに彼は断固としてこう答える。「そう、決してやめない」。私たちも決してやめるべきではない。死へのこだわりは、果てしない問いかけと、生の意味の探究と相まって人間の文化に浸透したが、そのほとんどは人間が作り出した多数の宗教制度と体験のなかで問われ、定式化されてきた。一般的に科学はそのような哲学的迷宮には足を踏み入れなかった。だが多くの科学者は、たとえ自分では「宗教的」でも、まして「哲学的」でもないとしても、「自然の法則」の理解と解明の探求、すなわち物事がどのように機能し、それらが何からできているかを知りたいという情熱について、これら大きな問題と折り合いをつけるための別の道だと考えていた。私はどこかの時点で、自分もそうした一人だと認識し、科学、あるいは少なくとも物理学と数学のなかに、普遍的なニーズらしきある種の霊的滋養を見いだした。やがて私は、科学は大きな問いの一部に信用に足る答えを与えてくれそうな、唯一とは言わないが数少ない枠組みの一つだと認識するに至った。

むかしむかし、科学は「自然哲学」と呼ばれ、今の私たちが考えるよりも、いくらか広い意味合いを持ち、哲学的、宗教的思考ともっと大きなつながりを持っていた。科学に革命をもたらした、普遍的な自然法則を紹介したニュートンの名著『プリンキピア』の完全な書名が「自然哲学の数学的諸原理」なのは偶然ではない。ニュートンは不滅の魂、悪魔と悪霊の存在、偶像崇拝とみなしていた神としてのキリスト崇拝といった古典的教義を否定する、異端的な考えを持っていたが、自分の研究の原動力は神の啓示だと考えていた。『プリンキピア』について彼は次のように述べている。「私たちの秩序についての論文を書いたとき、私はそのような原理で神への信仰について人々に考えさせようと思っており、それがその目的のために役立つとわかれば、それに勝る喜びはない」。

自然哲学の派生物としての近代の科学的手法が、そのような考察を引き起こすことはまずないが、それでも遠い昔から人間を当惑させてきた、「宇宙」に関する最も厄介で根本的な問いの多くに、核心をつく一貫した答えを出す点できわめて強力だった。宇宙はどのように進化し、星は何でできていて、様々な動物や植物はどこから来たのか、なぜ空は青いのか、次の日食や月食はいつ起きるのか、などなど。私たちは、自分を取り巻く物理宇宙について膨大な理解を獲得し、それは多くの場合この上なく詳細だし、宗教的な説明にしばしば顕著な場当たり的で恣意的な議論を持ち出すこともない。しかし答えられないまま残されているのは、意識、内省し論理的に考える能力を授かった人間としての私たちは、一体何者なのかという、まさしく本質に関わる深遠な問いの多くだ。私たちは、心と意識、精神と自己、愛と憎しみ、意味と目的といった本質に取り組み続けている。最終的にすべては、ニューロン発火と脳の複雑なネットワーク力学で理解されることになるのかもしれないが、ダーシー

・トムソンが一〇〇年前に言っているように、そうならないのではないかと私はにらんでいる。問いは常に存在し続け——それが人間の条件の本質だ——アントニウス・ブロック同様に、たとえそれが死神を大きく失望させ苛立たせることになっても、私たちは決して問うことをやめない。そしてこのすべてと何らかの形で結びついているのが、老化と死の理解という課題と逆説、さらに自分自身の存在の有限性に対する人間の集団的、個人的な不安とどう折り合いをつけるかという問題なのだ。

Ⅱ．夜明けと、日光への回帰

閑話休題。科学そのものに話を戻そう。私の意図は、形而上学的にせよ科学的視点にせよ、このいささか陰鬱な話題について包括的な概観を与えることではなく、これまでの章で発展させてきたスケーリングとネットワークの枠組みにそれを関連づけることだ。成長の場合と同様、老化と死の一般的特質の多くを理解するための大局的な定量化理論の枠組みを開発し、生物学と生物医学の基本問題に新たな洞察を与えるために、スケーリングやネットワークの視点が使えるという重要な例となることを示したい。さらにこれはまた、死の機械論的起源と生との密接な関係、そして私たちの宇宙における他の主要な現象の仕組みとの相互関連性を広く理解しなければ、私たちにつきまとうやっかいな形而上学的問題と折り合いをつける用意すらできないという信念に基づいている。

誕生、成長、成熟といった生活史上の多くの出来事の圧倒的な肯定的イメージとはちがって、ほとんどの人は老化や死と直面したくはない。ウディ・アレンがこれを簡潔に言い表している。「死なん

か恐くないよ。ただ、それが起きるときに居合わせたくないだけだ」。ずっと簡単なのは、動物や植物のように意識することなく、「それが起きるときに居合わせない」ことだ。人間は延命して死を遅らせるために莫大なお金を使う。たとえ衰弱して脆くなったあとも、そして時には意識がなくなって自分自身でなくなったずっとあとでも大金を注ぎ込むのだ。アメリカ国内だけで、年間五〇〇億ドル以上がビタミン、ハーブ、サプリメント、ホルモン、クリーム、運動器具など様々な老化防止製品、療法、薬品に使われている。アメリカ医師会を含む医療専門家の大半は、こうしたもののなかで、実際に老化を遅らせたり逆転させたりできると証明されたものは、ほぼないも同然だと認めている。あわてて付け加えておけば、この私もこうした手口にあっさり釣られてしまい、律儀にビタミン、サプリメント、そしてたまには調合薬を摂取している。とはいえ、絶対に運動しすぎないようにはしているが。

私たちはコスト度外視で寿命を延ばすことに執着しすぎている。でも健康寿命の維持と延長を強調するほうがずっと筋が通っていそうだ――つまり適度に健康な体とまあまあ健康な精神で、充実した人生を送り、そうしたシステムが明らかに完全に機能しなくなったら死ぬほうがよさそうだ。これらの問題に対してどうふるまうか、どのように死に臨むかは、極度に個人的な決断で、簡単な答えなどないし、個人の選択にケチをつける気もない。だが集団的にそれらは社会にとって深刻な問題であり、対策が求められる。老化と死の過程とそれが健康な生活にどう関係するかについての理解を深めれば、対処の仕方にも役に立つだろう。

これと密接に結びついているのが、現在行われている伝説の不老不死の霊薬探求だ。通常それは、

飲んだ者に永遠の命を与える魔法の薬とされている。これは多くの古代文化に登場するし、しばしば中世の錬金術師と関連づけられる。多くの神話に現れ、最近では有名なハリー・ポッターの物語に「賢者の石」として登場した。

今やその現代版が、幾つかの寿命延長を目指す、非常に資金豊富なプログラムを通じ、科学界に入り込んでいる。なかには詐欺まがいのものもあるが、最近では何人かの有名な科学者が、現代の生命の聖杯探求に携わっている。こうしたプロジェクトが、全米科学財団や国立老化研究所（国立衛生研究所の下部機関）といった従来の国による資金提供機関ではなく、圧倒的に民間から資金を得ているというのはなかなか意味深だ。これらのなかで最も人目を引く活動が、シリコンバレーの大物から資金援助を受けているというのも、驚くにあたらない。なんといっても、社会を革新した彼らが、自分たち自身とその大成功を収めた会社の永続を望み、そのために金を使いたがるのは不当とは言えまい。なかでも目を引くのがオラクル創始者のラリー・エリソンで、彼の基金は老化研究に毎年数億ドルを投じてきた。ペイパルの共同創立者の一人ピーター・ティールは、老化問題に取り組むバイオテック企業に巨額を投資している。そしてグーグルの共同創立者の一人、ラリー・ペイジは、老化研究と寿命延長に特化したカリコ社（California Life Company）を創業した。さらに医療業界の大御所ジュン・ユン。彼は古典的ハイテク業で財を築いたわけではないが、シリコンバレーに本拠地を置き、彼の財団パロアルト研究所を通じて、「老化阻止に特化」した一〇〇万ドル長寿貢献賞のスポンサーになっている。

このどれ一つとして、将来多少なりとも大きな成功を収めるかどうか、まったく怪しいものだとは

思うが、尊敬に値する活動ではあるし、アメリカの慈善事業の見事な例ではある。そして一部はまちがいなく第一級の研究プログラムで、たとえ不老不死の霊薬を発見するどころか、大幅に寿命を延ばすという公式目標すら達成できなくても、非常に良質で重要な科学を提供するだろう。まあ願わくば私がまちがっていて、これらの努力のどれかが大成功をおさめ、健康寿命を損なうことなく、大幅に寿命が延長されればいいとは思う。

この死との絶えざる戦いの大きな皮肉の一つは、寿命の延長にはっきり特化したプログラムなど何もないのに、この一五〇年間で目を見張るほど寿命を延ばしたということだ。産業革命以前の一九世紀半ばまでは、寿命は世界中でほぼ同じままだった。誕生時の平均余命は全世界平均で一八七〇年以前はわずか三〇歳だったが、一九一三年には三四歳に延び、二〇一一年には倍以上の七〇歳になった。生活水準と医療提供の水準がまったくちがうので、国ごとに大きなばらつきがあったが、同じ劇的な物語がどこでも繰り返された。例えば一六世紀以降最良の死亡統計があるイギリスでは、一五四〇年から一八四〇年まで平均寿命はおおむね三五歳だったが、その後延び始めて、私の父が生まれた一九四〇年には約五二歳、そして私の生まれた一九四〇年には約六三歳、さらに今では八一歳以上にまで達している。最貧国のなかの幾つかの国でも、この目を見張る現象が繰り返されている。バングラデシュの平均寿命は一八七〇年には二五歳だったが、今では約七〇歳に達している。この目を見張る現象を表す強力なやり方は、世界中すべての国で、一八〇〇年のどの国の最高平均寿命よりも、平均寿命が長いと指摘することだ。これは本当に素晴らしい。この成果のすごいところは、生命を延長しようという世界的、国家的、あるいは個人慈善プログラムなど何もないのに達成されたことだ。単なる

自然な成り行きで、魔法の薬や不老長寿の霊薬を誰かが発見したわけでもないし、誰かの遺伝子をいじったわけでもない。一体何が起きたのか？

まあ答えはほぼまちがいなくご存じか、簡単に当てられるはずだ。まずこれに最も貢献したのが幼児小児死亡率の激減だ。先進世界の人々は、比較的最近まで小児死亡率がとんでもなく高かったのを忘れがちだ。一九世紀半ばまでヨーロッパのどこでも、生まれた子供の1／4から半数が一五歳の誕生日を迎えることはなかった。例えば、チャールズ・ダーウィンの一〇人の子供のうち、一人は生後わずか数週間で死に、別の一人は一年半、そうしてもう一人、彼の長女アンは一〇歳を待たず死んだ。しかもダーウィンは可能な限り最良の医療を含む、考え得るすべての利便と支援を享受できる、折り紙つきの上流階級の生活を送っていた。労働者階級に属する、大多数の恵まれない人々の状況となれば、推して知るべし。ちなみにダーウィンはアンにはとりわけ愛情を注いでいて、彼女の悲劇的な死が彼のキリスト教との決別を引き起こし、死は永遠の進化力学に不可欠だという、怖ろしい個人的認識を受け入れさせることになった。その七五年後、私の祖父母の八人の子供のうち二人は、ダーウィンの子供と似たようなパターンで死んだ。一人は生後数週間、そして偶然にもアンという名のもう一人は、一〇歳のときに聖ヴィトウスのダンスという一〇〇年前には珍しくなかった小児疾患で死んだ。現在これは、それほど美しくない小舞踏病という名で呼ばれ、アメリカでそれに罹る子はわずか約〇・〇〇〇五パーセントしかいない。

おかげで小児期の死亡は先進国と発展途上国でほとんど見られないものとなり、低開発国でも激減させた、大きな変化の典型例だ。すでに述べたように、啓蒙主義と産業革命の到来が、薬の急速な進

歩と医療の大きな向上に先鞭をつけた。その両方が都市人口の指数関数的増加と生活水準の向上に大きく貢献した。住居の改善、公衆衛生プログラム、予防接種、殺菌、そして最も重要なこととして、トイレ、下水設備、清潔な上水へのアクセス改善が、小児疾患や感染の克服と阻止に非常に大きな役割を果たした。

これらの成果のすべてが、都市環境への人々の移住増加と、基本的人権とサービスを提供する都市の、大きな社会的責任の発達によって推し進められた、素晴らしい力学の結果だ。ディケンズ流の極貧と蔓延する貧困は、確かにきわめて広く見られたものの、そのイメージとは裏腹に基本的サービスへのアクセス増大が幼児小児死亡率を下げ、寿命を急速に延ばし、このため人口は急増した。夭逝者が減り、長生きする人が増えるという力学が、今日まで衰えることなく続いてきた。**社会変化と拡大する福祉の原動力としての都市は、社会集団を形成し集団として規模の経済を活かす、人類の驚くべき能力の本当に大きな勝利の一つだ。**

幼児小児死亡率の減少は平均寿命の増大に非常に大きな役割を果たした。例えば、一八四五年イギリスの誕生時の平均余命はわずか四〇年だったが、五歳時の余命は五〇年だから、死ぬのは五五歳と予想されていた。小児死亡率を統計から除くと、一八四五年の期待寿命は一〇年以上も増えることになる。これを今日の状況と比較してみるとおもしろい。現在のイギリスの誕生時の平均寿命は約八一歳。五歳ではそれがわずかに延びて八二歳と、たった一年しか増えない。これは幼児小児死亡率が非常に低いからだ。

幼児小児死亡率の大幅な減少を除外しても、ここ一五〇年間で平均寿命の大幅な増大があったこと

は明らかだ。さらに、老化との戦いと寿命延長について考えるとき、統計の解釈には注意が必要なことがわかる。何世紀ものあいだ、思春期にさえ達することなく悲しい死を遂げた多数の幼児と小児は、老化プロセスのトラブルで死んだのではないことは明らかだ。彼らの悲運は、その基本的な生物学ではなく、暮らしていた環境の不適切さのせいで生じた。子供がある妥当な年齢まで生きれば、その子は全体の平均よりもかなり長く生きる可能性が非常に高いことはわかっている。よって、例えば一八四五年の平均寿命は四〇歳だったが、二五歳まで生き残れば、平均寿命は六二年に大きく延びただろう。一方で、その時点で八〇歳でも、寿命は八五歳にしか延びない。これは現在の状況とそれほどちがわない。今八〇歳でも、わずか八九歳までしか生きられない。そしておそらくもっと驚くのは、これが何千年も前の狩猟採集民であった祖先と比べても、それほどちがわないことだ。彼らもまた幼児死亡率に支配されていたが、それを除外すれば六〇、あるいは七〇歳まで生きることが期待された。

　私事ながら、これらの平均から見て、すでに七五歳の私はあと一二年ほど生きて、なんと八七歳近くで死ぬらしい。予想外の長さでホッとした。これが本当で、しかも健康でいられるならば、この本を書き終え、子供たちが中年に近づいて活躍するのを目にし、ことによると孫たちが成長するのを見届け、サンタフェ研究所が繁栄して一億ドルの寄付を受け、そして最も可能性は低そうだが、サッカーのトッテナム・ホットスパーＦＣがプレミアリーグで優勝し、さらにありそうにないがチャンピオンリーグで優勝するのを目にする時間さえある。五〇年以上素晴らしい伴侶を務めてくれたジャクリーンは現在七一歳だが、これらの平均に従えばほぼ八八歳まで生きて、ボケた私に苛立たずにすむ時間が四年以上持てる。

もちろんこれは単なる想像にすぎない。なぜなら非常に大ざっぱな平均を使って個人について語っているので、平均から個体を推定する際のあらゆる落とし穴があるからだ。それでも一般傾向とそれらに対する自分の立ち位置は教えてくれるし、空想を広げるためのかなり大まかなベースラインは与えてくれる。実はこれらの統計は皆さんの生活にも大きな役割を果たしている。なぜならそれらは保険会社と住宅ローン会社によって、あなたに信用力があるか、そして保険料をいくら取るか決めるためによく利用されているからだ。

老齢統計に話を戻して、さらに一歩進めよう。一八四五年に一〇〇歳になっていたと仮定しよう。統計的には死ぬまであと二年未満――厳密には一年と一〇ヵ月――なのは当然だ。ひどく長いわけではない。同様にもし今一〇〇歳だったとしたら、やはり二年より少しだけ長く、厳密には二年と三ヵ月生きると言える。これは一五〇年前の祖先と比べたとき、そのあいだに起こった医療、薬、生活水準の大幅な進歩にもかかわらず、五ヵ月しか長生きできないということだ。

これは、老化と死を阻止しようとする大騒動がどういうものかを示す良い例だ。歳をとるにつれ、死ぬまでに残された時間はどんどん短くなり、最終的にないも同然となる。これが、人間が生きられる最長可能年齢という発想につながり、それはおおむね一二五年未満とされている。この年齢に近づく人さえまれだ。これまでで最高齢と認定されたのはフランス人女性、ジャンヌ・カルマンで、一九九七年に一二二歳と一六四日で死んだ。これがいかに例外的かというと、この次に高齢なのはアメリカ人のサラ・クナウスで、彼女はジャンヌよりも三年以上も短い一一九歳と九七日で死んだのだ。次の長寿のスーパーチャンピオンの年齢はサラよりもほぼ二年短く、現存する最高齢者はイタリア人の

エンマ・モラーノで、彼女は「わずか」一一八歳だ。

よって、寿命延長の探求は二つの主なカテゴリーに要約できる。①**伝統的挑戦**　私たち生存者は長い寿命への行進をどこまで先に進め、どこまでジャンヌ・カルマンとサラ・クナウスの偉業に近づけるのか？　②**急進的挑戦**　最高年齢の限界と思われている約一二五年を超えて、例えば二二五歳まで寿命を延ばすことは可能か？　非常に現実的な意味で、私たちはすでに前者を達成しているが、真剣な科学的問題を引き起こすのは二つめだ。

一〇〇歳代と一一〇歳代まで生きた人について、その並外れた長寿の原因を発見するために、これまで多くの研究が行われてきた。彼らは年齢分布の最端テールを形成している——現在存命しているのはわずか数百人しかいないとされている。彼らは興味深い外れ値であり、私たちが非常に長く生きたいと望むなら、どう生きるべきか、あるいはどんな遺伝子を持って生まれてくるべきだったのかについてのヒントを探す際に、彼らの存在と生活史は尽きない興味の対象となる。彼らについての本や論説は多いが、共通する生活史とゲノム構成を、寿命を延ばすための的確な公式として抽出するのは難しかった。[*13] 青野菜を食べる、甘いものを食べすぎない、リラックスしてストレスを最小限に、適度な運動、積極的姿勢を維持して支援体制の整ったコミュニティで暮らすといった、成長過程で母親にガミガミ言われた——そしておそらく今も言われ続けている——ことと大差ない、かなり言わずもがなのお説教がたくさん挙げられている。この点で、長寿のスーパーチャンピオンであるジャンヌ・カルマンの生き方を少し見てみるとおもしろい。

彼女は南フランスのアルルで生まれ生涯そこで暮らした。唯一の子供である娘は三六歳で肺炎で死

に、唯一の孫もまた三六歳で死んでいるが、それは自動車事故によるものだった。よって、彼女には直系の子孫はいない。彼女は二一歳から一一七歳まで喫煙しており、一一〇歳の誕生日まで一人で暮らし、一一四歳まで人の手を借りることなく歩けた。格別壮健でもなく、健康にもそれほど気を使っていなかった。訊ねられると、自分の長寿の理由は、肌にも塗っていたオリーブオイルを豊富に摂る食事、ポートワイン、そして毎週一キロ近く食べるチョコレートにあると説明した。どこまで真に受けるかはあなた次第。ところで、おそらくアルルといえば、フィンセント・ファン・ゴッホがその独自の絵画スタイルを確立するために赴いて、ポール・ゴーギャンと一時同居していた場所として有名だ。カルマンは、一三歳のときに彼女の叔父の店に絵のキャンバスを買いにきたゴッホに会ったことを覚えていた。彼女は彼のことを鮮明に覚えており、「薄汚くてみすぼらしい、そして不愉快な」人物だったと語る。

最長寿命の概念は非常に重要だ。なぜならそれは、（不老長寿の霊薬信者が捜しているような）大きな「不自然」な干渉がないなら、自然プロセスは人間の寿命を不可避的に一二五年前後に制限しているということだからだ。以降でその制限プロセスを探り、ネットワーク理論に基づいた、この最長寿命を決める理論的枠組みを提示しよう。だがその前に、最長寿命の概念を裏付ける強力な証拠となる、古典的な「生存曲線」を示そう。

生存曲線とは単に、個体がそれぞれの年齢まで生きる確率を示したもので、ある人口群中の生存者比率を年齢の関数としてグラフ化したものだ。その逆が「死亡曲線」で、これはその年齢で死んだ人の割合を示し、ある個人がその年齢で死ぬ確率を示す。生物学者、保険数理士、老化研究者は、ある

一定期間（例えば一ヵ月）の人口に対する死亡者数の割合を指す、「死亡率」という言葉を作った。

生存曲線と死亡曲線の一般構造はかなり明白だ。ほとんどの個体が最初期を生き抜くが、だんだん多くの人が死ぬようになり、やがて生存可能性が最終的になくなって、死亡率が一〇〇パーセントに達する。様々な社会、文化、環境、生物種のこうした曲線について、多くの統計解析が行われてきた。明らかになった驚くべき結果の一つは、ほとんどの生命体の死亡率は年齢が変わってもほぼ同じというものだ。言い換えれば、どんな期間を取っても、死ぬ個体の比率は、どの年齢でも同じということだ。例えば五歳から六歳までのあいだに、個体数の五パーセントが死ぬなら、四五歳から四六歳、そして九五歳から九六歳の間の生存個体数に対する死亡率も五パーセントだ。これは直観に反するが、別の捉え方をすればわかりやすくなる。死亡率ということは、ある時期に死ぬ個体数が、それまで生き延びてきた個体数に正比例することだ。第三章の指数関数についての議論に立ち返れば、これがまさに指数関数の数学的定義だとわかるだろう。これは次章でもっと詳しく論じる。ここでは、生存率は単純に指数関数的曲線を描くということだ。つまり最初の個体数中の個体が年をとっても生き残る可能性は、指数関数的に減る、あるいは同じことだが、年をとると個体が死ぬ可能性が指数関数的に増えるということになる。

これはまさに、物理世界の多くの減衰プロセスが従っている法則だ。物理学者は死亡率ではなく「減衰率」という言葉を使って、「個々」の原子が素粒子（アルファ線、ベータ線、ガンマ線）を放出して状態を変え、「死」ぬという、放射性物質の減衰を定量化する。減衰率は、普通は一定で、放射性物質の総量がだんだん指数関数的に減るのは、多くの生物個体群で個体数が減るのと同じだ。ま

た物理学者は減衰率の特性を示すために、「半減期」を使う。これは最初の放射性原子の半数が崩壊するのにかかる時間だ。半減期は減衰プロセス一般を考える非常に有益な測定基準で、薬を含む多くの分野に転用され、薬、アイソトープなど体が処理する各種物質の有効性の推移を定量化するのに使われている。

第9章では、この用語を使って企業の死を論じる。企業も同じ指数関数的減衰法則に従っていて、その死亡率は年齢によって変化しないという驚くべき結果が出てくる。実際、アメリカのデータを見ると、公開企業の半減期はわずか一〇年だ。よって、わずか五〇年（半減期五回）経つと、事業を継続しているのは $(^1/_2)^5 = {}^1/_{32}$、つまり約三パーセントだけだ。これは同じ一般力学が生命体、アイソトープ、企業の死の驚くべき共通性の根底にあるのではという、興味深い疑問を呼び起こす。

だが話を人間に戻そう。一九世紀半ばまで、人間の生存曲線もずっと変わらず、他の哺乳類と同じく指数関数曲線に従っていた。一定の死亡率に従って生きたり死んだりしていたから、とても長生きする見込みは指数関数的に小さかった。それでも、ものすごく小さい確率とはいえ、一〇〇歳以上になる可能性はわずかながらあったし、ごくたまに一〇〇歳以上の人もいた。都市化と産業革命がもたらした大きな変化によって、人間の寿命は延びて、一定の死亡率という足かせから解放された。図25を見ると、生存曲線が指数関数的減衰だったのに、ますますそれが平らな棚状の部分に着実に移行し、肩ができてくるのがわかる。これは年齢全域で生存率が増大したせいだ。またすぐにわかるのが、幼児小児死亡率の激減と平均寿命の絶え間ない長期化だ。

しかし、肩が寿命増大のほうへと移行して人が長生きするようになっても、曲線は最終的に常に落

図25

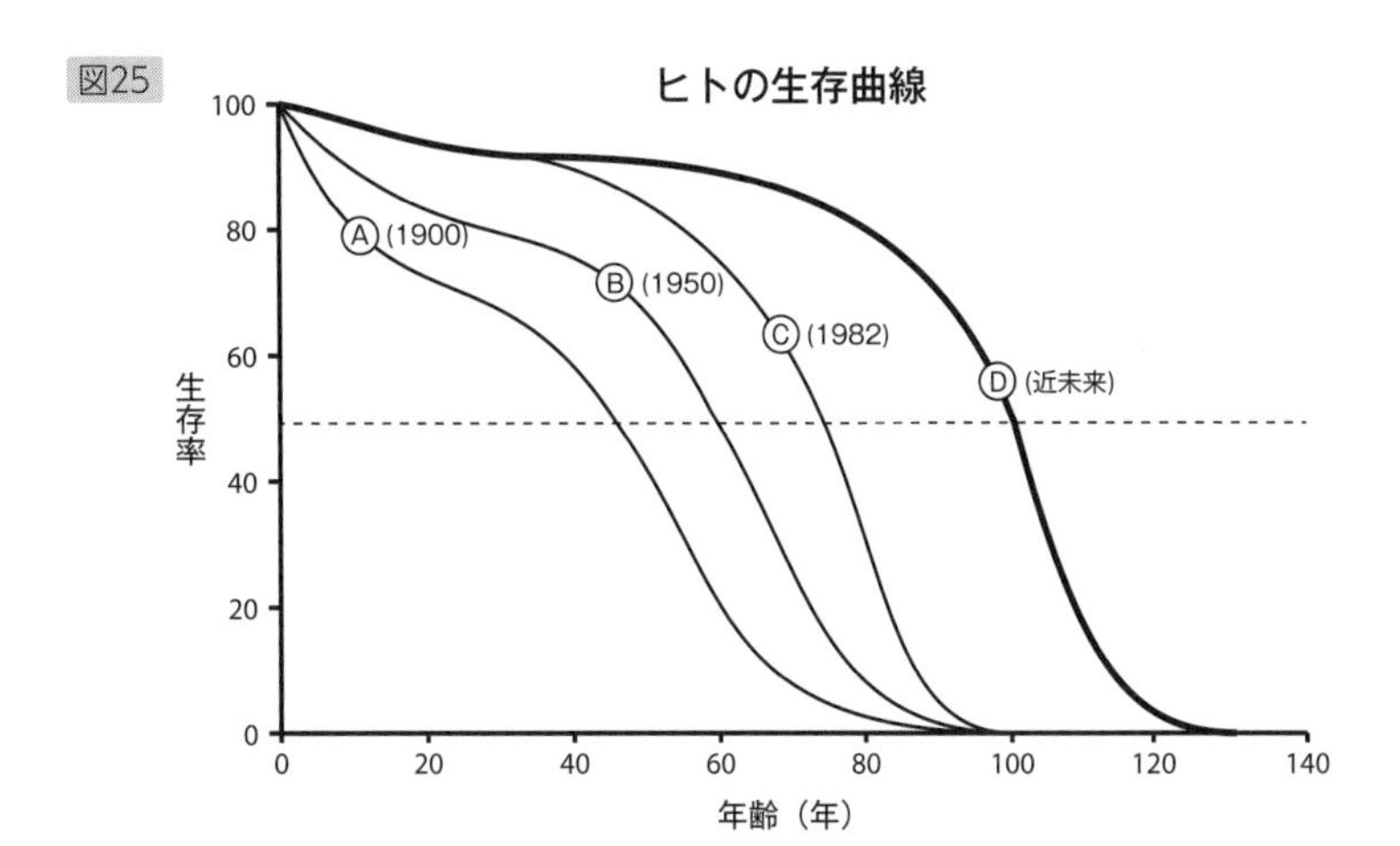

図26

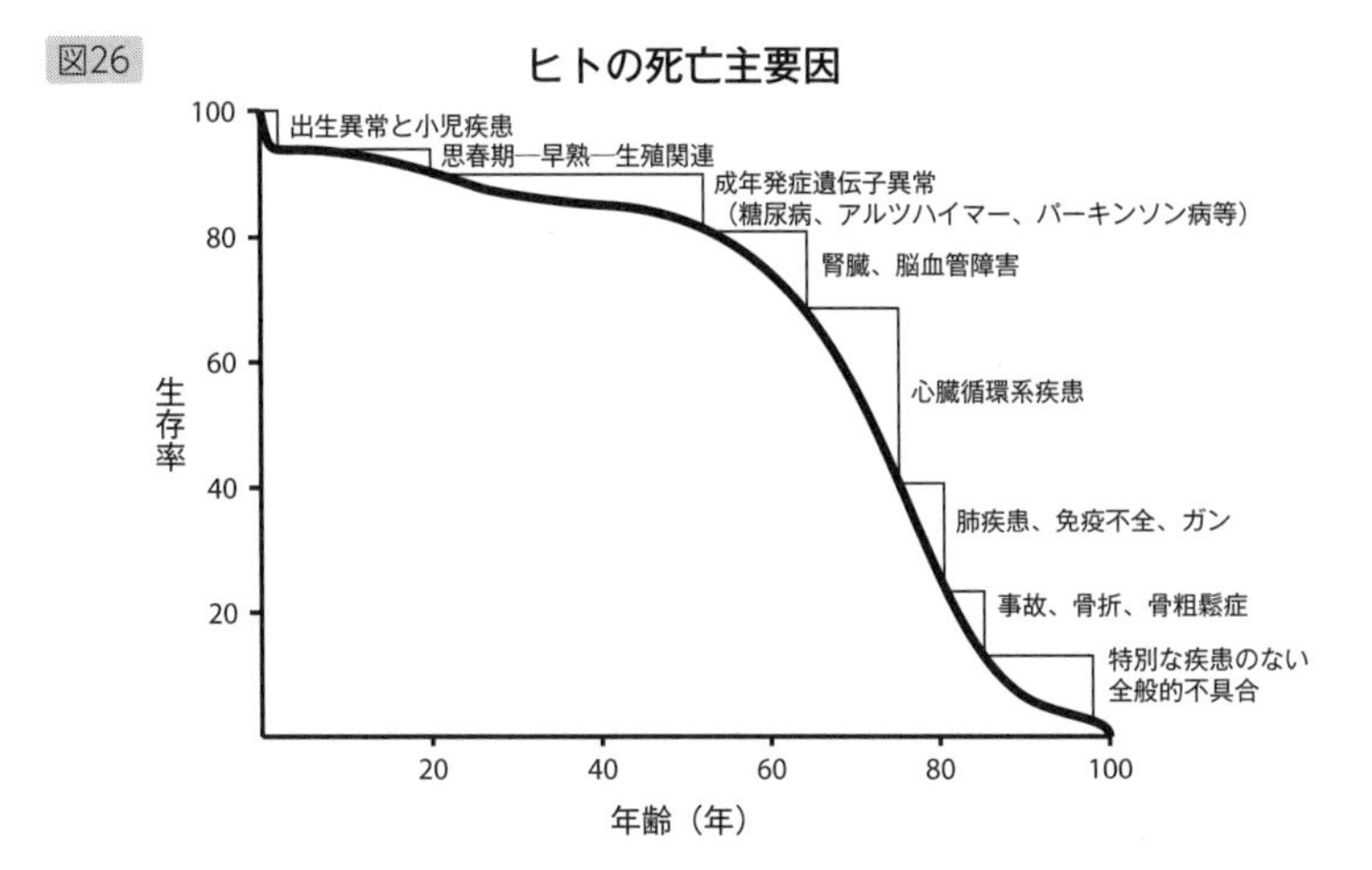

図25　人間の生存曲線は、グラフに書いた大きな変化によって平均寿命がますます長くなるにつれ、19世紀初頭より前の古典的な指数関数的減衰（一定の死亡率）から、もっと長方形に近い形へとどんどん移行したことがわかる。この進歩にもかかわらず、最高寿命は約125歳で変わらないままだ。
図26　各年齢における主な死因。

表4　ある疾患が治療可能になった場合に推定される平均寿命向上

死の種類	取り除いた場合の平均寿命向上の可能性(年)
心臓血管：すべての心臓血管疾患	6.73
癌：リンパ、造血組織腫瘍を含む悪性腫瘍、AIDSなど	3.36
呼吸器系疾患	0.97
事故と「副作用」(医療が誘発した死)	0.92
消化器系疾患	0.46
感染性、寄生虫性疾患	0.45
銃器による死	0.4

ち込んで、おおむね同じ値に近づく。だからかつてない長寿への大きな進歩と絶え間ない進化にもかかわらず、生存可能性がゼロになって死の確率が一〇〇パーセントになる曲線の終端はずっと同じままだ。みんな約一二五年に収斂する。これは劇的かつ説得力のある形で、生物的な最大寿命の存在を表している。

図26は、寿命が次第に延びた様々な理由を挙げたものだ。最も大きな貢献要因は、住居、衛生、公衆衛生プログラムの改善で、またもや都市や都市化が果たした役割の好例だ。これと並行して、死をその主要な医学的原因に分解してみると、やはり興味深い。順に、①心臓血管疾患、②癌（悪性腫瘍）、③呼吸器系疾患、④脳卒中（脳血管疾患）となる。パターンは全世界でほぼ同様だ。これらを定量化する興味深い方法は、これら特定の原因を取り除いた場合、平均寿命がどのくらい延び

るか考えることだ。その見本を、アメリカ疾病管理センター（CDC）と世界保健機関（WHO）が分析したデータから選んで表4に示した。例えば、すべての心臓疾患と血管疾患が治療可能になっても、出生時の平均寿命はわずか約六年しか延びないことがわかる。すべての癌が治療可能になっても、出生時平均寿命は三年しか延びない——そして六五歳時の余命は二年弱しか延びない——というのはかなり意外だ。

これらの統計から浮かび上がった、強調したい重要なポイントが二つある。（1）死の主要原因は圧倒的に、器官（心臓発作、脳卒中）、や分子（癌）の損傷と結びついている——感染性疾患は比較的小さな役割しか果たしていない。（2）死のあらゆる原因が取り除かれても、すべての人間は一二五歳になる前に死ぬ運命にあるし、大半はそんな年齢に達するはるか以前に死ぬ。

Ⅲ. 陽光

老化の生物学と生理学についてはいろいろ書かれているが、私がここで強調したい、定量的、機械論的観点から論じたものはほとんどない。[*14] この精神に則（のっと）って、寿命理論を名乗るのであれば定量的に説明すべき、老化のいくつかの顕著な特質を振り返り、その根本にある一般的なメカニズムについて得られそうな手掛かりを示してみよう。

これまでの議論の大半は人間についてだったが、ここではそれをスケーリング則と、以前導入した理論的枠組みに結びつけるため、他の動物にも広げよう。議論は大ざっぱな説明の精神に基づくので、

外れ値や例外もまちがいなくある。これは老化と死の場合には特に顕著だ。なぜならその他のほとんどの特質とちがって、これらは進化過程で直接選択されたものではないからだ。自然選択は単純に、ある種の個体の大多数が十分長く生き、進化適応度の最大化に十分な子孫を確実に生み出すよう求めているだけだ。これが実現されて、それらが進化上の「義務」を果たしてしまえば、その後の寿命はあまり重要ではないので、個体と種の寿命には大きなばらつきがあるはずだ。人間は少なくとも四〇年は生きて一〇人程度の子供を生み出せるし、そのうちの少なくとも半数が成人かそれ以上まで生きるように進化を遂げてきた。これが女性の閉経年齢なのは、おそらく偶然ではない。だが十分な個体がこの年齢まで生きて、その結果確実に繁殖できるようにするため、統計的にもっと多くの個体がそれよりも長生きできるように、十分「過剰設計」されている。

自動車は興味深い比較対象になる。自動車は様々な社会経済、技術的理由によって、ほどほどのメンテナンスで最低でも二〇万キロは走れるよう「進化」してきた。製造過程での変動や、メンテと修理の程度にもよるが、ずっと長く走る車もある。実際、ものすごくこだわってメンテ、修理、部品交換をすれば、車をものすごく長期間維持できる。人間も良質の食事と生活、毎年の健康診断、衛生の維持、そして場合によっては様々なボディパーツ交換によって、これと同じことを達成してきた。だが自動車にできることを自分自身に施して、その気になれば個々の人間を永久に保てるかというと、そうはいかない。なぜなら単純な自動車とちがい、私たちは非常に複雑な適応系だからだ——そしてなによりも、私たちが交換可能な部品の線形集合体ではないからだ。

理論的な説明が必要な、老化と死の重要な特性をいくつか挙げておこう。

1. 老化と死は「普遍的」である――すべての生命体は最終的に死ぬ。この結果が、最長寿命の存在とそれに対応して下がる生存率だ。
2. 様々な器官などの生命体の半自律サブシステムは、おおむね均一に老化する。
3. 老化は年齢と共におおむね線形に進む。例として、図27に器官が年齢に従ってどのように機能低下するかを示した。*[15] グラフは様々な生命機能の最大能力に対する割合が、成熟のほぼ直後の約二〇歳から、年齢と共に線形に低下すると示している。平均すると私たちが肉体的に最適（一〇〇パーセント）なのはわずか数年間で、二〇歳前後からそれが文字通り下り坂をまっしぐらに落ちる。これはさすがに気が滅入る。私たちが、成長期中に比較的早く最大能力に達する点にも注目。成長期前の最も早い時期でさえ老化は進行しているが、それが成長の圧倒的優勢で隠されているだけなのを、後で示す。実際、老化プロセスは受胎と同時に始まっている。ボブ・ディランはそれを「あいつは生まれ急いだのではなく死に急いだ」と的確に歌っている。
4. 寿命は体重に対して、おおむね指数1／4のべき乗でスケールする。予想通りデータには大きなばらつきがあるが、それは私たちを含む哺乳類の寿命について、生活史を統制した実験が行われていないせいもある。報告には、野生動物、動物園の動物、家畜化された動物、実験研究所の動物のデータなどが含まれているが、それぞれまったく異なる環境と生活状況に置かれている。加えて、ある種について一匹か二匹しかデータがなく、別の種は大きな群の

データがある。この統制の欠如は問題ではあるが、データには明確な傾向と一貫性があり、統計的にはおおむね指数１／４乗のスケーリングを示している。

5. 第1章の図2で示したように、生涯心拍数はすべての哺乳類でほぼ同じだ。[*16] よって、トガリネズミの心拍数は毎分約一五〇〇で寿命は約二年なのに対し、ゾウの心拍数は毎分わずか約三〇回だが、約七五年も生きる。そのサイズの大きなちがいにもかかわらず、平均寿命期間中の総心拍数は共に約一五億回だ。この不変性は、さっき述べた理由で大きな変動はあるが、ほぼすべての哺乳類に当てはまる。この興味深い不変性から最も大きい外れ値が私たちだ。現代人の総心拍数は、平均すると約二五億回で、これは典型的哺乳類の心拍数の約二倍だ。しかし、すでに強調したように、私たちがこんなに長生きするようになったのは、ここわずか一〇〇年のことだ。人類全史のなかで比較的ごく最近まで、私たちはおおむね今の半分くらいしか生きていなかったから、哺乳類の大半と同様に、おおむね不変の心拍数一五億回の「法則」に従っていた。

6. これと関連するもう一つの不変量――生きているあいだに一グラムの組織維持に使うエネルギーはすべての哺乳類、そしてさらに広く個々の分類綱内でほぼ同じだ。[*17] 哺乳類の場合、それは一グラムあたり生涯約三〇〇キロカロリーだ。これをもっと基本的な方法で言い表すと、細胞内でエネルギー生産を司る呼吸組織の生存中の代謝回転数は、個々の分類群内のすべての動物でほぼ同じということだ。哺乳類ではこれは約一〇〇〇〇兆（10^{16}）回で、生存中に一グラムの組織を維持するために生産されるＡＴＰ分子数（私たちのエネルギーの基本通貨）

の不変性に変換できる。

科学では、系の他のパラメーターが変わっても変化しない量が、特別な役割を果たす。なぜならそれらは系の細かい力学と構造を超えた、包括的な基本原理への道を示すからだ。エネルギー保存と電荷保存は、物理学における有名な例二つだ。エネルギーと電荷を変換し交換する過程で、系の進化がいくら複雑で込み入ったものになっても、エネルギーの総量と電荷の総量は同じままだ。だから最初に系内のエネルギーと電荷の総量を計算すれば、何が起こってもその後ずっとその値は維持される——もちろん、外部環境からエネルギーや電荷を加えない場合に限るが。極端な例を考えてみよう。宇宙の総質量エネルギーは、一三〇億年前のビッグバンのまだごく小さな点だったときから、その後すべての星雲、恒星、惑星、そして生命体が進化した現在になっても変わっていない。

おおむね不変な量の存在は、老化と死の複雑なプロセスにおけるスケーリング則同様に、これらの過程が恣意的ではないという重要なヒントだし、それに影響する大ざっぱな法則と原理があるのではと示唆している。さらに興味深いのは、長寿のスケーリング則が、他のあらゆる生理学的な生活史イベントと同じ1／4乗構造を持っていることだ。

これをさらに掘り下げる前に、この一部を自動車の寿命と比べると有益だ。残念ながら、自動車や他の機械についてのスケーリング解析、とりわけその寿命に関するものは驚くほど少ない。だがハーバード大学のエンジニア、トーマス・マクマホンは、芝刈り機や自動車から飛行機に使われているものまで、内燃機関のデータを解析して、それらが第2章で論じた、単純なアイソメトリックなガリレ

図27

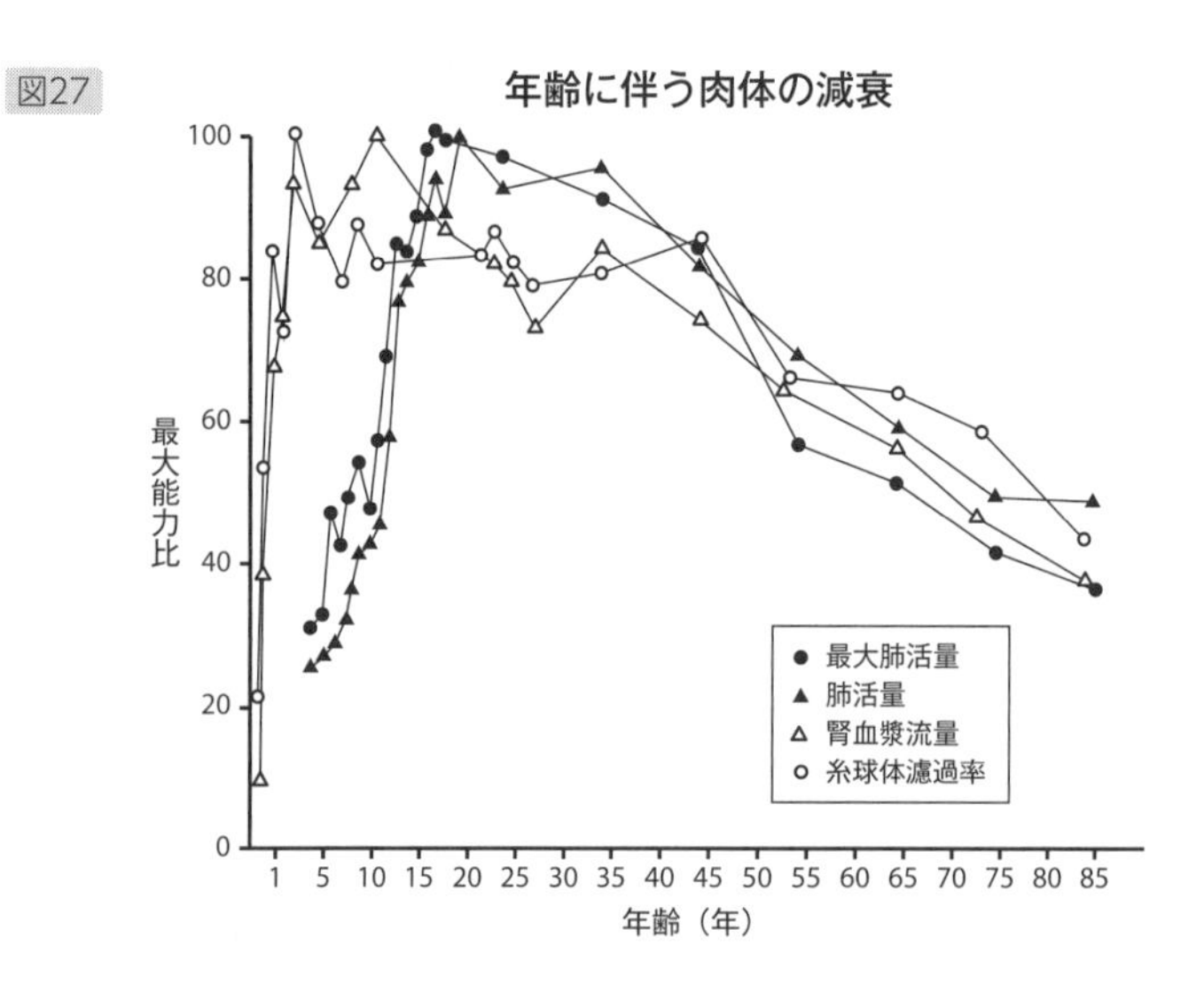

図28　図29

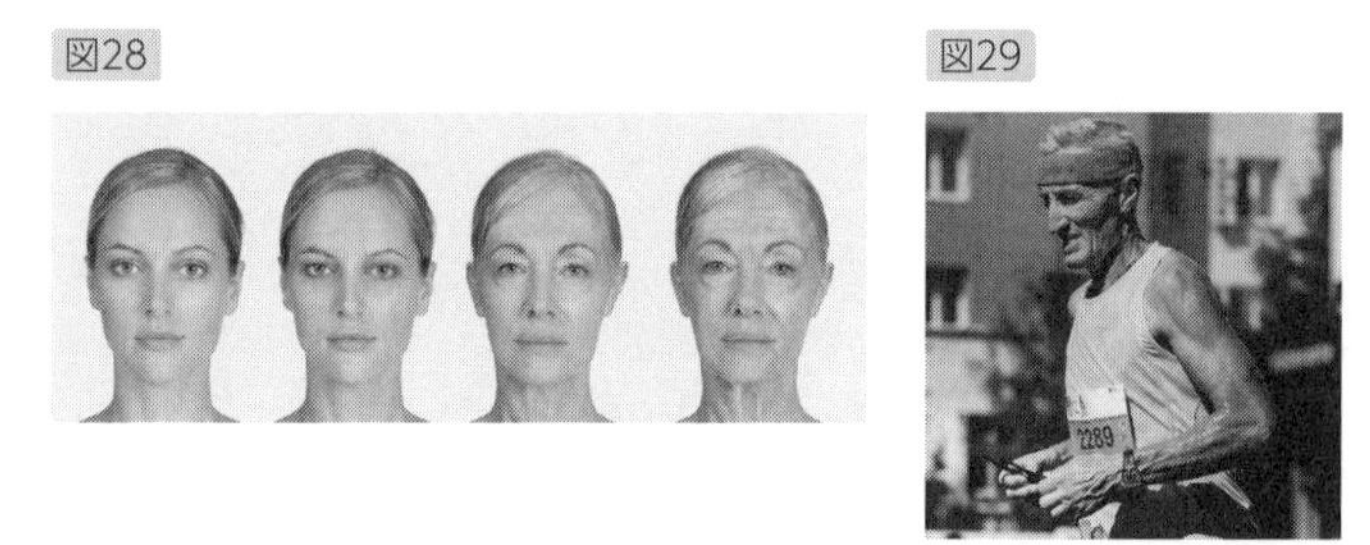

様々な器官機能の年齢による変化：最大能力に対するパーセンテージを年齢別にグラフ化した（図27）。成長中に急増して20歳前後で最大に達し、その後は線形的に減少することがわかる。この安定減少にもかかわらず、健康で活動的な生活は老齢末期になっても可能だ。

オ式三乗スケーリング則に従っていることを示した。例えば、これらのエンジンの馬力（代謝率に相当）はその重量に対して線形にスケールするので、出力を二倍にするには重さを二倍にする必要がある。だから生命体とは違って、エンジンはサイズが大きくなっても規模の経済を示さない。マクマホンはRPM（エンジンにとっての心拍数）が重量の三乗に反比例してスケールすることも発見した。[*18]

これらは、最適化されたフラクタル状のネットワーク構造がもたらす生命体が従う1／4乗スケーリング則とは、まるで対照的だ。生命体の代謝率（馬力）は指数3／4で、その心拍数（RPM）は指数マイナス1／4でスケールする。内燃機関が複雑なネットワーク構造を持たず、1／4乗スケーリングに従わないという事実は、生物における1／4乗スケーリングの起源として、根底にネットワーク理論があるという裏付けだ。人造エンジンは古典的な三乗スケーリングを示すので、その寿命は重量の1／4乗ではなく、立方根で増えると考えられる。残念ながらこれを実証するデータは不十分だ。だが定性的には、この理論によれば大型自動車ほど長持ちすると予測される。実際、最も長持ちした自動車の上位一〇種は大型トラックかSUVのいずれかで、通常サイズのセダンで上位二〇位に入っているのはわずか三車種しかない。単純に長持ちを求めるなら、大型車を買えばいい。フォードF－二五〇がトップで、シボレー・シルバラードが第二位、そしてサバーバンが第三位だった。

現在自動車は通常約二五万キロメートル走るとされる。実はそれを作った人間同様に、自動車の寿命もかなり短期間で劇的に延びて、ここ五〇年間でほぼ二倍になった。その意味合いをつかんでもらうため、その寿命を通じて平均すると、典型的な自動車が時速五〇キロ、その心拍速度が二五〇〇RPMならば、寿命二五万キロの総エンジン拍数は約一〇億回となる。おもしろいことに、これは哺乳

類の生涯心拍数とそれほどちがわない。これは単なる偶然なのか、それとも老化を司るメカニズムの特性について何かを伝えているのだろうか？

Ⅳ．老化と死の定量化理論に向けて

老化と死の原因はあらゆる証拠から見て、生きているだけで不可避的に生じる「摩滅」プロセスの結果だ。すべての生命体同様に、人間は老廃物と物理的損傷をもたらす消散的な力という不可避的なエントロピー生成との不断の戦いを闘うため、非常に効率的な方法でエネルギーと資源を代謝している。エントロピーとの多発的な局地戦に負け始めたとき、私たちは老いて、最終的に戦争に負けて死に倒れる。エントロピーは殺す。あるいは、ロシアの偉大な劇作家アントン・チェーホフが痛烈に述べているように、「エントロピーほど簡単なことはない」のだ。

生命維持の中心的な特徴は、細胞、ミトコンドリア、呼吸複合体、ゲノムなどの細胞内機能ユニットへの供給とその修復のための、あらゆるスケールの空間充塡的ネットワークを通じた代謝エネルギーの移動で、これは137ページで象徴的に示した。だが私たちを維持しているこうした系そのものが、絶えず身体に損傷を与えている。高速道路の車やトラックの流れやパイプの中の水流が、継続的な摩耗を起こして損傷と衰退をもたらすが、体内ネットワーク内の流れも同じだ。だが重要なちがいがある。生命体では、最も深刻な影響を引き起こす損傷は、例えば細胞と細胞間レベルで生じる。これは毛細血管と細胞との間など、そうしたネットワークの、エネルギーと資源が交換される端末ユニット

なのだ。

損傷はあらゆるスケールで、物理的、化学的輸送現象と結びついた様々なメカニズムにより起きるが、ざっと二つのカテゴリーに分けられる。（１）流れのなかの粘性抵抗による、古典的な物理的摩滅。これは二つの物理的物体が接触して動くときに靴や車のタイヤがすり減る、通常の摩擦による摩滅と同じだ。（２）遊離基による化学的損傷。これは呼吸代謝におけるＡＴＰ生産の副産物だ。遊離基は、電子を失ったために正電荷を持った原子や分子で、このため非常に不安定だ。この種の損傷の大半が、重要な細胞要素と反応する活性酸素により生じる。ＤＮＡの酸化損傷はとりわけ有害な場合が多い。なぜなら脳や筋肉組織のような非複製細胞のなかで、それはゲノムの転写や、おそらく最も重要な部分である、統制領域に恒久的な損傷を与えるからだ。老化における酸化損傷の役割と範囲の詳細はいまだに不明だが、抗酸化サプリのミニ産業がここから生まれ、ビタミンＥ、肝油、赤ワインなどが老化と戦う不老長寿の霊薬とされている。

これらのネットワークの構造と力学、とりわけそれらのエネルギー流を理解するために、一般的な定量化理論を持つ大きな威力と利点は、それが前節の成長曲線やこれから論じる老化と死に関連した損傷率など、他の多くの付随的な量を計算するための解析的枠組みを与えてくれることにある。この大ざっぱな枠組みは非常に一般化されていて、さっき論じた一般的な物理、化学輸送現象と関連する、「損傷」メカニズムの一般化に基づいた、いかなる老化モデルでも組み込める。損傷メカニズムの詳細は、老化と死の一般的な特性の多くの理解には重要ではない。なぜなら最も関係のある損傷はネットワークの不変端末ユニット（例えば毛細血管とミトコンドリア）で起こっており、それらの特性は

器官のサイズによってさほど変わらないからだ。おかげで単一の毛細血管、あるいはミトコンドリアの損傷は、どんな動物でもおおむね同じだ。

これらのネットワークは空間充塡的、すなわち生命体の全細胞とミトコンドリアに奉仕するので、損傷はおおむね均一かつ容赦なく生命体全体で起こる。だからこそ老化は、おおむね空間的に均一で、年齢とともにほぼ線形に進むのだ。図27に示したように、七五歳で体のすべてのパーツがほぼ同じ程度劣化するのはこのためだ。もっと細かいレベルで見ると、各器官内の老化はおおむね均一だということだ。ただし、器官ごとにちょっと加齢速度はちがうかもしれない。ネットワーク特性が、特に修復能力について若干ちがうからだ。

３／４乗スケーリング則のため、大型動物ほど高率で代謝するから、エントロピー生成もそれだけ大きく、その分だけ全般的損傷も高まる。だから観察結果とは明らかに相反するが、大型動物ほど寿命が短いのではと考えるかもしれない。だが第３章で、細胞や組織の単位質量あたりの代謝率と、それによる細胞と細胞間レベルでの損傷率は、動物のサイズが大きくなると系統的に減少するのを見た——これもまた規模の経済の一つだ。さらに、すでに強調したように、最も重大な損傷は、毛細血管、ミトコンドリアなど細胞のネットワークの端末ユニットで起き、それらの代謝率は生命体のサイズに沿って、指数１／４のべき乗スケーリング則に従って減少する。大型動物の細胞は小さな動物の細胞よりもエネルギーの処理が系統的に遅い。**だから大きな意味を持つ細胞レベルでは、細胞は大きい動物ほど系統的に、少ない損傷を遅いスピードで受ける。おかげでその分だけ寿命も伸びる。**

この端末ユニットの下方制御がネットワークのヘゲモニーの結果で、全般的な規模の経済の起源だ

ったのを思い出そう。これはまた、線形ではなく、質量のわずか3／4乗でしか増えない端末ユニット数にも反映されている。これは成長曲線の導出と、最終的な成長停止の理由の説明に重要な役割を果たす。端末ユニットは不変なので、総損傷率は単純に総ユニット数に比例し、体重のわずか3／4乗でしか増えず、よって代謝率に正比例する。

代謝に突き動かされて、損傷の蓄積は容赦なく生命体全体を劣化させる。この絶え間ない損傷に対抗するために、身体は強力な修復メカニズムを持っているが、これもまた細胞代謝によって賄われるため、同じネットワーク法則とスケーリング則による制約を受ける。その結果、不可逆的損傷の総量計算にそれらを含めても、方程式の数学的構造は変わらないが、当然その全体の大きさは変わる。修復には大きなコストがかかり、絶え間なく生じる膨大な損傷を考えると、ひとつひとつの損傷をすべて厳密に修復するには法外なコストがかかるため、ほぼ不可能だ。修復の全体的なスケールは、何よりも生命体が遺伝子プールで競争するのに十分な子孫を生み出すという進化の必要条件で決まる。よって老化はおおむね均一に進み、やがて死の到来へとつながる。図27のグラフに示したように、これは蓄積した未修復の損傷が、生命体の機能がひどく損なわれるほど十分大きくなった結果だ。最終的に生命体は機能しなくなり、「老衰」による死が起こる。軽度の心不全といった変動や動揺でも、生命を終わらせるに十分だ。しかし多くの場合、死は特定の器官や免疫系、心肺系の衰弱に関する様々な原因によって、例えば損傷の蓄積により、これよりも早く起こる。表4に挙げた主要な死因はすべて、これに含まれる。当然、事故、銃器、公害など外部の有害な環境状態に起因するものは除く。その結果、私がざっと述べた死因に基づく寿命算出が、実際の最大寿命を制約している。

　この最大寿命を推定するには、組織や体内の総細胞数に対する損傷細胞（あるいはＤＮＡなど分子）の割合が臨界値に達したら、それが死の究極の閾値なのだと仮定すればいい。この臨界値は、同じ分類綱（例えば全哺乳類）の全生物でだいたい同じだ。言い換えれば、損傷総数は総細胞数に比例し、よって体重にも比例する。代謝率から損傷の起きる速度がわかり、それぞれの細胞損傷が平均で、エネルギーのほぼ同じ不変量によってもたらされることがわかれば、あとはこの損傷が起こるまでにどのくらい時間がかかるか求めればすむ。生涯に被る総損傷数は単に損傷率（単位時間あたりの損傷発生数で、これは端末ユニット数に比例する）に寿命を掛けたもので、これは総細胞数、つまり体重に比例する。結果として、寿命は総細胞数を端末ユニットの数で割ったものに比例する。だが端末ユニット数は指数３／４乗でスケールするが、細胞数は線形にスケールするので、データ通り寿命は体重の１／４乗でスケールする。

　成長を論じたときに見たように、エネルギー源ひいては損傷源のスケーリングと、エネルギー受容側（維持が必要な細胞）のスケーリングとの不均衡は、すさまじい影響をもたらす。一方では、そのせいで私たちは成長を止め、他方では、大型動物ほど寿命を延ばしてきた。そしてこのすべてが、ネットワークの制約でもたらされている。

Ⅴ．検証、予測、結果：寿命延長

Ａ．温度と寿命延長

代謝率は端末ユニット数に比例し、ほとんどの損傷は端末ユニットで起こる

ので、寿命を代謝率と直接関係づけられる。これで寿命を表す別の式ができる。体重の代謝率比として寿命を出すのだ。言い換えれば、寿命は生命体の単位質量あたりの代謝率に反比例し、よってその細胞の平均代謝率に反比例する。さっき生態系の代謝理論について論じた際に、これが質量に対する1／4乗スケーリング則に系統的に従って、温度に対して指数関数的にスケールすることを見た。

すると、図24に示されているように、なぜ寿命は系統的かつ予想通りに温度低下に対して指数関数的に延びるのかを説明できるので、理論の興味深い検証になっている。すると寿命は基本的に体温を下げれば延ばせそうだ。それによって細胞代謝率、つまりは損傷の起きる速度が下がるからだ。この影響は非常に大きい。思い出してほしいが、わずか二℃の体温低下で、寿命が二〇から三〇パーセント延びるのだ。[19] よって、もし体温を人為的に一℃でも下げられたら、寿命を一〇から一五パーセント延ばせる。問題は、この「恩恵」を受けるには、これを生きている間ずっと続けなければならないことだ。だがもっとはっきりしているのは、体温の著しい低下が、有害で潜在的に生命を脅かす結果をいろいろもたらす可能性があることだ。以前強調したように、複雑な適応系の多層的な時間的、空間的動態を完全に理解していないと、わずかひとつの要素を変えるだけでも、大抵予想外の結果を引き起こす。

B．心拍とライフ・ペース　これらのデータは、寿命がおおむね体重の1／4乗でスケーリングすることも裏付けている。心肺系の理論では心拍数は体重の1／4乗で減少する。だから心拍数に寿命をかけると、体重は相殺されることになる。一方が減れば、もう一方が増えて、お互いに相殺するか

ら、すべての哺乳類で同じ不変量になる。だが心拍数に寿命を掛けたものは、生涯総心拍数でしかなく、理論ではこれは第１章の図２のデータが示すように、すべての哺乳類で同じになるはずだ。この論証をＡＴＰが作られるミトコンドリア内部の基本ユニットである、呼吸複合体の基本レベルにまで広げれば、ＡＴＰ生産中に起こる反応回数がすべての哺乳類で同じだと示せる。

すでに述べたように、大きな動物はゆっくりと長く生き、小さな動物は短く生き急ぐが、心拍総数など成体指標はほぼ同じになっている。１／４乗スケーリングで再スケールすると、すべての哺乳類の生活史イベントは同じ軌跡を描き、その例が図19に示した不変成長曲線だ。するとすべての哺乳類は、生命の順序、ペース、寿命を、おおむね同じものとして体験しているかもしれないということか？　素晴らしい考えだ。

かつて人類が「単なる」哺乳動物にすぎなかったときは、私たちも同じだった。社会共同体の出現と都市化によって、私たちは何か別のものに進化して、自然との調和を保っていた制約から大幅に逸れた。実効代謝率は一〇〇倍に増えた。寿命は倍になり、繁殖力は減少した。これらの類まれな変化については、同じ概念的枠組みを使って、後の章で再び論じ、それがどのように起こったかを検討しよう。

Ｃ．カロリー制限と寿命延長　今、寿命が細胞代謝率に反比例して減少するのを見た。これはすべての動物で体重増加と共に系統的に減少するため、細胞ごとに被る損傷が減って、大型動物は長生きすることになる。だが同じ種の中では、私たち一人一人のような個体は、単純に食べる量を減らすこ

とで細胞代謝率を下げ、細胞あたりの代謝損傷を減らし、寿命を延ばせそうだ。この戦略は「カロリー制限」と呼ばれている。これには長い、いささか物議を醸してきた歴史があり、様々な動物を対象にした多くの研究が行われてきた。そうした研究の多くは、カロリー制限で大きな利益が得られるという結果を出したが、あまり効果がないという研究もあるので、話はちょっとはっきりしない。ほとんどすべての研究で、寿命延長の如何によらず、老化減少は見られた。長期的な対照実験の実施は難しいし、人間でこれをやるのは不可能で、そうした研究の多くは実験設計がかなりまずい。私は代謝低下が損傷を減らし、老化プロセスを遅らせ、最大寿命を増やすという理論と概念を信じているので、この説を支持したいほうにバイアスがかかっている。

大まかに言って、この理論によれば最大寿命と、ひいては平均寿命は、カロリー摂取量に反比例する。額面通りに受け取れば、理論的には食料摂取を持続的に一〇パーセント（一日あたり二〇〇キロカロリー）減らせば、寿命を一〇パーセント（最大一〇年）延ばせる。図30は、一九八〇年代にUCLA医科大の病理学者で、寿命延長を目的にしたカロリー制限の主導的提唱者であるロイ・ウォルフォードが、マウスを使って行ったカロリー制限実験のデータだ。[20] データを、食料摂取水準を変えたマウス群の生存曲線として示そう。影響は確かにめざましく、一〇パーセントのカロリー制限で一〇パーセントの寿命延長という予測と一致しているが、非常に大きなカロリー摂取半減だと、寿命二倍という予測よりも小さな効果しか得られていない――予想される一〇〇パーセント増しではなく、七五パーセント増しにとどまる。だが寿命とカロリー摂取の関係の傾向と全体像は理論と一致している。

理論がかなり単純なことを考えれば、一致は驚くほど良好だ。他の予測（老化率、寿命のアロメト

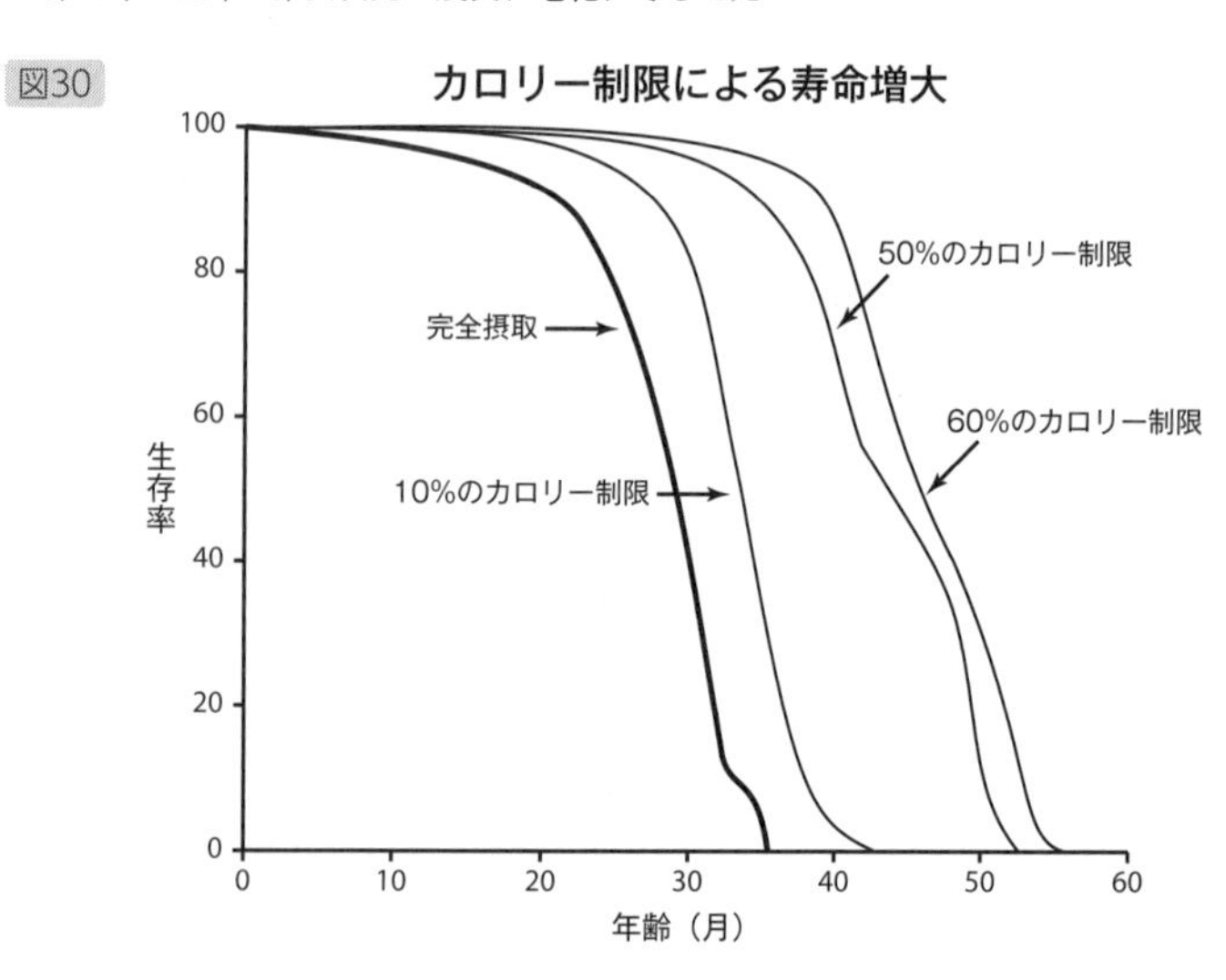

様々なカロリー制限の程度ごとに見た、マウスの生存曲線は、制限が多いほど寿命が延びることを示している。

リック・スケーリングとその温度依存）の成功と併せれば、この理論は老化と死を理解するための詳細な定量化理論へとつながる、信頼性の高い大ざっぱな基準となる。それは包括的な「普遍」生物的パラメーターを使った老化率と最大寿命の公式を与えてくれるもので、それにより例えば、一〇〇年というスケールが微視的な分子スケールからどのように生まれるのか、そしてなぜネズミの寿命はわずか数年なのかを示せるかもしれない。寿命を延ばして老化を止めたいならどのパラメーターを操作すればよいのかという問いに対しても、この理論は科学的根拠を与えてくれる。例えば、図23～30のスケーリング則を組み合わせれば、体温を変えたり、食べる量を減らしたりすることで、どれだけ延命できるか定量的に予測できる。

さらに、この理論は生活史の大半を統合するための、さらに大きな一元化された枠組みの一部なので、寿命の操作によって、どんな意図せぬ結果が生じ得るのかという、重要な問題への対処にも役立つ。遺伝子的であれ、物理的であれ、あるいは魔法の薬によるものであれ、何も考えずに「自然」の老化と死のプロセスに介入しようとすれば、健康と生き方に有害な結果をもたらす可能性があるし、実際にそういう結果が起きている。定量的数理理論の枠組みがないままでは、そのような操作は潜在的に危険だし無責任だ。

この節を終える前に、老化研究に大きな影響を与えた多才なロイ・ウォルフォードについて、言及しないわけにはいかない。その多くの功績のなかでも初期に彼が悪名を馳せたのは、ある研究大学院生といっしょに統計分析を使って、ネバダ州リノのカジノのどのルーレットが偶然にも偏っているかを断定したときだった。最も偏りが大きいところに大金を賭けて、彼らは大儲けした。カジノはそのうち何が起きているかに気づいて、彼らが賭けるのを禁じた。ウォルフォードは勝ち金を、自分の医学校での学費に使っただけでなく、カリブ海でのヨット航海にも使ったのだった。

第５章　人新世から都市新世へ：都市が支配する惑星

1．指数関数的に拡大する世界に生きる

二〇世紀の最も衝撃的な大発見の一つは、私たちは宇宙規模で指数関数的に拡大する世界に生きているとわかったことだ。同じくらい大きいが、ほとんど騒がれなかった発見は、私たちは地球規模でも指数関数的に拡大する世界に生きているということだ。ただしこちらは社会経済的な世界だ。これが同じような注目を集めることはまずないが、この加速する社会経済的拡大は私たちの生、子供たちの生、孫たちの生に、これまでも、そしてこれからも、指数関数的に拡大する宇宙世界の不思議やパラドックス、そしてその暗黒物質、暗黒エネルギー、ビッグバンの原型的神話よりもはるかに大きな影響を与える。

私たちの社会経済的な生活拡大の指数関数的スピードが最もはっきりと表れたのは、ここ二〇〇年ほどの人口激増だ。二〇〇万年間のゆっくりとした一定の増加を経て、一八〇五年前後にはこの惑星に生きる人間の数は、やがて一〇億に達したと推計されている。だが産業革命を経て、世界の人口は爆発的に増えた。この推移は伝統的手工業から、産業機械、工場による大量生産への移行といえる。

その大部分は、鉄と石炭の膨大な鉱脈が持つエネルギーの新たな活用手段の発見に支えられた、大規模製造プロセスの発明に刺激されたものだった。資本主義と個人と企業の起業精神、イノベーションによって生まれた、それ以降の一見無尽蔵に見えたエネルギーと人的資産へのアクセスは、人間の営みの大転換をもたらした。産業革命は、社会経済的にはビッグバンと同義だった。人口が一〇億に達するまでに二〇〇万年かかったが、その後一〇億増えるまではわずか一二〇年、もう一〇億増えるまでに三五年未満だ。倍増するまでわずか二五年で、一九七四年には四〇億人に達し、まだ四二年しか経っていない（二〇一六年）現在、再び人口はほぼ倍増して今や世界人口は七三億人を超えている。つまりかなり最近まで、人口倍増にかかる時間は、指数関数よりも早い成長を反映して、系統的に短縮してきた。今年だけでもドイツ、あるいはトルコの人口に匹敵する八〇〇〇万人も増加し、次世紀の初めには一二〇億人に達しかねない。

宇宙から撮影した初の地球全体像は、私たちは何者なのか、どこから来たのか、何が私たちを維持しているのかというまったく新しい精神的視点を与えてくれた点で刺激的だった。祖父たる太陽の美しい光を浴びた、私たち七三億人すべてに命を与えた母なる地球の写真（264ページ上左）を初めて見たとき、それは驚くべき啓示だった。当時、これを誰よりも強く認識したのは、作家で未来主義の思想家スチュワート・ブランドだろう。彼は宇宙から見た地球のイメージは、この惑星に住むすべての人々に運命共有体としての感覚を喚起する、強力なシンボルになるだろうと熱烈に感じたのだった。そして一九六七年の最初のイメージを公開するよう、執拗にＮＡＳＡに働きかけて、それを非常に大きな影響を与えた一九六〇年代、七〇年代の偉大なアイコンの一つである「ホール・アース・カタロ

図31

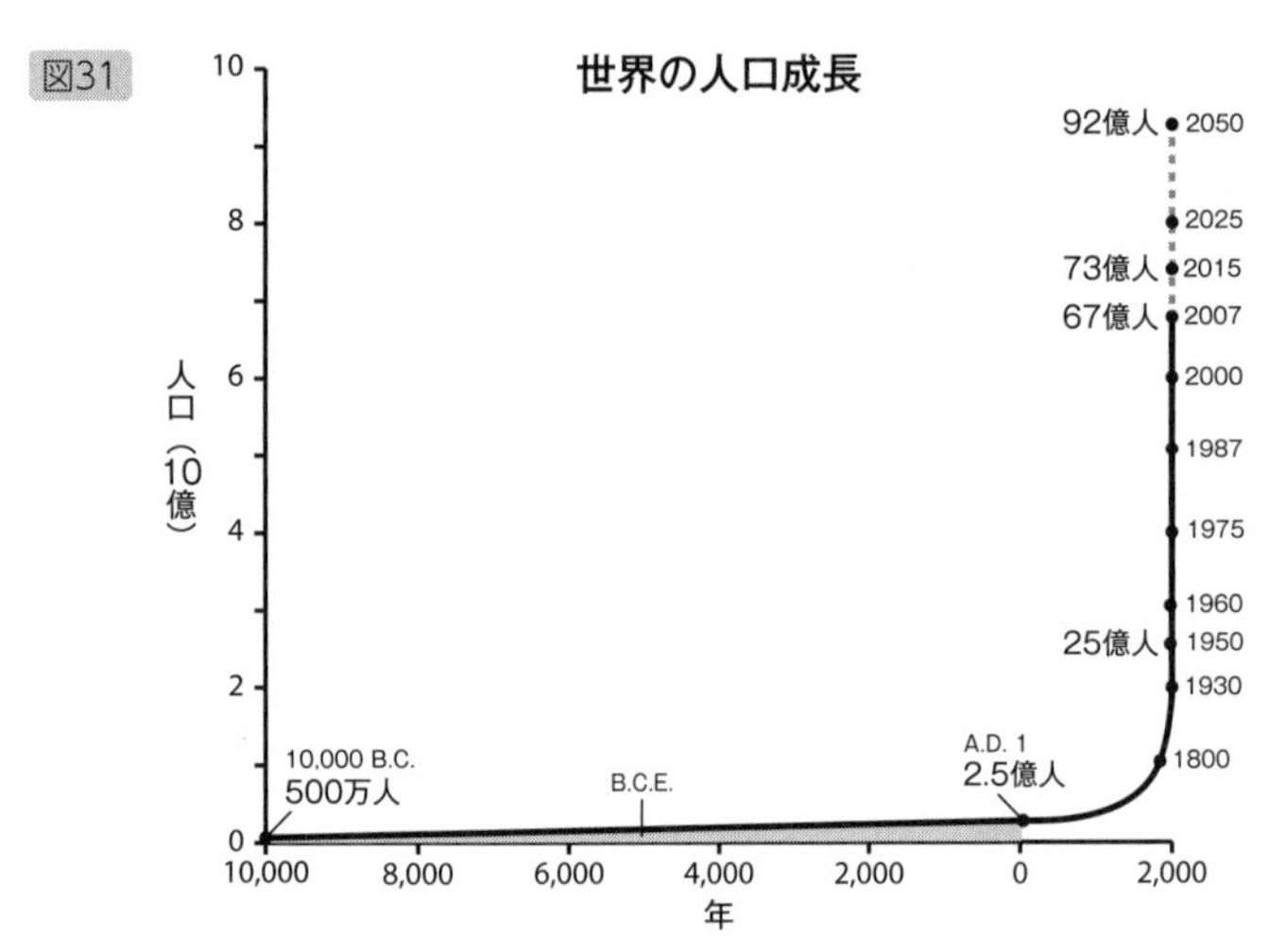

図32

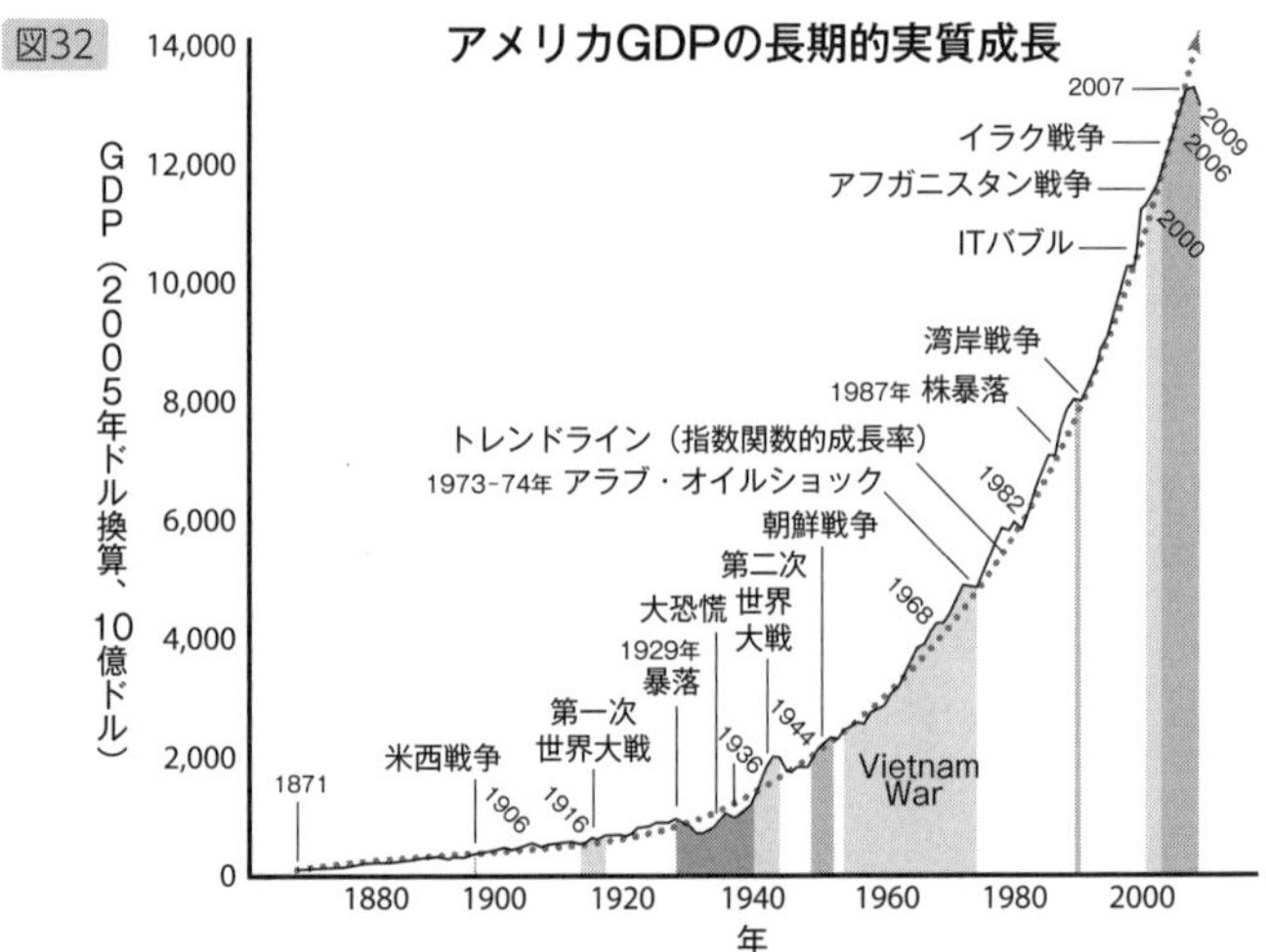

図31　1万年前の人新世初頭以降の、世界人口の指数関数以上の桁外れな増大。1800年前後に始まった激増は、産業革命と都市新世の開始を示している。
図32　都市新世と同時に、経済の急激な拡大が始まったことが、1800年以降のアメリカのGDP上昇に表れている。多くの危機、好況、不況にもかかわらず、純粋に指数関数的な灰色の破線（原文は「実線」）に、見事に一致している。

グ」の表紙に使った。

同じくらい啓示に満ちているのが、もっと最近の太陽光を浴びていない夜に撮影された母なる地球の写真だ（同上右）。もしも二〇〇年前にこのような写真を撮ることが技術的に可能だったなら、それは真っ黒で何も写っていなかっただろう。たとえ五〇年前のものでも、かなり暗かっただろう。でも、今はちがう。今やＮＡＳＡの人工衛星が撮った、壮大なきらきらと光るクリスマスのイルミネーションのようなものに全体を覆われた、目を見張るような地球の写真がある。これら「夜光」の輝きは、もちろん指数関数的な人口激増と、それに伴う途方もない技術、経済的成果の明確な結果だ。そしてこれらの光は圧倒的に都市が生み出したもので、都市化の壮絶なスピードを反映したものでもある。二一世紀のホモ・サピエンスのシンボルとして、それは「都市新世」とスケールという概念の本質そのものを内包しているので、本書（原著）のカバーにも使った。

最近の世界規模の人口激増は、実に驚くべき成果だ。とり

わけ、大きな貧困地域はあるが、健康、寿命、そして所得で測った全体的な生活の質は、全世界で平均するとおおむね人口増にあわせて向上しているのだからなおさらだ。人口増加は伝統的に、社会経済指標や金融指標と相関しているので、私たちは指数関数的拡大を当然と思うにとどまらず、それを自明の理に仕立て上げてきた。私たちの社会、経済的パラダイムはすべて、限りない指数関数的成長の維持への絶え間ない動きを目指している。

これに加えてすでにこれに含まれている七三億人と、今後数十年でやってくる数十億の人々に、食糧、衣服、教育を与え、面倒を見る必要がある。そのほとんどが住居、自動車、スマートフォンを求め、テレビ、ビデオ、映画を心地よい環境で楽しみたいと思い、多くが旅行し、教育とインターネットへのアクセスを求める。行動や物質的欲望、厚生は実に多様ではあるが、みな有意義で満足できる人生を送りたがる。私たちは共に、人間が発明した様々な社会経済プロセスの多様性に様々な度合いで貢献、参加し、恩恵や苦しみを受け、生命の素晴らしいタペストリーを作り上げている。だがこれのどれもが持続的なエネルギーと資源の供給がなければ、起こらなかったし持続することもない。現在構成されているような形だと、私たちの持続的成功には、石炭、ガス、石油、新鮮な水、鉄、銅、モリブデン、チタニウム、ルテニウム、プラチナ、リン、窒素など多くのものが指数関数的に加速して入手可能でなければならない。

2. 都市、都市化、そして地球持続可能性

おそらく私たちの最大の発明は、指数関数的拡大を推し進めてきた、この社会経済的相互作用、メカニズム、そしてプロセスの舞台そのもの、すなわち都市だ。これは都市経済学者エドワード・グレイザーが著書『都市は人類最高の発明である』で強調している考えだ。[*1] ここ二〇〇年間の人口激増と共に起きたのが、地球の指数関数的な都市化だった。都市はイノベーションの成功と富の創造に必要な二つの要素、社会的な相互作用と協力を促進し強化するために、人類が発達させてきた巧妙な仕組みだ。もちろん人口と都市の成長は密接な相互関係にあり、互いに利用しあうことで地球を圧倒的に支配している。

人新世という用語は、人間の活動が地球の生態系に大きな影響を及ぼしてきた、地球史のなかで最も近い時代の呼称として提唱されてきた。このプロセスは一万年以上前に、農業の発明と、それに続く移動狩猟採集民から定住コミュニティへの移行、そして最終的に最初の都市の出現と共に始まった。それまでの人類は地球の多面的な生態系に統合された一要素という意味で、まだ圧倒的に「生物的」であり――言ってみれば、単なる哺乳類の一種で――無限にも見える自然の多様性を構成する、その他すべての生き物、生命体とメタ均衡していた。だから世界人口は「自然」環境とのダイナミックな相互関係性を反映してわずか数百万人で、基本的に地球はまだ「手つかず」だった。

だがやがて産業革命が起こった。それ以前からすでに、地球の景観は人間の活動によって大幅に改変されていたが、この一連の劇的な空前の出来事は、爆発的で指数関数的速度よりも速い拡大状態の先駆けとなり、地球の生態系、環境、そして気候に前代未聞の変化を驚くほど短期間でもたらした。その結果、人新世の始まりを産業革命に置くべきだと提案する者もいれば、もっと最近の二〇世紀半

ばにするべきだと提案する者もいる。それを、地球の温暖化が始まって、農業と新人が発達した地質年代の完新世開始に合わせて、一万年以上前に始まったとする者もいる。

私は、新しい時代を名付けることで、私たちが地球に与えた大規模な影響をはっきりと認識することには大変乗り気だが、私たちが集合的な実効代謝率を上げることで、圧倒的に生物的な存在から圧倒的に社会的な存在へと初めて大きく分岐し始めた数千年前まで、人新世を丸ごと遡らせるほうがいいと思う。その考え方に基づくなら、私たちはすでに純粋な新人世を急速に離れて、今や地球で支配的な都市の指数関数的隆盛によって特徴づけられる、新たな時代と言うべきものに移行したことも認めるべきだ。この産業革命で始まるもっと短い集中的な期間を表すため、新しい用語を導入して都市新世という呼び名を提案したい。この変化がいかに大きいもので、その将来的な力学次第で、この驚くべき社会経済活動が繁栄し続けるのか、それとも衰退して停止するのかが決まることを踏まえて、私は最初の章に書いたことを繰り返すことでこれを説明しよう。

二一世紀に入ると都市と世界都市化が、人間が社会的存在になって以来地球が直面してきた最大の問題の源泉として浮上してきた。人類の未来と地球の長期持続可能性は、都市の運命と分かち難く結びついている。都市は文明のるつぼ、イノベーションのハブ、富創造のエンジン、権力集中の場、創造的個人を惹きつける磁石、さらにアイデア、成長、イノベーションを誘発する場だ。だが暗い側面もある。犯罪、公害、貧困、疾病の温床であり、エネルギーと資源を浪費する場でもある。急激な都市化と社会経済的発展の加速は、気候変動やその環境への影響から、食糧、エネルギー、水の供給、そして公衆衛生、金融市場、世界経済の危機の始まりまで、複合する地球規模の問題を生み出してき

た。

私たちの抱える大きな問題の原因であると同時に、創造性とアイデアとそれらの問題の解決策の源泉としての都市というこの二面性を考えると、「都市の科学」があり得るかという問題は、切迫したものとなる。都市の科学とは、都市の力学、成長、進化を、定量的に予測可能な枠組みのなかで理解するための概念的枠組みだ。これは長期的な持続可能性を達成するための本格的な方策考案にとって、とりわけ今世紀の後半には人間の圧倒的多数が都市住民になり、その多くが空前の規模の巨大都市に住むことを考えれば、きわめて重要だ。*2

私たちが直面している問題、課題、脅威のいずれも新しいものではない。それらすべてが、少なくとも産業革命初期から存在していた。都市化は比較的新しい世界的現象で、ごく最近まであまり深刻なものとして捉えられていなかった。なぜなら都市は全人口に対してそれほど大きな割合を占めていなかったからだ。今やそれらが生み出す問題が、私たちを圧倒しかねない、まるで迫り来る津波のように感じられるようになったのは、ひとえに都市化の指数関数的スピードのせいだ。五〇年前、いや一五年前でさえ、私たちのほとんどは地球温暖化、長期的な環境変化、エネルギー、水など資源の限界、健康と公害の問題、金融市場の安定性など意識していなかった。意識していたとしても、それらは一時的な例外でいずれ消えてなくなると思っていた。私たちの創意工夫でそれらを克服できるというかなり楽観的な考えを持った、ほとんどの政治家、経済学者、そして為政者たちの大半にとって、これに議論の余地があるのは確かだ。未来がますます速いペースで現在になり、それゆえに問題が起きたときには、多くの場合それに対処するのに手遅れというのが指数関数の本質だ。この指数関数的

拡大の静かな脅威に対する一般的な態度を考えたとき、ここで脱線してそれが持つ意味について説明しておくべきだろう。なぜなら権力者や政策担当者で、これを理解している人はほとんどいないように思えるからだ。

３．寄り道：実のところ、指数関数とは何か？　幾つかの警告的寓話

ビッグバン以降の宇宙の拡大、あるいは産業革命開始以降に地球で起こった社会経済的変化について論じる際に、私は「指数関数的成長」と「指数関数的拡大」という言葉を、それらがしっかり理解されているものとして使ってきた。それどころか、意味や含意をきちんと説明せずに「指数関数」をいくらか尊大に使ってきた。一般大衆の知識と理解をみくびっているのかもしれないが、教養のあるジャーナリスト、メディアの権威、政治家、そして企業のリーダーが、どうもわかっていないか、あるいはその意味合いを把握し切れていないようなやり方で「指数関数」という言葉を使うのを、よく耳にするのだ。実際、もしも彼らが本当に理解、認識しているなら、長期的持続可能性の課題について慎重かつ戦略的に考える必要性がいかに切迫しているかを納得してもらうのに、こんなに苦労するはずはないと感じることも多い。だから知ったかぶりと言われても、この概念は非常に重要で、本書で決定的な役割を果たしているので、少々寄り道をして、その意味と含意を詳しく述べておこう。

「指数関数」は、「勢い」や「量子」といった、科学的文脈では明確に定義された意味を持つ専門用語の一つだが、それまでの日常用語では的確に伝えられない有益な概念を含んでいるので、一般用語

に浸透した。口語的には「指数関数的成長」という言い回しは、非常に速い成長という意味だと一般に理解されている。例えば辞書を見ると、「指数関数的」という用語でまっ先に挙がっている意味は「急成長」だ。実際には、指数関数的成長は当たり障りなくかなりゆっくりと始まって、その後急成長と呼べそうな状態へと円滑に移行する。だがそれだけではない。

指数関数的に増大する人口とは、数学的には規模の成長速度（例えば一分あたり、一日あたり、あるいは一年あたり）が、今の人口規模に正比例するものと定義される。よって成長速度自体が、人口の増加に伴って急速に増える。例えば、指数関数的成長をする人口規模が二倍になると、その増加速度も二倍になり、つまり人口が増えれば増加率も上がり、実質的にフィードバックして自分で自分を大きくする。そのままだと、人口と成長率の両方がやがて無限大になる。

通常、指数関数的成長と呼ばれなくても、そうした成長には日常生活でかなりお馴染みだろう。単位時間あたりの増加速度が現在の大きさに比例するというのは、相対、あるいは割合で見た成長率が一定だという、無難に聞こえる言い方と同義だからだ。これは銀行が投資に対する収益率を計算するために使う典型的な複利計算に他ならない。だから大統領、財務大臣、首相、ＣＥＯたちが、国や組織が今年は五パーセントで成長していると言うとき、あるいは銀行が預金の利率は五パーセントと言うとき、暗にそれは指数関数的に成長していること、そして翌年の絶対成長量は、今年よりも五パーセント大きくなることを示している。よって、何も変わらなければ、みんなはますます金持ちで裕福になる。大統領が険しい顔で、この四半期の経済成長率はわずか一・五パーセントと発表し、経済が「停滞」しているという否定的反応をたくさん受けたとしても、経済は指数関数的に成長しており、

経済が大きくなればそれだけ増える量も増す。ただその速度が遅いと言っているにすぎない。一定の成長率であればみんなもっと金持ちで裕福になるから、青天井のステロイドのような指数関数的増強剤のとりこになるのも不思議はない。それは正真正銘のハイな状態で、私たちの経済力学の大成功の明確なしるしだ。

経済でも人口でもシステムの成長は、しばしば単純にシステムのサイズが倍になるのにかかる時間、「倍加時間」と呼ばれる量で表される。指数関数成長は倍加時間が一定という特徴を持つ。これは別に人畜無害な感じだが、例えば人口が一〇〇〇人からわずか一〇〇〇人増えて二倍の二〇〇〇人になるまでの時間と、二〇〇〇万人からとんでもない二〇〇〇万人も増えて四〇〇〇万人になるまでにかかる時間が同じという意味だと気がついたら、あまり無害には思えないかもしれない。驚いたことに、世界人口の倍加時間は実際には、さっき示したように系統的にどんどん短くなっている。五億人から二倍の一〇億人になるまで、一五〇〇年から一八〇〇年までの三〇〇年間かかったが、わずか一二〇年でその二倍の二〇億になり、さらにわずか四五年で二倍の四〇億になっている。これを図31に示した。比較的最近まで私たちは、純粋な指数関数よりも実際には速い加速ペースで増えているのだ！この加速はここ五〇年間で低下し始めたが、それでも私たちはいまだに実質的には指数関数的に増えている。

定義や無味乾燥な統計を示すかわりに、これらの考えをより鮮明に示す二つのおもしろい物語について話したいと思う。指数関数的成長の驚くべき魅力と落とし穴については、長い間知られていた。特に複利計算が昔から当たり前だった東洋においては、とりわけそうだ。高名なペルシア詩人フェル

ドゥスィーが約一〇〇〇年前に書いた、世界文学における偉大な叙事詩『シャー・ナーメ』が良い例だ。これは世界最長の叙事詩で書くのに三〇年かかった。ちょうどその頃、チェスが発明の地インドからペルシアにやってきた。その人気が高まると、フェルドゥスィーは、指数関数的増大の意味を示す手段としてチェス盤を使い、それを印象づけた。ここにその物語のあるバージョンを紹介しよう。

チェスの発明者が王にゲームを見せたとき、支配者は感心して、こんなに素晴らしくおもしろいゲームを作ったことに対する褒美として、発明者に何が欲しいか尋ねた。数学に長けたその男は、王に米粒という、とても控えめに見えるものを求めた。だがそれは、次のような方法で与えられることになっていた。彼はチェスボードの最初のマス目に米一粒、二つ目のマス目には二粒、三つ目には四粒、四つ目に八粒、五つ目に一六粒というふうに、マス目を一つ進むごとに倍にするよう求めた。自分の寛大な申し出に対し、ずいぶんみすぼらしく思える要求しかなくて、王は少し気を悪くしたが、それでも発明者の要求をしぶしぶ聞き入れて、会計役に発明者が定めた通りに米粒の数を数えるように命じた。だが会計役がその週末になってもその任務を終えられなかったため、王は彼を呼び出して、なぜ任務がひどく遅れているのか尋ねた。会計役は王に、発明者に褒美を与えるには王国のすべての財産をかき集めても足りないと答えた。

なぜ会計役の返答は単に正しいにとどまらず、実は褒美の総額の大きさを極度に低く見積もっているかを検証してみよう。その論拠は非常に単純だ。チェス版が64（8×8）のマス目から成っていることを思い起こしてほしい。褒美を決める指示は、最初のマス目ひとつに米一粒、二つ目のマス目には二粒、三つ目には四粒というものだった。よって、例えば八番目のマス目（273ページの図の最上部

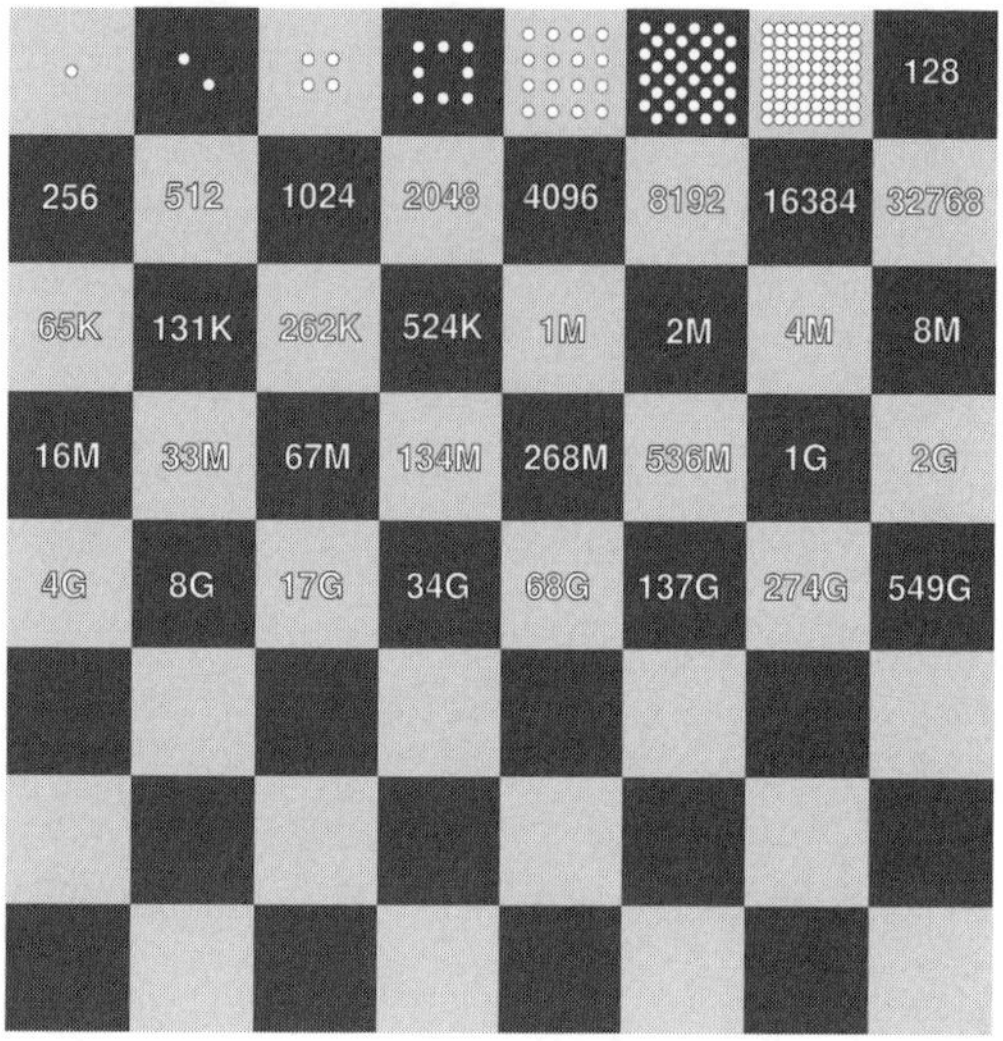

							128
256	512	1024	2048	4096	8192	16384	32768
65K	131K	262K	524K	1M	2M	4M	8M
16M	33M	67M	134M	268M	536M	1G	2G
4G	8G	17G	34G	68G	137G	274G	549G

の右端）では、２×２×２×２×２×２×２×２＝128粒になる。でも最後のマス、一番下の右の角の六四番目に到達するころには、米粒の数は２の63乗（すなわち２×２×２×２×２×２……と63回掛けたもの）になる。これはまさに天文学的数字だ。ノートパソコンかスマートフォンで計算してみれば、これが9,223,372,036,854,775,808となることがわかるだろう。一〇〇〇万兆粒弱の米粒！　これを積み上げるとエベレストよりも大きな山になる。

　これは歯止めの利かない指数関数的成長の、異様な力と究極の不条理の好例だ。これはまた、その気づきにくい幾つかの性質もうまく表している。最初は驚くほどゆっくりと始まるが、一度解き放たれると完全に制御不能になり、まわりのすべてを飲み込んでしまうのだ。さらに指数関数的に増大する個体数は、どんなときもそれまで存在していたすべての個体の総和よりも

大きい。例えばどの単一のマス目の粒の数も、それまでのすべてのマス目上の粒を足した数よりも常に大きい（訳注／これはこの例が一〇〇パーセント増になっているから起こることであって、もっと低い増加率ならそんなことにはならない）。よって、指数関数的な爆発的増大が始まって以来、現在まで生まれてきたすべての人よりも、今現在地球上で生きている人のほうが多い。これにより潜在的に持続不可能な、あるいは「際限なく」思える人口への到達が、不意打ちのようにやってくるのだ。これは、次の警告的な話が明らかにする通りだ。後で述べるように、森林やバクテリア・コロニーなど、指数関数的拡大を経る自然発生的コミュニティには、多くの場合競争力と環境資源の制限と結びついた、成長の生態的限界をもたらす自然なフィードバック・メカニズムがたいていい存在する。

これで話は、タルムードじみた深遠な問題を含む、二つめの警告物語へと向かう。現実のバクテリア・コロニーの成長プロセスに触発された、フィクション的思考実験の形で話を進めよう。ペニシリンなど抗生剤の標本を用意しようとして、バクテリア一匹から開始したとする。このバクテリアは便宜上、毎分二つの同一のバクテリアに分裂する。一分後にバクテリアは二匹になり、さらに一分後にはそれぞれが二つに分裂して、四匹のバクテリアになる。その後一分経つと八、また次に一六と連続する毎分ごとに数は二倍になる。米粒の指数関数的増大との類似は明らかだ。昼の一二時ちょうどに容器の中がバクテリアで完全にいっぱいになるのに必要な栄養をぴったり入れておいて、この増殖プロセスを朝の八時に開始したとしよう。ここで問題だ。朝の八時から昼の一二時までのあいだの一体どの時点で、この容器の半分がバクテリアで満たされるのだろう？

まちがった答えを返す人はたいてい、八時と一二時の中程の一〇時三〇分とか一一時一五分と答え

る。正解は、驚く人もいるかもしれないが、正午たった一分前の一一時五九分だ。あなたならすぐわかっただろう。個体数は毎分倍になるから、最終的な数の半分になるのは、プロセスが終了する正午の一分前の午前一一時五九分でなければならない。

このささやかな思考実験を、逆説的に逆行させることで、さらに話を進めたい。正午一分前には容器は半分埋まり、二分前ならわずか1／4（½×½）、三分前なら1／8（½×½×½））と続く。わずか五分前の午前一一時五五分には容器の1／32（½×½×½×½×½）で、たった約三パーセントしか容器が埋まっていないから、バクテリアはほとんど視認できない。このように続けていくと、同じ計算によって残り一〇分の一一時五〇分には、容器はわずか〇・一パーセントしか埋まっていないので、ほぼ空と言っていいだろう。だからたとえコロニーが全期間にわたって指数関数的に成長し続けても、この小さな空間が生きているほぼすべての時間、容器はほぼ何も起こらないまま、空に見える。この容器で、何らかの目に見える活動が見えてくるのは、その全存在期間のほんの一部にしか対応しない最後の数分間だけ、つまりこのバクテリアの世界が明らかな終焉に到達する直前だけだ。

ではこれを、コロニーに生きるバクテリアの視点から見てみよう。「実」時間の一〇〇分にあたる、「人間の時間」ならば（人間の一世代を二〇年とすると）おおむね二〇〇〇年に相当する一〇〇世代を経ても、生活は素晴らしいもので、食糧は豊富で、コミュニティは拡大を続け、自分たちの小さな宇宙をコロニー化している。二〇〇世代を経てもすべてが非常にうまくいっているようだ。そして二三五世代を経てもそれはまだかなり良好だが、少数のバクテリアはすでに自分たちの宇宙の限界を意

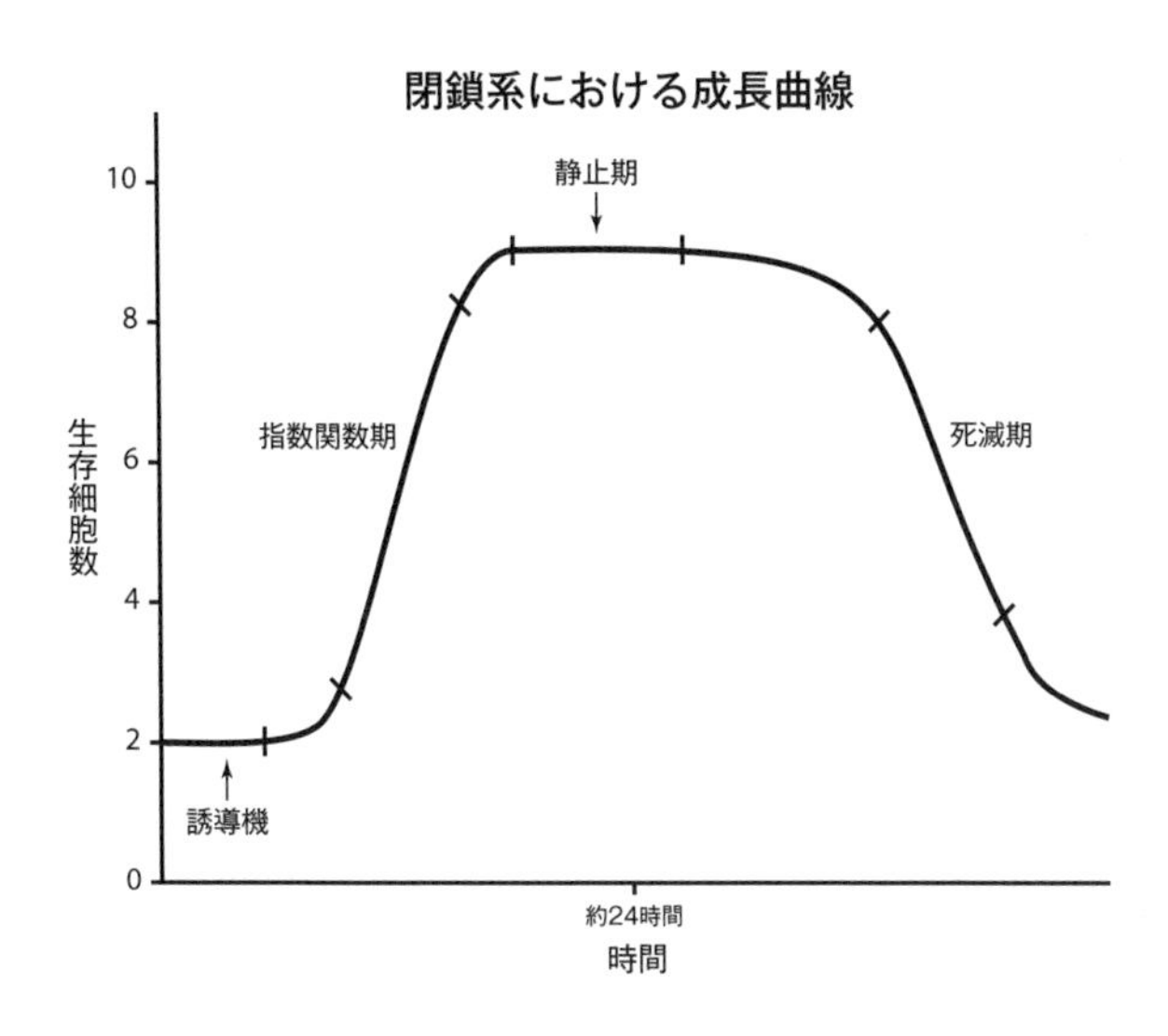

識するようになり、初めて食糧が少しばかり足りなくなり始めていることに気づく。二三九回目の倍増の直後の、個体数がばかばかしいほど大きな10^{71}に達すると、事態は急激に悪化し始め、その一世代後には終わってしまう！

　この小さな寓話の細部は完全に正しいわけではないが――バクテリアの倍加時間は通常一分ではなく三〇分に近いし、さらに有毒な老廃物の産出とそれによる細胞の死が無視されている――基本的なメッセージと抑制のない指数関数的増大の持つ意味は現実だ。上の図は、生態系の入門教科書で必ず目にする、実際のバクテリア・コロニーの成長軌跡とライフサイクルを示したものだ。ご覧の通り、いま話した物語そのものだ。急増と、それに続く停滞と崩壊。ここで重要なのは、これが閉鎖系だということ、つまりさっき説明した試験管内の物語と同様に、このコロニーが入手できる資源が限られている

ことだ。これは明らかに私たち自身が地球上に造り上げた、閉じられた状況と似ている。私たちはオープンな状態を維持して、外部から太陽エネルギーを得るのではなく、化石燃料にほぼ完全に依存している。指数関数的増大は、種としての人類の桁外れな成果として注目に値するが、そこには私たちの死の潜在的な種子と、次の曲がり角のすぐ向こうにある大きな困難の前触れが組み込まれているのだ。

4．産業都市の隆盛とその批判者たち

これらの少々挑発的で警告的な物語を提示したのは、限りない指数関数的増大の意味と含意を説明し、後のグローバルな持続可能性についての議論の下地を整えるためだ。この話を人新世に適用して、バクテリアと同じように、まったくの不意打ちの形で、悲劇的かつ唐突に終末を迎えてしまうという現代人の一大叙事詩と見ずにはいられない。この物語は、人類が過去二〇〇年間やってきたことの現実的な暗喩ではないのか？　私たちは最悪の事態に備えるか、あるいは最低でも無駄の多い生き様を変えるべきなのか？　あるいはこれらは単純さゆえに誤解を招く、単なる神話的寓話で、人間は健康、富、繁栄の待つもっと輝かしい未来に向かって進み続けるのか？

このような問いは、産業革命が指数関数的増大を推し進め始めた直後から、今なお進行中の非常に活発な議論を刺激してきた。農耕と職人手工業から自動機械と大量生産可能な工場創設への移行、農業における技術改革と増産、新たな化学薬品製造と製鉄プロセスの導入、水力の効率性改善、燃料が

再生可能な木材エネルギーから化石化した石炭エネルギーへの移行による蒸気の利用増大といったすべてが、ますます多くの人を伝統的な地方生活から離脱させ、より多くの雇用機会を与えてくれそうな、急拡大する都心への不可避の移住に寄与した。このプロセスは、今なお世界中で衰えることなく続いている。[*3]

産業革命が引き起こした大きな変化は、多くの裕福な起業家的製造業者と工場経営者を生み出し、多数のますます有力な中流階級を台頭させたが、工場であれ鉱山であれ、新たに都市化した労働者階級の置かれた状況はかなり劣悪だった。ディケンズが描いた、『オリヴァー・ツイスト』のロンドンを考えてみよう。そこは犯罪、公害、疾病、悲惨な暮らしをおくる大きな労働者階級人口の貧困が蔓延する都市だ。急激な人口増加への対応として生まれたスラムは、非衛生的な荒れた生活環境と過密で悪名高い。

多くの意味で産業革命の本当の象徴は、好況に沸く繊維産業の中心地で、それゆえに綿など原材料供給の確保のために「海洋を支配する」という英国の野望の大きな原動力となったマンチェスターだった。これは世界最初の産業都市で、一七七一年には二万人をわずかに超える程度だったその人口は、一八三一年には六倍の一二万人に増え、ほぼ七〇年後の一九世紀終わりには二〇〇万人を超えた。マンチェスターの進化は、デュッセルドルフ、ピッツバーグから深圳(シンセン)、サンパウロまで、これまで世界中で数え切れないほど繰り返されてきた変化の雛型になった。

ロンドンやニューヨークなど過去の巨大都市を振り返ってみると、それらはしばしばメキシコシティ、ナイロビ、コルカタといった今日の巨大都市で指摘されるマイナス・イメージとほぼ同じものに

悩まされていたことがわかる。一五〇年前のマンチェスターの繊維労働者は次のように言っている。「よく知られた酷い事実は、健康な男たちは、四〇歳にして年老いた過去の労働者とされ、子供たちは使い古されて変わり果て、彼らのうちの何千人もが、一六歳になるまでに結核で虐殺された」。それでも、恥知らずな収奪と、ひどく非人間的な生活、労働環境にもかかわらず、これらの都市はきわめて社会移動が高まり、急速に多様な社会を発達させ、大きな機会を人々に提供し、最終的にそれらの多くが世界経済の牽引役となった。ほぼ同じことが、今日アフリカ、アジア、そして世界のその他の地域で出現している巨大都市についても言える。アメリカ人建築家で都市計画者でもあるアンドレス・ドゥアーニーの言葉を引用しておく。「一八六〇年、人口六万人の首都ワシントンの街路に灯りはなく、ドブ川が流れ、大通りを豚が歩き回っていた。状況は現在の最悪の都市と比べても悪かった。希望はある」。

ヴィクトリア朝時代の巨大都市隆盛と「低所得労働者」の窮状について書くとき、私はついちょっとした私事に触れたくなる。私はイングランドの田舎、サマセット州で生まれたが、一家のルーツはロンドンのイースト・エンドで、運命の奇妙なねじれから、高校生活の最後の数年をそこで過ごした。イースト・エンドは一九世紀ロンドンの急激な拡大の産物で、都市のなかでも最も貧しく、最も人口密度の高い地域の一つで、それゆえに疾病と犯罪の温床だった。切り裂きジャックは、イースト・エンドの犯罪者として歴代で最も悪名高い存在だろう。この怪しい伝統に沿うように、最初の二年間私の隣に座っていた級友は、ついにイギリスで最も有名な指名手配犯になった。当時イースト・エンドの大半がスラムとみなされ、ディケンズ風の雰囲気を漂わせ、特に日の短い冬の数ヵ月間は、空は暗

い灰色で、よく知られた豆スープのような渦巻く濃霧が街を覆っていた――シャーロック・ホームズの推理小説にうってつけの完璧な舞台設定だ。

大学に入るまでの夏の間、私は地元のビール醸造所で働いていた。最初の労働体験は、一五歳だった一九五六年の夏だ。それは当時イースト・エンドのなかでもとりわけ評判の悪かった、テムズ川北岸の船渠(ドック)に隣接したライムハウスの古いテイラー・ウォーカー醸造所だった。ライムハウスは多くの本や映画にも登場し、ヴィクトリア朝の昔からあまり変わらないままだった。一九五六年には、ディケンズ『エドウィン・ドルードの謎』に書かれたアヘン窟こそとっくになくなっていたが、まだ犯罪地区として有名だった。

一七三〇年創業のこの醸造所は、一八二七年建造で一八八九年に部分的に改修されていた。典型的なヴィクトリア朝風の赤レンガ造りで、照明と換気が不十分な工場で、そのかなり劣悪な労働環境は一〇〇年以上変わらないままだった。私の仕事は、使用済みの瓶を洗浄して再びビールを詰める垂直ベルトコンベヤーに、何も考えずにビール瓶の箱を載せ続けることだった。五秒かそこら毎に、次の重い箱をこの古めかしい鉄の機械に載せなければならなかった。これを一時間の昼食休憩と午前、午後各一回の一五分休憩をはさんで、一週間に五日半、一日九時間半絶え間なく行った（これには土曜の半日分と、毎日一時間の残業が含まれていた）。これまでの人生で最もきつい仕事だった（おそらく例外はひも理論研究と、二〇〇八年の市場崩壊時のサンタフェ研究所運営支援だ）。私は疲労困憊(こんぱい)して（一時間ほどの距離の）自宅に帰り、大量の食事を摂って午後八時三〇分には寝て、翌朝は六時三〇分に起きた。

休憩になると、ディケンズの本から出てきたような、体の前面をすべて覆う薄汚れた古びた革製エプロンを着けた男が、大きな汚れた鉄製バケツとそれに鉄の鎖でつながれた使い古したすず製のマグカップを持って登場した。バケツの中にはテイラー・ウォーカーの最も安いブラウンエールが入っていて、私たちはそれをすず製マグカップで飲みたいだけ飲んでいいことになっていた。言うまでもなく、マグカップはみんなが飲んでいるあいだに洗われたり、すすがれることなどなかった。どんな病気をそこからもらったかは知るよしもないし、当然私はこれについては母親には何も言わなかった！これらすべてこみで時給は一シリング11と3／4ペンス、つまり1／10ポンド弱（現在の通貨で一〇ペンス）もらっていた。少なそうに思えるが、そんなことはない。現在の貨幣価値に換算するとそれは時給二・一八ポンド（あるいはおおむね三六〇円）に相当する。

実際、一五歳にしてはかなり良い稼ぎで、その夏の二、三ヵ月間に、休日の貧乏ヒッチハイク旅行に十分な額を稼ぎ、その年の残された期間で、ロンドンが思春期の少年に与えてくれるものを楽しんだ。しかしもしも私が妻と三人の子供を持つ三〇歳の男だったなら、たとえ二倍もらったとしても、糊口をしのげたかは神のみぞ知る。週に六日、一日一二時間働き、子供が当たり前のように鉱山や製造工場で労働者として使われていた五〇年あるいは一〇〇年前に比べれば絶対にマシであっても、条件と将来性はまったくひどいものだった。私は政治的には保守だったが、まわりの多くの人々同様に、大都市の経済活動の両極端で目にしたことに強い影響を受けた。マルクスとエンゲルスからジョージ・バーナード・ショーとブルームズベリー・グループ、そして戦後のクレメント・アトリーとその英国労働党の同僚たちまで、出自が上位有産階級の多くの思想家たちは、ロンドンのイースト・エンド、

ランカシャーの工場、そしてサウス・ウェールズの炭鉱で目の当たりにした貧困と困窮にショックを受けた。

産業革命のはるか以前から、多くの労働者階級にとっては、厳しく非衛生的な労働条件が当たり前だったことはつい忘れてしまいがちだ。児童労働、不衛生な生活環境、あるいは長時間労働といった、私たちが産業革命と都市化に結びつけるすべての罪は、産業革命以前の社会でも同じように蔓延していた。実は最終的に幼児と児童の死亡を大きく減らし、人口増加率を急激に高めたのは、科学と啓蒙主義がもたらした改善だった。農業従事者に比べ都市産業労働者の生活が悲惨に見えるのは、農業と比べたときの工場と鉱山の非人間的な厳しさのみならず、指数関数的増大がもたらした問題のスケールと範囲があまりに大きかったせいもある。似たような主張は今もしつこく続いていて、今の現代都市の喧騒に欠けている、共同体意識と人間関係がある小さな村や町に住んでいた頃のほうが、生活はずっと良かったと多くの人が信じている。これについては、後に都市の力学について論じ、急成長する都市に住んでいようと、活気のない田舎の村に住んでいようと、私たち全員が依存するようになった限りない成長経済という考え方にとって、ライフ・ペースの加速がいかに不可欠かを示す際にまた戻ろう。

5．マルサス、新マルサス主義、そして偉大なるイノベーション楽天主義者

トーマス・ロバート・マルサスは通常、無制限の指数関数的増大がもたらす潜在的脅威を認識し、

それを資源の限界と利用可能性の問題に結びつけた初めての人物とされている。マルサスはイギリスの聖職者で、学者であり、そして新しく生まれた経済学や人口統計学と、それらが長期的政治政策に与える影響という分野への初期の貢献者だった。彼は大きな影響をもたらす『人口論』という論説を一七九八年に発表し、そのなかで「人口の力は世界の人類を扶養するための生産力よりも、圧倒的に大きい」と主張した。彼の主張は、人口は「幾何学的」、すなわち指数関数的に増大するのに対し、食糧を育てて供給する能力は「代数的」、すなわちもっと遅い線形でしか増大しないので、人口規模がいずれ食糧供給を追い越し、破滅的崩壊に至るというものだった。

マルサスはそのような破滅を回避して維持可能な人口を確保するには、何らかの形で人口抑制が必要だと結論づけている。これは疾病、飢餓、戦争の増加といった「自然」原因で生じるか、もっと好ましい社会的行動の変化、とりわけ彼がその再生産率が明らかに人口問題の原因になっていると考えた、低収入労働者の行動変化のいずれかだ。敬虔なキリスト教信者として、彼は避妊という考えを好まず、禁欲、晩婚化、さらに極貧者や健康、精神に欠陥を抱えた者の結婚制限といった、道徳的抑制という考えを好んだ。どこかで聞き覚えがないだろうか？　彼の抱いていた深い宗教、道徳的信条を考えると、マルサスが大規模不妊手術、あるいは当時可能になっていた中絶の自由化の熱狂的支持者になるとはとても考えにくい。しかし、中国が採択した一人っ子政策なら大いに支持したはずだ。言うまでもなく、現代の新マルサス主義者たちは、人為的産児制限、中絶、あるいは場合によっては、自発的なら不妊化計画に関しても、宗教的信条のせいでためらったりはしない。

マルサスの分析の不幸な結果の一つは、貧困者は繁殖があまりに速すぎるから困窮してしまうのだ

と強調することで、実質的に貧困者を非難していると解釈されたことだ。これを認めれば、彼らの貧困と全般的な酷い状況の原因が、資本家による搾取ではなく子だくさんにあると、つい断定したくなる。このような考えによる結論をさらに進めて、従来のマルサス主義者は、政府によるものでも慈善事業によるものであろうと、貧困者に対する家父長的な施しをしても、彼らの数を増やし、経済的に依存する貧困者数をさらに指数関数的に増やす原因になるだけで、最終的にこれは国を破産させることになって逆効果だと信じ込んでいた。この考えの各種現代版の変種も、かなりお馴染みだろう。この考えは必然的に大きな議論を引き起こし、その後二世紀のあいだに何度も繰り返され、もっと広い文脈で見ると現在まで衰えることなく続いてきた。

ある意味、議論が途絶えなかったことはかなり驚きだ。なぜなら、マルサスの考えは大きな批判を受け、彼がそれを提案するやいなや、あらゆる政治的立場の、社会的、経済的に最も影響力を持った思想家たちから即座に却下されたからだ……そして、これから見るようにそれには正当な理由があった。ここ二〇〇年のあいだ、マルクス主義者や社会主義者から自由主義的な自由市場の信奉者まで、そして社会保守主義者やフェミニストから人権擁護者まで、マルサスの議論は様々な方面から幅広く批判されてきたし、それは今なお続いている。個人的に特に面白かった古典的批判は、マルクスとエンゲルスによるもので、彼らはマルサスを「ブルジョアの走狗（そうく）」とけなしたが、それはまるでモンティ・パイソンに登場する彼ら自身のパロディのように聞こえる。

一方でマルサスの考えは多くの重要な思想家たちに、主張に全面的に賛成はしないまでも、大きな影響を与え続けてきた。それには自然選択理論の提案者であるアルフレッド・ラッセル・ウォレスと

チャールズ・ダーウィンに加えて、偉大な経済学者ジョン・メイナード・ケインズも含まれていた。最近では世界の持続可能性への関心の高まりのなかで、マルサスの考えは（食糧だけでなく）一般的な資源の限界という問題を取り込んで広がった。そこでは貧困者や人口増大さえあまり問題にされず、環境、気候変動が主眼となり、これらの問題が地理や経済階級を超えた深刻なものだという認識が強調されている。

だが主流経済学者、社会学者たちのなかでは、差し迫った破滅を暗示するマルサス理論は禁句となってきた。彼らの多くが理論の基本前提が根本的にまちがっていると考えており、それを裏付ける証拠もたくさんある。おそらく最も重要なのはマルサスの予測とまったく反対に、農業生産性は時間と共に線形的に増えるのではなく、人口増加を追いかけるかたちで指数関数的に増えていたという点だ。さらに人間の再生産は、平均生活水準の着実な上昇に伴って、減少していた。平均賃金の上昇と避妊手段が利用しやすくなったことで、労働者は子供を増やすより減らしたがっている。

いずれ破綻が迫ってくるという従来のマルサス流の考えを、おめでたい、単純な、あるいはまったくのまちがいとして即座に否定しない経済学者には、ほとんどお目にかかったことがない。一方で、その考えを信じないほうがバカだと思わない物理学者や生態学者にも、ほとんどお目にかかったことがない。独立独行の経済学者故ケネス・ボールディングは、アメリカ議会で証言した際に、「限りある世界で、指数関数的成長が永久に続くと信じているのは、狂人か経済学者のどちらかだ」と断じて、この状況をうまく要約している。

ほとんどの経済学者、社会科学者、政治家、そして実業界のリーダーたちはたいてい、指数関数的

成長を維持するための魔法の杖である「イノベーション」を念仏のように唱えて、自分たちの楽観的な考えを正当化する。彼らは、指数関数的成長を促進させ、生活水準を向上させ続けてきたのは私たちの非凡な創意工夫と変化とイノベーションへの開放性であり、その相当部分は自由市場経済に突き動かされていると、正当にも指摘する。マルサスの当初の主張は、啓蒙主義と産業革命の精神と発見によって促された、農業における予期せぬ技術的進歩のせいで、まちがったものとなった。その技術進歩とは、脱穀機、結束機、綿織り機、蒸気トラクター、鋼鉄の刃先を持った錬鉄鋤などの発明だけでなく、輪作の進歩、商業生産された肥料の使用増加などだ。これらは収量を増やし、過去一万年間の手作業プロセスを機械化して、生産性の向上に大きく貢献した。一八三〇年には小麦一〇〇ブッシェル（二八キログラムほど）を育てるには、ほぼ三〇〇時間の人間労働が必要だったが、一八九〇年にはこれが五〇時間以下まで短縮された。現在ではそれがほんの数時間だ。

現代では、農業が次第に産業化されることで、食糧生産性におけるこの驚くべき革命が類まれな継続を経験している。先進国世界における食糧生産は、科学と技術を使って収量を最大化し、流通を最適化する、巨大アグリビジネス企業体によって支配されている。肉、魚、野菜がまるで自動車やテレビのように、巨大工場の生産ラインで効率的に製造されるという食糧生産の機械化は、世界中に急速に広まり、何十億人もの人々に安価な食物を供給している。

変化のスケールを摑むために考えてみよう。例えばアメリカには一九六七年には約一〇〇万の養豚農家があったが、現在はわずか一〇万戸で、現在産出されている豚の八〇パーセント以上がこれらの養豚に特化した工場式畜産によるものだ。今ではアメリカで消費される畜牛の八一パーセント、羊の

七三パーセント、豚の五七パーセント、そして鶏の五〇パーセントをわずか四社で生産している。世界を見ても世界の鶏肉の七四パーセント、牛肉の四三パーセント、鶏卵の六八パーセントがこのような形で生産されている。その結果、平均して農業労働者一人が消費者約一一人分の食糧を供給していた一九三〇年には、農業従事者がアメリカ人口の約四分の一を占めていたが、それが今では人口の一パーセントにも満たない。今日では、農民一人が消費者一〇〇人近くを喰わせている。この莫大な効率性向上と、農業労働需要の非常に大きな低下が、都市人口の指数関数的増大の背後にある大きな要因だ。

長期持続可能性について考える際に、「イノベーション」の考えを否定するのは難しい。ここ二〇年間どころか、二〇〇年間に生み出された多くの新しい道具、機械、加工品、過程、アイデアについて考えてみよう。飛行機、自動車、コンピュータ、インターネットから相対性理論、量子力学、そして自然選択まで、それは想像を絶する指数関数的無謀運転だった——アリババ、あるいは『ハムレット』のホレイショが夢見ることさえできなかった、さらなる驚きの無限の供給という超強化版の地球だ。

世界銀行によると二〇〇〇年に国連が定めたミレニアム開発目標、つまり一九九〇年の貧困率を二〇一五年までに半減させるという目標は、予定より五年も早い二〇一〇年に達成された。さらに、現在の平均的な人々は以前よりも生活水準が高く、寿命も長い。これがコインの一面だ。もう一つの面は世界人口の半分がいまだに一日二・五ドル未満で暮らしており、一〇億人もが清潔な飲み水への適切なアクセスや、十分な食料が得られていない。どうやら驚嘆すべき進歩にもかかわらず、マルサス

流の脅威がいまだに背後に潜んでいるかのようだ。

　これはほぼ五〇年前の一九六八年に生態学者ポール・エーリックのベストセラー『人口爆発』で、強く主張されていた。[4] この本は以下の挑みかけるような刺激的宣言で始まる。

> すべての人間に食料を与えるための戦いは終わった。一九七〇年代には、現在進行中の危急の計画にもかかわらず、何億人もの人々が餓死するだろう。もはや手遅れとなった今、世界の死亡率の大幅な上昇を食い止めることなどできない（後略）

「インドが一九八〇年までにさらに二億人も増える人々に、食料を供給できるとはとても思えない」といった、同じような恐ろしい予言もされており、差し迫った大惨事を軽減するための、強制不妊を含む様々な厳しい提案がされている。

　そのすぐ後の一九七二年、マサチューセッツ工科大学（ＭＩＴ）のデニス・メドウズとジェイ・フォレスター『成長の限界』が出版された。[5] それは限りある資源が指数関数的成長の持続にどのような影響を与えるか、そして「これまで通り」が潜在的にもたらす結果についての詳細な調査に注目している。この研究は、著名な「人類の未来への関心を共有する世界市民」連盟である、ローマ・クラブと呼ばれる組織から支援を受けていた。このクラブには世界中の元首長、外交官、科学者、経済学者、実業界のリーダーが加わっていた。この研究は、入手可能なデータを食糧生産、人口成長、産業化、再生不可能な資源、公害に関するコンピュータによるシミュレーションと組み合わせて、地球の持続

可能性のために考えられるシナリオをモデル化しようとした、初の本格的な取り組みだった。だから最近の気候変動のモデル化を含む、地球の未来を本格的にモデル化しようとするその後の試みの先駆だった。

マルサスの小論やエーリックの著書同様に、『成長の限界』は大衆メディアの大きな注目を集め、地球の未来についての議論を促したという意味で同じくらい挑発的だった。そしてそれらと同様に、それはとりわけ経済学者たちから、イノベーションの力学を取り込んでいないとして大きな批判を浴びた。

批判の主導者の一人は著名経済学者ジュリアン・サイモンで、彼は私たちがここ二〇〇年間目撃してきた驚異的増大は、人間の創意工夫と絶え間ないイノベーション能力によって「永久」に維持されるという、多くの経済学者が持っている考え方のかなり極端なバージョンを主張した。実際、サイモンは一九八一年に自著『究極の資源』で、人口が増えればさらなる技術イノベーション、発明、創意が刺激され、資源の新たな活用方法が生まれ、生活水準も向上するから、人口はむしろ多いほうが良いと主張した。[*6]

二一世紀になるとこの豊穣なる「打ち出の小槌」という考えが、企業や政治の概念的思考の重要な一要素として再び現れた。神の介入ではなく、人間の創意の自由な表現、そして自由市場経済の無限の可能性という魔法の力で絶えることなく補充される、魚でいっぱいの無限の樽というイメージだ。実際サイモンの考えは実質的に、学術、ビジネス、政治の各コミュニティの多くの人々に受け入れられてきた。この考えの簡潔なまとめを、経済学者ポール・ローマーが明確に述べている。彼は、経済

成長はまず何よりも人的資本、イノベーション、知識創造への投資が駆動すると主張する、「内生的成長理論」の創始者の一人だ。[*7] ローマーは「あらゆる世代は、新しい方策やアイデアが見つからなければ、限りある資源と好ましからぬ副作用がもたらす成長の限界を考案し続けてきた。そしてどの世代も新しい方策とアイデアを見つける潜在力を見くびってきた。私たちは一貫して、どれほど多くのアイデアがいまだに発見されていないかを見落としてきた。可能性は足し算ではない。掛け算なのだ」。言い換えると、アイデアとイノベーションは、人口増大と歩調を合わせて、加算的（すなわち線形）ではなく、乗法的（すなわち指数関数的）に増殖し、このプロセスに終わりはなく実質的に無限であるというわけだ。

一方で、ここ数十年間は、環境保護運動と地球の未来に対する深刻な懸念の増大と共に、『人口爆発』と『成長の限界』の精神的後継者が再浮上してきた時代でもあった。これと密接に結びついていたのが、野放図な企業や政治的野望の影響に対する深い懸念で、これが「企業の社会的責任」の必要性に対する認識を促してきた。すべての成長と繁栄を煽るイノベーションと創意の原動力として結束した凶暴な資本主義と、環境保護主義者や気候変動と潜在的な経済破綻の暗澹たる警報に耳を傾ける人々の未来への不安との分断を橋渡しして、途切れることない緊張を緩和することが、二一世紀の大きな政治的課題の一つとして浮かび上がってきた。

自由市場経済に促進された、人間の集合的な創意工夫とイノベーションが、潜在的な崩壊を回避し、長期的な無限の成長を維持する秘訣と考えるのは、非合理ではないかもしれないが、それがもたらす不可避な結果の否定、あるいは少なくともそれに対する深い疑念を伴っていることに、私はいささか

当惑する。「イノベーション」を将来の世界的な社会経済的課題に対処する万能薬として支持する多くの人々同様に、サイモンは人間の活動が気候変動や公害や化学汚染などを通じ、地球環境を損なって深刻な健康問題をもたらすという考えに対し、声高に疑念を表明した。熱力学第二法則とその内容、そしてエントロピー生成という形でのその顕現が、無限の指数関数的成長の暗黒面を表している。私たちがいかに革新的かということとは無関係に、結局のところすべてはエネルギー利用によって駆動、処理され、エネルギー処理は必然的に有害な影響をもたらすのだ。

6. 何はともあれ、エネルギーがすべて

私たちは世界全体で、一年あたり一五〇兆キロワット時という途方もない量のエネルギーを使っている。これはアメリカ年間予算同様の天文学的数字の一つで、一人の人間である私たちの大半にとって、その大きさと意味を理解するのは非常に難しく、耳にしただけでめまいがする。一九五九年から一九六九年まで共和党員として上院議長を務めたエベレット・ダークセン上院議員は、アメリカ国家予算について、次のように述べたと言われている。「こっちに一〇億、あっちに一〇億と、やっているうちに、やっとまともな金額になる」。これは予算が三兆五〇〇〇億ドル、現在の三〇分の一だった時の話だ。これはアメリカの男女子供すべて一人あたり一万ドルに相当する、というほうが規模感はつかみやすい。

世界のエネルギー消費のスケールの意味合いを同じように感じてもらい、その桁外れな大きさをざ

っと視野におさめるため、役に立ちそうな比較を二つほど示そう。最初の章で私は人が生きるために必要な一日二〇〇〇キロカロリーは、電球一個分の約一〇〇ワットに相当すると述べた。人間はどんな人工物と比べても、エネルギー利用効率が非常に高い。例えば食器洗い機は、皿を洗うために毎秒人間の一〇倍以上のエネルギーを必要とし、自動車は人を運ぶために一〇〇〇倍以上のエネルギーを使う。現代の生活に不可欠なすべての機械、人工物、インフラの燃料として、地球上のすべての平均的人間が使うエネルギーの合計は、私たちの自然な必要エネルギー量の約三〇倍だ。

少し別の言い方をすれば、私たちが生活水準を維持するために処理すべきエネルギーは、約一万年前に集団的に都市コミュニティを形成し始めるまでの数十万年のあいだ、わずか数百ワットのままだった。これが人新世の始まりで、そこから人間の代謝率は現在の三〇〇〇ワット以上の水準まで着実に上昇してきた。だがこれは単に地球全体の平均値にすぎない。アメリカではほぼ四倍の一万一〇〇〇ワットというとてつもない大きさで、これは「自然」の生物学的値の一〇〇倍以上だ。これほどの電力は、質量が一〇〇〇倍以上大きいシロナガスクジラの代謝率にすら迫る。私たちが物理的サイズからみて「あるべき」値の三〇倍のエネルギーを消費する動物だと考えると、地球の実効人口は、それに応じて実際今住んでいる七三億人よりもかなり大きいことになる。実際問題として、私たちは人口が少なくとも三〇倍大きい、世界人口二〇〇〇億人であるかのように稼働している。豊穣さを信奉する思想家たちのなかでも最も楽観主義的な人々が正しくて、世界人口が今世紀終わりに一〇〇億人に達して、そのすべてがアメリカ並みの生活水準で暮らすなら、その実効人口は一兆人を超える。

この試算は、私たちが使っているエネルギー量の感覚を与えるのみならず、「自然世界」と比べて、

人間がどれほど生態学的均衡から逸脱しているかを示している。同じくらい重要なのは、このエネルギー消費の大きな増大が、進化基準からすればごく短い間に起き、そのためにその影響に対する体系だった調整や順応はほぼ対応不可能だったことだ。例えば、人間がまだ数百ワットのエネルギー水準で稼働する自然世界に不可欠な一要素でしかなく、農業発見以前だと、世界人口はわずか一〇〇〇万人程度だったとされる。それが今やごく短期間で実質二〇〇〇倍に膨れ上がったので、自然の動的な進化の均衡は大きく崩れ、それによって生態と環境に将来的に壊滅的結果がもたらされる可能性が生じた。

これだけでも十分深刻だが、私たちのエネルギー利用の避けがたい非効率性と、それによるエントロピー生成がもたらす公害、低位熱、環境被害と破壊を考えればなおさらだ。一九八〇年のほぼ二倍に増大した世界のエネルギー消費量のうち、約三分の一が無駄になっている。例えば、実際に車を動かすのに使われているのはガソリンのエネルギーのわずか二〇パーセントほどだ。イノベーションの大きな役割の一つは、既存の技術を改善し新しい技術を生み出すこと、あるいはそれらの利用を整理して、こうした非効率を減らすことだ。政府による計画と課税政策がこれらの問題への新発想と取り組みを促すことで、エネルギー消費、無駄遣い、非効率性という課題に対する市民と企業の意識の高まりが生じている。後にも先にも大きな進歩があるのは確かだが、それだけで十分か？　無限に成長し続ける自由市場制度が、たとえ政府によって介入、刺激、規制が加えられても、大きな収益性と長期的持続可能性の問題解決とのメタ安定的な均衡を実現できるかどうかは、誰にもわからない。結局のところ、事業の第一の機能は効率性改善ではなく、利益を上げることなのだ。

地球上の生命は、太陽から得たエネルギーを、生命を支える生物的な代謝エネルギーに直接変換することで進化し、持続してきた。自然選択で生まれた革新的生命形態は絶えず入れ替わってはいたが、この驚異的なプロセスは二〇億年以上首尾良く続き、よって自信を持って「持続可能」と言えた。生命の維持で重要だったのは、エネルギー源たる太陽が外部にあって、信頼性が高く、おおむね不変だったことだ。それは毎日輝いているし、その出力の変化は十分長い期間をかけて起きたので、変化に合わせて適応できた。

この進行中の、常に進化を続ける準定常的な状態は、死んだ木に蓄えられた太陽エネルギーを解放する化学過程である火の発見によって、非常にゆっくりと変化し始めた。これが農業の発明と組み合わさることで、人新世への移行が始まり、私たちは単なる生物的生命体から、もはや「自然」世界とのメタ均衡関係にない、現在の都市化した社会経済的な生き物になった。わずか二〇〇〇年前に私たちが石炭と石油という形で地下に貯蔵された太陽エネルギーを発見、開発したときに起きた、ほぼ三〇億年にわたる持続可能な従来の状態からのまったく劇的かつ革新的な離脱によって、都市新世が始まった。かつて、そして今も化石燃料は、太陽のようなほぼ無尽蔵のエネルギー源であるかのように思われ、そのエネルギーの放出が産業革命に拍車をかけた。

科学的な視点から見ると、産業革命の真に革命的な特質は、太陽によって外部からエネルギーが供給される開放系から、エネルギーが化石燃料によって内部から供給される閉鎖系への劇的変化にある。これは大きな熱力学的結果を伴う根本的な全身性の変化だ。なぜなら閉鎖系では、熱力学第二法則と

エントロピー増大という必要条件が厳密に適用されるからだ。私たちは外部の信頼性のある不変のエネルギー源から、内部の信頼性のない変化するエネルギー源へと「進歩」した。さらにこの主要エネルギー源は、それが支えるシステムそのもののなかで不可欠な要素であるため、その供給は絶えず変化し続ける内部の市場原理に支配されてしまっている。

化石燃料を後ろ盾にしたことで、わずか二〇〇年間の私たちの社会経済的成果は、太陽を後ろ盾にした自然選択がこんな短期間でそれまでに生物的に達成したすべてを凌駕した。だが化石燃料の箱を開けたことで、払うべき潜在的な重いツケが生じ、できるならそれとの共存を学ぶか、元の箱に戻すかのいずれかしかない。

第二法則のもたらす結果の一例が、化石燃料として地下に蓄えられたエネルギーを地表に解き放つことによる大気の温暖化だ。これはこれらの燃料を燃やして生じるエントロピー的副産物である二酸化炭素やメタンといった気体の排出が、熱を大気中に閉じ込める有名な温室効果を引き起こして、大きく増幅される。物理、化学プロセスの速度が温度にどの程度左右されるかに深入りする気はないが、それらがべき乗則的ではなく指数関数的にスケールすることだけは繰り返しておく。その結果、気候と動植物の生活史に影響を与えるプロセスは、それらが活動する**温度の小さな変化に対して、指数関数的に感度が高まる**。平均気温が二℃上がるとこれらの速度は二〇パーセント跳ね上がるのだ。だから適応プロセスが発達できないほど短期間に起こる、環境温度の小さな変化は生態や気候に甚大な影響をもたらす。なかには有益なものもあるが、大半は破壊的だ。だがその良し悪しを問わず、重大な変化が到来していて、私たちは是が非でもその原因と結果を理解し、順応と緩和のための策略をたて

る必要がある。

重要な問いは、これらの影響の起源が人為的かどうかではない。人為的なのはほぼまちがいないからだ。むしろ物理経済環境に急激な不連続変化を引き起こさずに、そして最終的に世界の社会経済的な仕組みの崩壊が起きないように、どこまでそれを最小化できるかが重要だ。私が科学者、環境問題専門家、その他の忠告を認めない政治家や企業のリーダーたちを含む大衆に当惑し、彼らが行動を起こさないことに当惑し続けているのはこのためだ。そう、私たちはみんな自由市場システム、そして人間の創意とイノベーションの役割がもたらした大きな成功と成果を満喫し、それをどんどん推し進めるべきだが、同時にエネルギーとエントロピーの重要な役割を認識し、それらがもたらす有害な結果に対する世界規模の解決策を見つけるために、戦略的に協力する必要がある。

地球の歴史、とりわけ近代人間社会の社会経済的発展において、人類をここまで連れてくるのにエネルギーが果たした明らかな中心的役割にもかかわらず、経済学の古典的教科書で、それについて触れた文はほとんど見つからない。意外なことに、エネルギーやエントロピー、代謝、環境収容力といった概念も主流経済学に入り込んでいない。経済、市場、人口のここ二〇〇年間の持続成長と、それに伴う生活水準向上は、当然かもしれないが、古典的な経済学的思考が成功した証拠であり、新マルサス派の思想の否定とみなされてきた。エントロピーを不可避の結果と考えることはもちろん、経済的成功、あるいは人口成長を下から支える原動力として、エネルギーについて深刻に考える必要はなかった。実は資源は有限かもしれない、あるいは無限成長を疑問視させる根本的な物理的制限があるかもしれない、などと考える必要はなかった。これまでのところは。

これらの問題はイノベーションと人間の創意が、とりわけ比較的自由な市場経済に刺激を受けることで、過去も未来もすべての活動で果たしてきた魔術的とすら言える役割を持ち出すことで、概念上は回避されてきた。物理的宇宙がなぜ指数関数的に拡大し続けるのかを「説明」するために、謎めいたほぼ無限の暗黒エネルギーが持ち出されたように、革新的アイデアの無限に近い供給が、社会経済的宇宙が行く手の障害を克服しながら拡大し続けるのかを説明するために利用される。

加えて、イノベーションの種子であるアイデアはタダだという、言外の仮定も存在するようだ――なんといってもアイデアは、人間の脳内の「単なる」神経上のプロセスで、人類は集団として頭のなかでそれをほぼ無限に生み出せる。だが他のすべてと同様に、頭がアイデアとイノベーションを思いつくにはエネルギーが必要だ。そしてそのエネルギーの大半は、頭のきれる個人を支援し、適度に刺激的な環境と、大学、研究所、議会、カフェ、コンサートホール、会議場といった場所で制度化した集団経験を提供するためのものだ。

まさにこの特質が、都市と都市生活という概念に具現化されている。これをうまく表現したのが、著名な人類学者マーガレット・ミードで、「どんな年のどんな日でも、新しい才能、明晰な頭脳、あるいは優れた専門家との出会いの可能性がある中心としての都市――これぞ国のいのちに不可欠」と述べている。実際、都市は社会相互作用を増進、促進し、アイデア創造とイノベーションを刺激するために、私たちが発明したエンジンとして進化してきた。賢く野心的な人々が都市に引き寄せられ、そこで新しいアイデアが生まれ、起業精神が花開き、富が創造される。これをすべて支えるにはきわめて高いコストがかかるから、アイデアをエネルギーから切り離せると思うのは甘い――片方が欠け

ればもう片方は栄えることができない。新しい機械、新しい製品、新しい理論のための無数の思考、アイデア、推論、そして提案のなかで、多少なりとも意義があったものはごくわずかだ。ほとんどが途中で挫折するが、全体としてそれらすべてが、新しい革新的な現象が生まれて花開くために必要な背景雑音と世界観に貢献している。これらすべてが莫大なエネルギーを必要とする――無から生まれるものはないのだ。

持続可能性の科学として考えられるものは、多くの連動、相互作用するサブシステム（そのそれぞれが複雑な適応系だ）で構成され、すべてが潜在的にエネルギー、資源、情報の制約下で発展する、発展途上の複雑な適応系として、地球のダイナミクスを理解する必要がある。イノベーション動態、技術進歩、都市化、金融市場、社会ネットワーク、人口動態がどのように相互作用し、その相互関係の発達が成長と社会変化をどのように促すのか――そして、人間の努力の証として、それらすべてが総体として相互作用する制度的枠組みへとどう統合されるのか……そしてそのようなダイナミックな発達システムが最終的に持続可能なのかを理解する必要がある。

マルサス、ポール・エーリック、ローマ・クラブなどの主張には不備があるかもしれないが、その結論と含蓄にも一理あるのかもしれない。いずれにしてもそれらは、ほぼ無分別に二一世紀に移行した人類が直面すべき、最も重要な実存的問題の幾つかを取り上げることで、大きな貢献をもたらしてくれた。人口爆発は隠蔽されたが、持続可能なエネルギー供給の問題と、その潜在的に有害な結果は意識されるようになり、現在真剣に議論されている。

太陽から地球に毎日確実に供給されている、頼りがいある莫大なエネルギー流動という見地から見

れば、エネルギー問題などない。関連する相対的スケールを摑むために、次のように考えてみよう。太陽から地球に供給されているおよそ年間一〇〇万兆（10^{18}）キロワット時の総エネルギーに対し、私たちが毎年全体として使用するために必要な一五〇兆（1.5×10^{14}）キロワット時は（このスケールでは）「ごくわずか」だ。地球が太陽から受けるスケールでは、私たちのエネルギー使用量は、基本的には実際利用可能な量のわずか〇・〇一五パーセントだ。別の言い方をすると、太陽からはたった一時間で、全世界の一年間の使用量よりも多いエネルギーが届けられている。実際、太陽エネルギーのスケールは巨大で、地球の再生不可能な石炭、石油、天然ガス、ウラン資源からこれまで得たものをすべて足したものの二倍以上のエネルギーが一年間で供給されている。よってこの観点から言うと、エネルギー問題など存在しない――少なくとも原理的には。

　だから地球エネルギーの利用可能性を持続するための長期戦略ははっきりしている。私たちは、エネルギー必要量の大半が太陽から直接供給される、生物学的パラダイムへ回帰する必要がある。ただし、これまで達成してきたことを維持拡大できるような方法で。私たちは早急に太陽からの手頃で豊富なエネルギーを利用可能にする技術を開発する必要がある。それはまずは直接の放射エネルギーで、それに加えて間接的な風力、潮力、波動なども含まれる。人類の創意とイノベーション力なるものの課題として、もってこいだ。ここにダイナミックでカリスマ的な政治、企業のリーダーシップが、起業精神、自由市場制度、そして政府による刺激の動態に基づいた、持続可能な世界のエネルギーの将来性に向けた方策を構築する好機がある。蒸気機関、電話、ノートパソコン、インターネット、量子力学、相対性理論といった目を見張るような発明の実績を見れば、こんなことはお茶の子さいさいだ

ろう。だが二一世紀におけるとても不思議な一面として、イノベーションと自由市場経済こそ持続可能性の原動力だと声高に奨励、称賛する人々にかぎって、この課題の緊急性を認識せず、太陽エネルギーの無限に近い力の利用の研究開発も支持しない。

比較的最近まで進展が見られなかったのは、太陽エネルギー開発の基礎技術が一〇〇年以上前から知られていたことを考えればずいぶん驚きだ。一八九七年、アメリカ人技術者フランク・シューマンは、太陽エネルギーで小さな蒸気機関を動かしてみせて、理論の実証装置を作った。やがて彼のシステムは一九一二年に特許化され、一九一三年に彼は世界初の太陽熱エネルギー発電所をエジプトに建設した。約五〇キロワット（約六五馬力）しか発電できなかったが、毎分二万二〇〇〇リットル以上の水をナイル川から隣接する綿畑に汲み上げることができた。シューマンは太陽エネルギーに熱中してそれを推奨し、一九一六年には《ニューヨーク・タイムズ》に次のような発言が引用されている。

「私たちは太陽力の商業的利潤を証明した……そしてとりわけ、石油と石炭の埋蔵量を使い切っても、人類は太陽光から無限の力を受け取れることを証明した」

この発言が一世紀も前のものだということを考えると、シューマンの見解はたとえいまだにそれが実現されていなくても、非常に予見的だ。一九三〇年代の安価な石油の発見と開発は太陽エネルギーの進歩を阻み、シューマンの展望と基本構想は一九七〇年代の第一次エネルギー危機までほぼ忘れられていた。だが太陽電池といった技術が開発され、再生可能エネルギーの価格が既存の化石燃料エネ

ルギー発電と競争可能になり始めたことで、シューマンの夢に可能性が出てきたのは望みが持てる。

化石燃料と太陽エネルギーのもうひとつの根本的なちがいは、それらのエネルギーが生み出される基本的な物理的メカニズムにある。化石燃料の燃焼プロセスでは、石炭、石油、天然ガスの原子と分子をまとめている化学結合が蓄えたエネルギーを放出する。人間の体、人間の脳、家、コンピュータなどすべての構成要素である分子は、電磁気力で結合しており、それ自体が、大きさが慣習的に測定に使われてきた単位、電子ボルト（eV）で表されるエネルギーによって特徴づけられる。一電子ボルトは、これまで扱ってきたエネルギーの尺度としては、ごく小さいものだ。１eVは一キロワット時を三〇〇兆×一兆分で割ったもの（$1eV = 3 \times 10^{-26}kWh$）で、人類が一年間に消費するエネルギーはこれら原子の単位で表すと約$5 \times 10^{39}eV$となる。大ざっぱに言うと、必要なエネルギーを供給するために、私たちは毎年この膨大な数の分子を壊していると考えることができる。

一方で、主に水素とヘリウムから成る太陽は、原子核をまとめている結合に蓄えられた核エネルギーを燃料にしている。それは水素核が融合してヘリウム核になるときに放射線として解放される。これは核融合と呼ばれ、太陽が輝いて光と熱というかたちで私たちにエネルギーを与え、地球にあらゆる生命を生み出した基本的な物理メカニズムだ。それは地球上すべての生命の、唯一のエネルギー源だ。化石燃料として蓄えられたその力を発見して以来の、ここわずか数千年間の人類を除いて。

原子力のスケールは、化石燃料を燃やすことで解放される化学電磁エネルギーの約一〇〇万倍大きい。原子力のプロセスは、分子化学反応の特性である電子ボルトではなく、数百万電子ボルト（MeV）規模のエネルギーを扱う。この莫大な増幅率が核エネルギー利用を魅力的にしている。同

一の物質量からでも、原子核は分子の約一〇〇万倍ものエネルギーを生み出せる。車を走らせるには、年間約二〇〇〇リットルのガソリンが要るが、核燃料ならわずか数グラム、薬一錠ほどの大きさで事足りる。

太陽の動力源と同じ物理現象を使う、原子力発電所が生み出す「無限」のエネルギーという展望は、素晴らしい考えだ。これが原子爆弾の開発に続いて、第二次世界大戦直後の目まぐるしい時代に最初に着想されたときは、原子エネルギーは主要エネルギー源として化石燃料にすぐにとって替わるだろうという大きな楽観論があった。確かにまだ若き一〇代だった一九五〇年代に、大人になって家族を持つ頃には、電気代は安くなりメーターは必要なくなるという記事を新聞で読んだ覚えがある。この高揚感の典型が、ノーベル賞を受賞したアメリカ原子力委員会の委員長である核化学者グレン・シーボーグによる「地球と月を結ぶ原子力シャトル、原子力人工心臓、スキューバダイバーのためのプルトニウムを使った温水プールなどが作られる」という発言だ。

残念なことに、核融合を利用した経済競争力のあるエネルギーの創出は、実現に向けた活発な国際的努力にもかかわらず、きわめて実現困難で、技術的にもきわめて難しいことがわかってきた。だから原子力は、核分裂の利用を首尾良く発展させてきた。これは重い（ウラニウムの）核を、もっと軽い生成物へと分離するときに発生するエネルギーで、従来の化石燃料からの化学的エネルギー生産と似たプロセスだった。現在世界の電力の約一〇パーセントが核分裂を利用して生み出されており、その筆頭格のフランスは電力の八〇パーセント以上を原子炉から得ている。

従来の化石燃料による発電同様に、原子炉によって生産されたエネルギーは、地球全体という系に

内在しているので、エントロピー産出と有害な副産物に関して同じような問題を抱えている。原子力は太陽エネルギー同様に温室効果ガスの主要な発生源ではなく、気候変動の可能性を高めたりしないが、その副産物はエネルギーのスケールがきわめて大きい（一〇〇万倍）ため、非常に有害になり得る。その結果、核プロセスによる放射能は分子にとって、そして有機組織にとってきわめて有害で、深刻な健康問題を引き起こす。なかでも癌がいちばん有名だ。太陽からも同じような放射線がくるが、大気圏がおおむね守ってくれている。でも地球上の原子炉では放射線が大きな問題となる。加えて、何千年も放射能が残る、核廃棄物の安全で信頼できる貯蔵と廃棄処理の問題もある。

原子炉の安全を確保するための莫大な努力にもかかわらず、これまで多くの事故が起こり、直接の死亡者数は非常に少ないにもかかわらず、化石燃料に代わるエネルギー源としての利用に対する熱意を挫（くじ）いてきた。二〇一一年の福島原発災害が引き起こした反響は、現在と将来予定されていた世界中の核エネルギーに対する信頼の劇的低下を招いた。化石燃料はこれまで、数百万とは言わないまでも数十万人の死と、無数の健康問題を引き起こしてきたが、多くの人はいまだにそちらのほうが、原子炉がもたらす潜在的リスクよりもましだと思っている。長期安全性と、エネルギー生産と利用のエントロピー的帰結の定量的評価の問題は非常に複雑で、社会、政治、心理、科学的な問題として議論を引き起こしている。エネルギー生産が直接、間接的にどのくらい死の原因になっているのか、どの健康問題が危険と考えられるのか、そしてそれらがもたらす長期的な結果は？　ちがう技術をどう比較するのか？　どんな測定基準を使うのか？

行うべき比較がどんなものか摑むために、次のように考えてみよう。私たちは「自然ではない、人

為的な」原因による死や破壊に対して、それらが継続的で習慣的な原因から起こった場合には驚くほど寛容だが、突然まったく離散的な出来事として起きた場合には、たとえ被害者数がずっと少なくても、非常に不寛容だ。例えば、毎年世界中で一二五万人以上の人々が自動車事故で死亡するが、これは癌で最も多い肺癌による死亡者数とほぼ同等だ。それなのに癌による死に対する恐れと不安は、自動車事故での死の不安よりもずっと大きく、それぞれの問題解決努力の大きなちがいにもそれが反映されている。そしてその両方を、原発事故で直接死んだ人数と比べると興味深い。それが使われるようになってからのあらゆる原子力発電所の死者を累計しても、その数は一〇〇人以下で、その大半が一九八六年にソ連で起きたチェルノブイリの事故によるものだ。福島の事故では誰も死んでいない。確かに何千人もが、原発事故による放射線被曝で、癌になって死んだ可能性はある。特にチェルノブイリの事故によって。だがこれは毎年自動車事故によって怪我、重傷を負ったか、障害が残った推定五〇〇〇万人とてんびんにかけねばならない。

というわけで、今後数十年の社会発展を決めるのに中心的な役割を果たす、世界のエネルギー内訳の優先順位をつけるための、難しい決断や比較を行う適切な指標を求めて苦闘し、まるでちがったものを比べようとするうちに、議論は堂々巡りを繰り返すばかり。このような難しさに加えて、ほぼ世界共通の自動車への愛と、ほぼ世界共通の原子力事故に対する恐怖心（これは原爆への世界共通の恐怖と切り離せない）という、心理社会的に手に負えない問題もある。ここで私がやりたいのは、各種エネルギーの選択肢の長所短所の完璧な評価ではなく、これらの問題について議論する際に考えるべき、ある種の定量統計の単純な例を幾つか示すことだ。私たちは理性的な政治決定をするために、定

量的に考え、これらの課題に対処するのに必要な基礎科学を開発しなければならない。

人間のイノベーションで核エネルギー問題を解決できると思うか、核融合か核分裂か、手頃で信頼性の高い太陽エネルギーで一〇〇億人が必要とするエネルギーを賄うことができるのか、あるいは私たちが大気圏に撒き散らしている炭素すべてを置換できるのか、いずれにしても長期的なエントロピー生成という問題は残る。原子力は、その他多くの問題に加え、従来の化石燃料と同様に、閉鎖系の枠組みに囚われているが、太陽発電という選択は、私たちを本当の意味で持続可能な開放系の枠組みに将来戻してくれる大きな可能性を持っている。